HERSENSPINSELS

Wil je op de hoogte worden gehouden van de romans van Orlando uitgevers? Meld je dan aan voor de nieuwsbrief via onze website www.orlandouitgevers.nl.

ALICE LAPLANTE

Hersenspinsels

Vertaald uit het Engels door
Anke ten Doeschate

Published by arrangement with Ulf Töregård Agency AB

Oorspronkelijke titel *Turn of Mind*
Oorspronkelijke uitgever Atlantic Monthly Press, an imprint of
Grove/Atlantic, Inc., New York
Omslagontwerp Studio Jan de Boer
Foto omslag © Hollandse Hoogte/Photo Alto
Foto auteur © Anne Knudsen
Typografie Pre Press Media Groep, Zeist
Druk- en bindwerk Ter Roye NV, België

ISBN 978 90 229 5971 8
NUR 302

www.orlandouitgevers.nl

Voor Alice Gervase O'Neill LaPlante

EEN

Er is iets gebeurd. Dat merk je meteen. Je komt bij en treft een ravage aan: een stukgesmeten lamp, iemand die zwaar aangeslagen kijkt, het gezicht zo verwrongen dat je het amper herkent. Soms iemand in een uniform: een ambulancemedewerker of een verpleegkundige. Een hand die een pil aanreikt. Of een injectie gaat toedienen.

Deze keer bevind ik me in een open ruimte. Ik zit op een koude, metalen klapstoel. Het vertrek komt me niet bekend voor, maar dat heb ik wel vaker. Ik speur naar aanwijzingen. Het heeft wel iets weg van een kantoor, deze langwerpige ruimte vol bureaus en computers, vergeven van stapels papier. Geen ramen.

De muur is in een vaalgroene kleur geschilderd, maar er hangen zoveel posters, krantenknipsels en bulletins dat dat nog maar amper te zien is. De tl-lampen verspreiden een kil licht. Mannen en vrouwen staan te praten; met elkaar, niet met mij. Sommige dragen sjofele pakken, andere een spijkerbroek. Maar de meeste zijn in uniform gekleed. Ik heb zo'n vermoeden dat een glimlach nu niet gepast is. Misschien zou ik bang moeten zijn.

*

Ik kan nog lezen. Zo erg is het nog niet met me gesteld. Geen boeken, maar wel krantenberichten. En artikelen in tijdschriften, als ze niet te lang zijn. Dat pak ik systematisch aan. Ik neem een vel gelinieerd papier en maak aantekeningen, net als toen ik geneeskunde studeerde. Wanneer ik het niet meer snap, lees ik ze na. Ik kan erop teruggrijpen. Soms doe ik twee uur over een artikel in de *Tribune* of een halve dag over *The New York Times.* Ik pak een vel papier dat iemand heeft laten liggen en een pen. Al lezend maak ik aantekeningen: *Het zijn provisorische oplossingen. De woede-uitbarstingen nemen niet af. Ze oogsten wat ze hebben gezaaid. Dat zal hen berouwen.*

Ik bestudeer mijn aantekeningen en voel me ongemakkelijk en onzeker. Een dikke man in politie-uniform staat naast me. Hij houdt zijn hand dicht bij mijn bovenarm, alsof hij die elk moment wil grijpen. Me in bedwang wil houden.

*

'Begrijpt u de rechten die ik zojuist heb opgelezen? Bent u bereid om met me te praten met die rechten in uw achterhoofd?'

'Ik wil naar huis. Ik wil naar huis. Ben ik in Philadelphia? Er was een huis aan Walnut Lane. Daar voetbalden we op straat.'

'Nee, we zijn in Chicago. District 21. We hebben uw zoon en dochter gebeld. U mag dit verhoor beëindigen wanneer u wilt. Dat is uw goed recht.'

'Laten we er dan maar mee stoppen.'

*

Aan de keukenmuur hangt een groot bord. De woorden erop zijn in een bibberig handschrift met een dikke, zwarte stift geschreven. Ze vloeien van het bord: *Mijn naam is dokter Jennifer White en ik ben 64 jaar. Ik lijd aan de ziekte van Alzheimer. Mijn zoon Mark is 29 jaar. Mijn dochter Fiona is 24 jaar. Magdalena woont bij me in. Zij zorgt voor me.*

Dat lijkt me duidelijk. Maar wat doen al die mensen dan hier? Deze vreemden. Een blonde vrouw die ik niet herken, zit in mijn keuken thee te drinken. In de studeerkamer scharrelt ook iemand rond. Als ik de woonkamer binnenkom, zie ik nog een onbekend gezicht. 'Wie bent u,' vraag ik. 'Wie zijn al die anderen? Kent u háár?' Ik wijs naar de keuken en ze beginnen te lachen.

Ik ben haar, zeggen ze. Eerst zat ik daar en nu hier. We schijnen hier slechts met zijn tweetjes te zijn. Ze vragen of ik een kop thee wil. Ze vragen of ik een eindje wil wandelen. Ben ik soms een klein kind? Ik ben al die vragen zo zat. 'Je kent me toch nog wel? Herinner je je mij niet meer? Magdalena. Je vriendin.'

*

Het notitieboek is eigenlijk bedoeld om met mezelf en anderen te communiceren. Om de zwarte gaten op te vullen. Als alles één groot waas lijkt, als iemand begint over een gebeurtenis of een gesprek dat ik me niet kan herinneren, blader ik het door. Soms beurt dat me op. Soms ook niet. Het is de bijbel van mijn bewustzijn en ligt altijd op de keukentafel: een groot, vierkant notitieboek met een leren omslag en dik, roomkleurig papier. Elke aantekening is van een datum voorzien. Een vriendelijke dame zet me neer op een stoel en legt het voor me op tafel.

20 januari 2009, schrijft ze. *Jennifers notities*. Ze geeft me de pen. 'Schrijf maar op wat er vandaag is gebeurd. Schrijf over je jeugd. Schrijf op wat je je kunt herinneren,' zegt ze.

Ik herinner me mijn eerste polsarthrodese. De druk van het scalpel op de huid, hoe die een beetje meegeeft als het erdoorheen gaat. De taaiheid van spieren. Mijn chirurgische schaar die bot afschraapt. En de bloederige handschoen die je na afloop vinger voor vinger afstroopt.

*

Zwart. Iedereen is in het zwart gekleed. Getweeën of gedrieën lopen ze naar de Sint-Vincentiuskerk, gehuld in jassen en sjaals die ze om hun hoofd hebben geslagen. Ze buigen hun hoofd om de waarschijnlijk ijskoude wind af te weren.

Ik zit lekker binnen en tuur door de met ijs beslagen ramen. Magdalena staat naast me. Ik kan de bijna vier meter hoge, met snijwerk versierde houten deuren nog net zien. Ze staan wijd open en mensen stromen naar binnen. Voor de kerk staat een lijkwagen, met daarachter een rij auto's met brandende koplampen.

'Dat is voor Amanda,' zegt Magdalena. 'Het is Amanda's begrafenis.' Ik vraag haar wie Amanda is. Magdalena aarzelt even maar zegt dan: 'Je beste vriendin. De peettante van je dochter.'

Ik doe mijn best me haar te herinneren. Maar tevergeefs. Ik schud mijn hoofd. Magdalena pakt mijn notitieboek. Ze bladert een eindje terug en wijst naar een krantenknipsel.

VERMINKTE LIJK VAN BEJAARDE VROUW GEVONDEN IN CHICAGO
Chicago Tribune – 23 februari 2009

CHICAGO – *Het verminkte lijk van een 75-jarige vrouw uit Chicago is gisteren ontdekt in een woning aan Sheffield Avenue.*

In haar woning werd het levenloze lichaam van Amanda O'Toole aangetroffen, nadat een buurvrouw had gemerkt dat ze al bijna een week de krant niet meer uit de bus had gehaald, zo is uit betrouwbare bron vernomen. Van haar rechterhand waren vier vingers afgesneden. Het exacte tijdstip van overlijden is nog onbekend, maar hoofdletsel is de vermoedelijke doodsoorzaak.

Uit het huis lijkt niets ontvreemd te zijn.

Er is nog niemand in staat van beschuldiging gesteld, maar de politie heeft wel een verdachte aangehouden die later weer is vrijgelaten.

Ik doe mijn best, maar het zegt me helemaal niets. Magdalena loopt weg en komt terug met een foto.

Twee vrouwen. De een is minstens vijf centimeter langer dan de ander. Ze heeft haar lange, steile, witte haar in een strak knotje samengebonden. De ander is jonger en heeft grijze krullen die een gezicht met scherpe, vrouwelijkere gelaatstrekken omlijsten. Zij was wellicht ooit een schoonheid.

'Dit ben jij,' zegt Magdalena, terwijl ze naar de jongere vrouw wijst. 'En dat is Amanda.' Ik tuur naar de foto.

De langere vrouw heeft een fascinerend gezicht. Maar het is knap noch vriendelijk. Ze heeft een haviksneus en een scherpe kaaklijn waaruit minachting spreekt. De twee vrouwen staan dicht bij elkaar. Hoewel ze elkaar niet aanraken, is de affiniteit tussen hen zichtbaar.

'Probeer het je te herinneren,' dringt Magdalena aan. 'Misschien is het belangrijk.' Haar hand ligt zwaar op mijn schouder. Ze wil iets van me. Maar wat? Plotseling ben ik doodmoe. Mijn handen trillen. Ik voel het zweet tussen mijn borsten omlaag druppelen.

'Ik wil naar mijn kamer,' zeg ik, terwijl ik Magdalena's hand wegduw. 'Laat me met rust.'

*

Amanda? Dood? Ik kan het niet geloven. Mijn beste vriendin. Ze was als een tweede moeder voor mijn kinderen. Mijn bondgenoot in deze buurt. Mijn zuster.

Zonder Amanda had ik er alleen voor gestaan. Ik was anders. Dat is altijd zo geweest. De vreemde eend in de bijt.

Niet dat anderen dat in de gaten hadden. Ze lieten zich door de buitenkant misleiden en waren makkelijk voor de gek te houden. Niemand begreep mijn zwakheden zo goed als Amanda. Ze zag me zoals ik was en verloste me van mijn heimelijke eenzaamheid. En waar was ik toen ze mij nodig had? Hier. Drie huizen verderop. Wentelend in zelfmedelijden. Terwijl zij crepeerde. Terwijl een monster met een mes haar vermoordde.

Wat een verdriet! Het doet zo'n pijn! Ik stop met de pillen. Ik pak een scalpel en snijd mijn herinnering aan haar uit mijn brein. Ik smeek om datgene waartegen ik nu al maandenlang strijd: zoete vergetelheid.

*

De aardige dame schrijft in mijn notitieboek. Ze zet haar naam erbij: Magdalena. *Vandaag, vrijdag 11 maart, had je een slechte dag. Je hebt je teen gebroken toen je tegen een traptrede schopte. Je ontvluchtte de eerste hulp en rende naar de parkeerplaats. Een beveiliger heeft je teruggebracht. Je bespuugde hem.*

De schaamte.

*

Deze staat van half-bewustzijn. Leven in de schaduw. Terwijl de neurofibrillaire kluwens zich uitbreiden, de neuritische plaques klonteren, synapsen geen informatie meer doorgeven en mijn verstand wegkwijnt, krijg ik toch alles mee. Als een patiënt die niet is verdoofd.

Elke cel die afsterft, steekt me op mijn gevoeligste plek. Onbekenden behandelen me als een klein kind. Ze knuffelen me en proberen mijn hand vast te houden. Ze noemen me Jen of Jenny, zoals ik werd genoemd toen ik nog een klein meisje was. Verbitterd probeer ik het feit te accepteren dat ik beroemd en zelfs geliefd ben bij onbekenden. Een ster!

En dat terwijl ik mezelf al bijna ben vergeten.

*

De laatste tijd staan er allemaal geboden in mijn notitieboek: *Mark erg kwaad vandaag. Hij heeft de hoorn op de haak gesmeten. Van Magdalena mag ik niet praten met mensen die opbellen. Als er wordt aangebeld wanneer zij de was doet of op het toilet zit, mag ik niet opendoen.*

Dan in een ander handschrift: *Mam, Mark zorgt niet goed voor je. Laat mij je mentor worden en je medische belangen behartigen. Het is hoe dan ook beter om dezelfde persoon als bewindvoerder en mentor aan te stellen. Fiona.* Sommige woorden zijn doorgestreept, nee, onleesbaar gemaakt met een dikke, zwarte stift. Maar door wie?

*

Ik zit bij een praatgroep voor alzheimerpatiënten. Mensen komen en gaan.

Vanochtend zei Magdalena dat ik een goede dag heb. We gaan ernaartoe. De groep komt samen in een methodistenkerk aan Clark Street, een grijze kolos met houten wanden en opzichtige glas-inloodramen in primaire kleuren.

We ontmoeten elkaar in de gemeenschapszaal: een groot vertrek met ramen die niet open kunnen en gespikkeld linoleum waarin de slijtsporen van de metalen klapstoelen staan. We vormen een bont gezelschap: een stuk of zes mensen wiens verstand in meer of mindere mate is aangetast. Magdalena blijft met de andere verzorgers buiten op me wachten. Ze posteren zich op de bankjes in de donkere gang, pakken hun breiwerk erbij of kletsen zachtjes met elkaar. Toch blijven ze waakzaam en staan ze paraat om bij het geringste teken van problemen op te springen en hun cliënt af te voeren.

De gespreksleider is een jonge therapeut. Hij heeft een vriendelijk, alledaags gezicht en begint de bijeenkomst altijd met een grapje.

'Ik-heet-dat-weet-ik-niet-meer-en-ik-ben-een-dat-ben-ik-vergeten,' zegt hij dan. Daarmee verwijst hij naar de Twee Circulaire Stappen. Stap Eén is erkennen dat je een probleem hebt en Stap Twee is vergeten dat je een probleem hebt.

Elke keer heeft hij weer de lachers op zijn hand. Sommigen herinneren zich het grapje nog van de vorige bijeenkomst, maar de meesten weten het niet meer, hoe vaak ze het ook al hebben gehoord.

Vandaag heb ik een goede dag. Ik herinner me het grapje nog en heb zelfs de neiging om nog een derde stap toe te voegen: Stap Drie is weten dat je het bent vergeten. Dat is de moeilijkste stap van allemaal.

Vandaag praten we over onze instelling. Zo noemt de gespreksleider het. 'Er is een buitengewoon trieste diagnose bij jullie gesteld,' zegt hij. 'Jullie zijn intelligente, hoogopgeleide mensen. Jullie weten dat je nog maar weinig tijd hebt. Maar hoe jullie die willen doorbrengen, is helemaal aan jullie. Zie het van de positieve kant! Alzheimer is als een feestje waar je niemand kent. Moet je je voorstellen! Elke maaltijd kan de lekkerste van je hele leven zijn! Elke film de boeiendste die je ooit hebt gezien! Zie er de humor van in,' zegt hij. 'Het is alsof je van een andere planeet komt en hier de plaatselijke gebruiken observeert.'

Maar hoe moet dat als je het gevoel hebt dat de muren op je afkomen? Als verandering je altijd heeft beangstigd? Op mijn dertiende heb ik een week niet gegeten omdat mijn moeder nieuwe lakens voor mijn bed had gekocht. Voor ons alzheimerpatiënten is het leven een hachelijke onderneming geworden. Overal schuilt gevaar. Onbekenden die zich aan je opdringen, knikken je vriendelijk toe. Je lacht als anderen lachen en kijkt ernstig als zij dat doen. Als mensen je vragen of je je iets herinnert, knik je nadrukkelijk. Of je fronst eerst en kijkt dan opgelucht, alsof het je toch te binnen schiet.

Dat is allemaal noodzakelijk om te kunnen overleven. Ik kom van een andere planeet en de mensen hier zijn niet aardig.

*

Ik maak zelf mijn post open. Daarna verdwijnt die opeens. Hij wordt afgepakt. Vandaag zijn er smeekbedes om walvissen en panda's te redden en Tibet te bevrijden.

Op mijn bankafschrift staat dat ik 3.567,89 dollar op een rekening van de Bank of America heb staan. Er is ook een afschrift van ene Michael Brownstein, een effectenmakelaar. Mijn naam staat erboven. In het afgelopen jaar zijn mijn aandelen 19 procent minder waard geworden. Blijkbaar hebben ze nu een gezamenlijke waarde van 2,56 miljoen dollar. Er zit een briefje bij: *Gelukkig is het nog niet zo erg als het had kunnen zijn dankzij je behoudende investeringsbeleid en brede, uiteenlopende portfolio.*

Is 2,56 miljoen dollar veel geld? Is het genoeg? Ik staar naar de letters op het papier, totdat ik een waas voor ogen zie. AAPL, IBM, CVR, NSP, SFR. De geheime taal van geld.

*

James is gehaaid. James heeft geheimen. Van sommige ben ik op de hoogte, van andere niet. Waar is hij vandaag? De kinderen zitten op school. Het is stil in huis. Er is alleen een vrouw, een huishoudster lijkt het wel. Ze zet de boeken in de studeerkamer recht en neuriet een liedje dat ik niet ken. Heeft James haar ingehuurd? Waarschijnlijk wel. Iemand zal de boel hier wel schoonhouden, want het huis is helemaal aan kant. Ik heb altijd de pest aan huishoudelijk werk gehad en hoewel James bijna smetvrees heeft, heeft hij het er altijd ook veel te druk voor. Altijd in de weer. Soms moet hij undercover, zoals nu. Amanda vindt het maar niets. Een huwelijk moet transparant zijn, stelt zij. Het moet het volle daglicht kunnen verdragen. Maar James is een schimmige vent. Hij heeft een schuilplaats nodig en floreert in het duister. Hij legde me dit lang geleden al uit met een perfecte metafoor die hij aan de natuur had ontleend. Hoewel ik altijd huiverig ben voor die clichématige vergelijkingen, had deze een kern van waarheid. Het was een warme, benauwde zomerdag en we waren bij James' ouderlijk huis in North Carolina. We waren nog niet getrouwd. In de avondschemering gingen we na het eten nog een eindje wandelen. Nog geen tweehonderd meter van de achterdeur van zijn ouderlijk huis lag een ondoordringbaar, duister oerbos. Aan de takken van de donkere bomen hingen witte slierten mos. Onze voetstappen werden gedempt door de dode bladeren op de grond. Er groeiden bosjes varens en hier en daar stond een glanzende paddenstoel. James wees ernaar. 'Giftig,' zei hij. Terwijl hij sprak, klonk de roep van een vogel. Maar verder heerste er doodse stilte. Als er al een pad liep, dan zag ik het niet. James liep echter gestaag door en op wonderbaarlijke wijze leek zich voor ons toch een weg te ontvouwen. We hadden misschien een halve kilometer gelopen en het was bijna donker toen James bleef staan. Hij wees weer. Onder aan een boom, tussen een zee van geelgroen mos, fonkelde iets spookachtig wits. Een bloem, één enkele bloem, met een lange, witte stengel. James slaakte een zucht. 'We hebben geluk,' zei hij. 'Soms zoek je er dagen naar en vind je er geen.'

Ik vroeg wat het was. De bloem verspreidde een felle gloed en kleine insecten cirkelden eromheen, alsof ze tot het licht werden aangetrokken.

'Een spookplant,' zei James. 'De *monotropa uniflora*.' Hij bukte en legde zijn handen voorzichtig om de bloem, zodat de stengel niet zou breken. 'Het is een van de weinige planten die geen licht nodig heeft. Hij groeit zelfs in het donker.'

'Hoe kan dat?' vroeg ik.

'Het is een parasiet. Hij voedt zich niet door fotosynthese maar met schimmels en organische stoffen in zijn omgeving. Hij laat anderen het zware werk doen. Ik heb altijd iets gehad met deze plant. Ik bewonder hem zelfs. Ze hebben het niet makkelijk, daarom zijn ze ook zo zeldzaam. Deze plant moet de juiste gastheer zien te vinden en de omstandigheden moeten precies goed zijn, anders kan hij niet tot bloei komen. Maar als hij tot bloei komt, is dat werkelijk spectaculair.' Hij liet de bloem los en ging weer staan.

'Ik begrijp het,' zei ik.

'Echt?' vroeg James. 'Begrijp je het echt?'

'Ja,' herhaalde ik. Het woord bleef als een belofte in de zwoele avondlucht hangen. Een eed.

Kort na dit uitstapje trouwden we stiekem in het gerechtsgebouw van Evanston. We nodigden niemand uit omdat we het helemaal voor onszelf wilden houden. Een medewerker was onze getuige en na vijf minuten stonden we alweer buiten. Al met al was het een goede beslissing. Maar op zo'n dag als vandaag, als James' afwezigheid fysiek pijn doet, verlang ik ernaar om weer in dat bos te zijn. Op de een of andere manier is de herinnering daaraan zo tastbaar alsof het gisteren was. Ik heb het gevoel dat ik die bloem bijna kan plukken, zodat ik hem straks aan James kan geven. Een duistere trofee.

*

Ik bevind me in het kantoor van Carl Tsien. Een arts. Mijn arts, zo lijkt het. Een tengere, kalende man. Met de bleke gelaatskleur van iemand die altijd binnen zit. Een vriendelijk gezicht. Blijkbaar kennen we elkaar goed.

Hij heeft het over voormalige studenten. Hij heeft het zelfs over ónze studenten. Volgens hem heb ik alle reden om trots te zijn omdat ik veel heb betekend voor de universiteit en het ziekenhuis.

Ik schud mijn hoofd. Ik ben te moe om te doen alsof ik geen zware nacht heb gehad. Een nacht vol gedrentel. Heen en weer, van de badkamer naar de slaapkamer en weer terug. Ik telde de voetstappen die een vast ritme op de tegels en de hardhouten vloer sloegen. Ik liep maar heen en weer, totdat mijn voeten er pijn van deden.

Maar dit kantoor roept herinneringen op. Hoewel ik deze dokter niet ken, komen zijn spullen me wel bekend voor. Op zijn bureau staat een schaalmodel van een menselijke schedel. Iemand heeft lippenstift op de benige kaak aangebracht om een mond na te bootsen. GEKKE CARLOTTA, staat er doodleuk op het etiket eronder. Ik ken die schedel. Ik ken dat handschrift. Hij ziet me kijken. 'Je grapjes waren altijd al een beetje macaber,' zegt hij.

Achter het bureau hangt een oud reclameaffiche van een skioord. *Chamonix* staat er in knalrode letters. *Des conditions excellentes, des terrasses ensoleillées, des hors-pistes mythiques.* Een man en een vrouw op ski's, gehuld in de dikke kledij die aan het begin van de twintigste eeuw werd gedragen, zwevend boven een met dennenbomen bezaaide berghelling. Een gestileerde tekening, geen foto. Aan weerszijden van het affiche hangen wel zwart-witfoto's. Rechts een jong, vuil meisje dat gehurkt voor een vervallen keet zit. Links een dor, vlak veld waarboven de zon net op- of ondergaat, en een naakte vrouw die op haar buik ligt en haar kin met haar handen ondersteunt. Ze kijkt recht in de camera. Ik voel afkeer en kijk de andere kant op.

De arts begint te lachen en klopt op mijn arm. 'Mijn artistieke voorkeuren hebben je nooit kunnen bekoren, zegt hij. Je vond het te ver gezocht. Een combinatie van Ansel Adams en Discovery Channel.' Ik haal mijn schouders op. Terwijl hij me naar een stoel begeleidt, laat hij zijn hand op mijn arm liggen. Ik schud hem niet van me af.

'Ik ga je een paar vragen stellen,' zegt hij. 'Probeer zo goed mogelijk antwoord te geven.'

Ik zeg niets.

'Welke dag is het?'

'Ik-moet-naar-de-dokterdag.'

'Slim. Welke maand is het?'

'Het is winter.'

'Kun je specifieker zijn?'

'Maart?'

'Bijna goed. Eind februari.'

'Wat is dit?'

'Een pen.'

'Wat is dit?'

'Een horloge.'

'Hoe heet je?'

'Zeg, waar zie je me voor aan?'

'Hoe heten je kinderen?'

'Fiona en Mark.'

'Hoe heette je man?'

'James.'

'Waar is je man?'

'Hij is dood. Een hartaanval.'

'Wat weet je er nog van?'

'Hij zat in de auto en verloor de macht over het stuur.'

'Overleed hij als gevolg van de hartaanval of van het auto-ongeluk?'

'Medisch gezien was dat niet met zekerheid te zeggen. Cardiomyopathie, veroorzaakt door mitralisinsufficiëntie, of hoofdletsel kunnen hem allebei fataal zijn geworden. Het was moeilijk te zeggen. De patholoog-anatoom hield het op een hartaanval. Zelf zou ik voor het hoofdletsel hebben gekozen.'

'Je was er vast kapot van.'

'Nee, ik vond het typisch James: die eeuwige strijd tussen hoofd en hart tot het bittere eind.'

'Nu maak je er een grapje van. Maar ik weet nog goed hoe erg het je heeft aangegrepen.'

'Doe niet zo neerbuigend. Ik moest er wél om lachen. Zijn hart hield er het eerst mee op. Zijn hart! Dat vond ik hilarisch. Ik lachte zelfs toen ik zijn stoffelijk overschot moest identificeren. Wat een kille, hel verlichte plek. Het mortuarium. Ik heb er altijd een hekel aan gehad en was er sinds mijn studententijd niet meer geweest. Dat felle licht. De bittere kou. En dat geluid van die rubberen zolen op de tegelvloer, net het gepiep van hongerige ratten. Dat herinner ik me nog: James in dat helle, onverbiddelijke licht, met op de achtergrond het geluid van wegvluchtend ongedierte.'

'Nu doe jij neerbuigend. Ik weet heus wel dat er nog veel meer speelde.'

De arts schrijft iets in mijn dossier. Dan glimlacht hij naar me.

'Je hebt een score van negentien gehaald,' zegt hij. 'Het gaat vandaag goed met je. Je bent niet geprikkeld en volgens Magdalena is de agressie ook een stuk minder geworden. Ik stel voor dat we de medicatie ongewijzigd laten.'

Hij kijkt me aan. 'Heb je daar bezwaar tegen?'

Ik schud mijn hoofd. 'Goed, we zullen al het mogelijke doen om je thuis te houden. Ik weet dat je dat graag wilt.'

Hij zwijgt even. 'Ik moet je iets over Mark vertellen. Hij wil dat ik een verklaring opstel om je wilsonbekwaam te verklaren in het geval van medische beslissingen,' zegt hij. 'Dat heb ik geweigerd.' De arts leunt naar voren. 'Ik raad je aan om je niet door een andere arts te laten onderzoeken. Niet zonder gerechtelijk bevel.'

Hij pakt een vel papier uit het dossier. 'Kijk… ik heb het allemaal voor je opgeschreven. Ik geef het aan Magdalena. Zij zal het goed bewaren. Ik heb twee kopieën gemaakt. Magdalena zal er eentje aan je advocaat geven. Volgens mij kun je Magdalena vertrouwen.'

Hij wacht mijn reactie af, maar ik heb alleen maar oog voor de foto van de naakte vrouw met de aarzelende, argwanende blik. Ze kijkt in de camera. Er dwars doorheen. Ze kijkt me recht aan.

*

Ik kan de autosleutels niet vinden, dus ik loop naar de drogist. Ik ga tandpasta, tandzijde en shampoo voor droog haar kopen. Misschien ook nog toiletpapier, maar dan niet van dat goedkope spul.

Normale dingen. Ik ga vandaag doen alsof ik volstrekt normaal ben. Vervolgens ga ik naar de supermarkt. Daar koop ik voor het avondeten de grootste gegrilde kip die ze hebben. En vers brood. Dat vindt James lekker. Kleine genoegens, daar houden we allebei van.

Maar ik moet opschieten. En stilletjes vertrekken. Anders houden ze me tegen. Zo gaat het altijd.

Geen portemonnee. Waar ligt hij? Ik leg hem altijd in het halletje. Ach, wat maakt het uit? Als ik zeg dat ik dokter Jennifer White heet en dat ik mijn portemonnee ben vergeten, is er vast wel iemand zo aardig om me geld te geven. Dan zal ik hem toeknikken en bedanken.

Ik loop in rap tempo over straat, langs de met klimop bedekte herenhuizen met de keurige, symmetrisch aangelegde voortuintjes, omsloten door smeedijzeren hekjes.

'Dokter White? Bent u dat?'

In een wit busje met een adelaar erop zit een zwarte man in een blauw uniform. Hij rolt het raampje omlaag en gaat zo langzaam rijden dat ik hem kan bijhouden.

'Ja?' Ik loop stug door.

'Het is geen mooie dag om buiten te zijn. Zulk smerig weer.'

'Ik maak alleen maar een wandelingetje,' zeg ik. Ik kijk hem bewust niet aan. Als je hen niet aankijkt, laten ze je soms met rust. Als je hen niet aankijkt, laten ze het er soms bij zitten.

'Wat zegt u van een lift? U bent helemaal doorweekt. Geen jas. Hemeltjelief, u draagt zelfs geen schoenen. Vooruit, stap in.'

'Nee, ik hou van dit weer. Ik vind het fijn om het beton onder mijn blote voeten te voelen. Lekker koud. Dan voel ik me niet zo versuft.'

'Die aardige dame die bij u inwoont, zal dit niet zo leuk vinden.'

'Nou en?'

'Kom nu maar mee.' Hij spreekt op een geruststellende toon en parkeert het busje op de stoep. Hij steekt zijn armen uit en wenkt me. Vriendelijk.

'Ik ben geen hondsdol dier.'

'Natuurlijk niet. Dat spreekt voor zich. Maar ik kan u niet zomaar laten gaan. Dat snapt u toch wel, dokter White?'

Ik veeg het ijskoude, natte haar uit mijn gezicht en blijf doorlopen. Hij laat de motor van zijn busje draaien en pakt zijn telefoon. Als hij zeven getallen intoetst, is het goed. Als hij er drie intoetst, is het slecht. Dat weet ik in elk geval zeker. Ik blijf staan en let goed op. Eén twee drie. Hij brengt de telefoon naar zijn oor.

'Wacht,' zeg ik. 'Nee.' Ik ren om het busje heen. Ik trek het portier open en klauter erin. Als hij maar ophangt. Stopt wat hij in gang heeft gezet. Anders gebeuren er nare dingen. 'Hang op,' zeg ik. 'Hang toch op.' Hij aarzelt. Er wordt opgenomen en ik hoor een stem. Hij kijkt naar de telefoon en klapt hem dicht. Hij glimlacht naar me. Waarschijnlijk is het geruststellend bedoeld, maar mij hou je niet voor de gek.

'Goed! Ik breng u snel naar huis voordat u doodziek wordt.'

Hij blijft op de stoep wachten tot ik bij de voordeur ben. Die staat wagenwijd open. Wind en ijzel geselen het halletje. De dikke, damasten gordijnen voor de ramen zijn kletsnat. Ik stap op het doorweekte tapijt, een donkere Tabriz die we dertig jaar geleden in Bagdad kochten. Inmiddels is het een museumstuk. James heeft het vorig jaar nog laten taxeren. Hij zal woedend zijn. Magdalena's schoenen zijn verdwenen. Er staat een kopje lauwe thee op tafel. Het is maar half leeggedronken.

Opeens ben ik doodop. Ik ga bij het theekopje zitten en schuif het weg. Ik ruik nog net een vleugje kamille. Die bakerpraatjes over kamille kloppen wel. Het is een adequaat middel tegen darmklachten, koorts, menstruatiekrampen, buikpijn, huidinfecties en onrust. En slapeloosheid natuurlijk.

'Een middel tegen elke kwaal,' had Magdalena uitgeroepen toen ik dat vertelde. Niet elke kwaal, helaas.

*

We luisteren naar de Matthäus-Passion. Het is 1988. Solti staat op het podium in de Orchestra Hall. Het publiek is gebiologeerd totdat de cadensen verstommen. De verminderde septiemen en de verontrustende modulaties. De spanning is bijna niet te verdragen. Ik voel James' warme vingers, verstrengeld met de mijne, zijn warme adem tegen mijn wang.

Plotseling is het een koude winterdag. Ik zit alleen in mijn keuken. Ik leg mijn armen op tafel en laat mijn voorhoofd erop rusten. Heb ik vanochtend mijn pillen wel geslikt? Hoeveel heb ik er genomen? Hoeveel zou voldoende zijn?

Zover is het al met me gekomen. Het scheelt nog maar weinig. Ik hoor een echo van Bach: *Ich bin's, ich sollte büssen*. Ik ben degene die moet lijden, degene die verdoemd is.

Maar nog niet. Nee. Nog niet helemaal. Ik zit en wacht af.

*

Een man komt binnen zonder te kloppen. Hij beweert mijn zoon te zijn. Magdalena bevestigt dat, dus het zal wel zo zijn. Toch staat zijn gezicht me niet aan. Ik sluit niet uit dat ze me de waarheid vertellen, maar ik blijf gereserveerd. Ik houd me op de vlakte.

Wat ik zie: een vreemde man, een aantrekkelijke man. Donker. Donker haar, donkere ogen en een duistere uitstraling, als je dat zo kunt zeggen. Hij vertelt me dat hij 29 jaar is. Hij is alleenstaand en advocaat van beroep. 'Net als je vader,' roep ik uitgekookt. Er broeit iets in die duistere blik. Ik heb hem getart, dat is wel duidelijk.

'Helemaal niet,' zegt hij. 'In geen enkel opzicht. Ik zal nooit in de voetsporen van de ontzagwekkende McLennan treden. De rijken bijstaan en daar goud geld mee verdienen.' Hij maakt een spottende buiging naar het portret van de slanke, donkere man dat in de woonkamer hangt. 'Waarom heb ik jouw achternaam niet gekregen, mam? Jij hebt ook een glansrijke carrière achter de rug, maar in een heel andere branche.'

'Nu is het mooi geweest!' zeg ik streng. Opeens herinner ik me mijn zoon. Hij is zeven jaar oud. Hij is net de kamer komen binnenrennen, zet zijn handen in zijn zij en kijkt me glunderend aan. Water spettert rond. Ik zie dat hij de goudvissen van zijn zus in zijn broekzakken heeft gestopt. Ze wriemelen nog. Mijn woede verrast hem totaal.

We weten er een paar te redden, maar de meeste zijn koud en stijf en moeten door het toilet worden gespoeld. Desondanks blijft hij gefascineerd staren naar de roodgouden staartjes die in de pot worden gezogen. Zelfs als zijn zus ontdekt wat er is gebeurd, toont hij geen berouw. Nee. Erger nog. Hij is trots. Deze aanstichter van een kleine slachtpartij op een verder zo rustige dinsdagmiddag.

De-man-die-naar-verluidt-mijn-zoon-is gaat in de blauwe leunstoel voor het raam in de woonkamer zitten. Hij maakt zijn stropdas los, strekt zijn benen en doet alsof hij thuis is.

'Magdalena zei al dat het goed met je gaat,' zegt hij.

'Prima hoor,' zeg ik vormelijk. 'Gezien mijn toestand.'

'Vertel daar eens wat meer over,' zegt hij.

'Waarover?' vraag ik.

'Heb je een beetje in de gaten wat er met je gebeurt?'

'Dat vraagt iedereen,' zeg ik. 'Ze staan er versteld van dat ik het me allemaal zo bewust ben, dat ik zo...'

‘Onbewogen blijf,’ vult hij aan.

Ja.

‘Zo ben je altijd geweest,’ zegt hij. Hij heeft een ironische, niet onaantrekkelijke lach. ‘Toen ik mijn arm had gebroken, was je zo in mijn botdichtheid geïnteresseerd dat je bijna vergat dat ik naar het ziekenhuis moest.’

‘Ik kan me inderdaad herinneren dat iemand ooit zijn arm brak. Mark. Het was Mark. Mark viel uit de esdoorn voor het huis van de Janecki’s.’

‘Ik ben Mark.’

‘Ben jij Mark?’

‘Ja. Je zoon.’

‘Heb ik een zoon?’

‘Ja, dat ben ik. Mark.’

‘Ik heb een zoon!’ Ik ben met stomheid geslagen. ‘Ik heb een zoon!’ Ik ben helemaal opgetogen. Dolblij!

‘Mam, toe nou…’

‘Het grijpt me gewoon aan. Al die jaren had ik een zoon, zonder het te weten!’

De man knielt bij me neer en wiegt me in zijn armen.

‘Het is al goed, mam. Ik ga nergens heen.’

Ik klamp me aan hem vast. Het is toch een wonder dat ik deze knappe, jonge vent op de wereld heb gezet. Er klopt iets niet aan zijn gezicht, een schoonheidsfoutje. Maar daarom hou ik alleen maar des te meer van hem.

'Mam,' zegt hij na een tijdje. Zijn omhelzing verslapt en hij duwt me van zich af.

Ik mis zijn warmte meteen en ga met tegenzin weer in mijn stoel zitten.

'Mam, dit is belangrijk. Het gaat om Fiona.' Hij is weer gaan staan en zijn blik is even duister en argwanend als toen hij binnenkwam. Ik ken die blik.

'Wat is er met haar?' vraag ik op enigszins barse toon.

'Mam, ik weet dat je dit niet wilt horen, maar ze is weer eens doorgedraaid. Je weet hoe ze kan zijn.'

Ik weet het maar al te goed, maar geef geen antwoord. Ik hou er niet van als ze over elkaar praten.

'Deze keer is het echt erg. Ze wil niet meer met me praten. Vroeger kon jij altijd wel tot haar doordringen. Pap soms ook. Maar naar jou luistert ze. Zou jij eens met haar willen praten?' Hij valt stil. 'Snap je wat ik zeg?'

'Waar heb je gezeten, klootzak?' roep ik.

'Hè?'

'Je hebt wel lef om na al die jaren hier te komen en deze onzin uit te kramen.'

'Rustig maar, mam. Het is al goed. Ik ben al die tijd hier geweest.'

'Hoe bedoel je? Ik ben alleen. Helemaal alleen in dit huis. Ik eet in mijn eentje en ga in mijn eentje naar bed. Vreselijk alleen.'

'Maar dat is niet waar, mam. Vorig jaar was pap er nog. En Magdalena dan?'

'Wie?'

'Magdalena. Je vriendin. De vrouw die bij je inwoont.'

'O. Zij. Dat is geen vriendin. Ze krijgt betaald. Ik betaal haar.'

'Maar dan kan ze je vriendin toch nog wel zijn?'

'Zeer zeker niet.' Plotseling ben ik kwaad. Woedend! 'Klootzak,' zeg ik. 'Je hebt me in de steek gelaten!'

De man slaakt een zucht en begint te roepen: 'Magdalena!'

'Heb je me niet gehoord? Klootzak!'

'Ik heb je wel gehoord, mam.' Hij kijkt om zich heen, alsof hij naar iets op zoek is. 'Mijn jas,' zegt hij. 'Heb je mijn jas gezien?'

Een vrouw rent de kamer binnen. Blond. Een forse vrouw. 'Je kunt maar beter gaan,' zegt ze. 'Vlug. Hier is je jas. Ja. Bedankt voor je komst.'

'Nou, ik ga niet doen alsof het een genoegen was,' zegt de man tegen me en draait zich om.

'Lazer op!'

De blonde vrouw steekt haar hand uit en loopt langzaam op me af. 'Nee, Jennifer. Leg dat neer. Leg het alsjeblieft neer. Nou, dat is toch nergens voor nodig?'

Wat er is gebeurd? Een ongelukje. De telefoon ligt in het halletje, tussen de glasscherven. Koude lucht stroomt langs me heen en de gordijnen wapperen. Buiten slaat iemand een autoportier dicht en start de motor. Ik voel me springlevend en onoverwinnelijk. Ik sta in mijn recht. Ik kan alles aan. Dit kwam niet zomaar uit het niets. O nee, ik heb nog veel meer opgekropt.

*

Uit mijn notitieboek:

Een goede dag. Een voortreffelijke dag. Mijn hoofd is niet zo wazig. Ik heb mezelf aan een Mini-Cogtest onderworpen. Over het jaar, de maand en de dag twijfelde ik, maar het seizoen wist ik wel. Ook mijn leeftijd was me ontschoten, maar ik herkende de vrouw in de spiegel. Nog een vleug kastanjebruin in het haar. Dezelfde donkerbruine, sprankelende ogen. Rimpels rond mijn ogen en op mijn voorhoofd. Misschien zijn het geen lachrimpeltjes, maar in elk geval lijken ze op gevoel voor humor te wijzen.

Ik weet dat ik Jennifer White heet. Ik ken mijn adres: Sheffield Avenue 2153. Het is eindelijk lente geworden. De geur van de warme, natte aarde, de belofte van wedergeboorte, van dingen die ontwaken uit hun slapende toestand. Ik open de ramen en zwaai naar de overbuurman die zijn bloembedden al omspit, in afwachting van de schitterende verzameling frederiksbloemen, engelentrompet en blauwpaarse vlinderstruiken.

Ik ga naar de keuken en weet weer hoe ik de sterke, bittere koffie moet zetten die ik zo lekker vind: het malen van de bonen in de koffiemolen, het opsnuiven van de sterke geur als de maalschijven de harde bonen pletten, het tellen van de lepels vol donkerbruine, grove korrels die in het koffiezetapparaat gaan, het koude water dat in het waterreservoir wordt gegoten.

Fiona komt langs. Och, mijn meisje is zo mooi! Met haar kortgeknipte haar en de tatoeage van de roodblauwe ratelslang op haar rechterbovenarm. Meestal bedekt ze die. Ze verkeert tegenwoordig in kringen waar vrijwel niemand van haar jonge, wilde jaren afweet.

Ze komt mijn bankafschriften halen en wil cijfers met me doornemen waarvan ik toch niets begrijp. Maar dat geeft niet. Ik heb een financieel genie bij de hand. Mijn monetaire rots in de branding. Op haar zestiende was ze al klaar met de middelbare school en op haar twintigste studeerde ze af. Op haar vierentwintigste al had ze als jongste vrouw uitzicht op een vaste aanstelling aan de faculteit Economie van de universiteit van Chicago. Ze heeft zich gespecialiseerd in internationale monetaire economie en krijgt geregeld telefoontjes uit Washington, Londen en Frankfurt.

Toen James was gestorven en ik te horen kreeg hoe het er met mij voor stond, heb ik haar als bewindvoerder aangesteld. Ik vertrouw haar. Mijn Fiona. Ze legt het ene na het andere papier voor me neer en ik zet mijn handtekening zonder iets te lezen. Ik vraag haar of ik ergens in het bijzonder op moet letten, maar ze antwoordt ontkennend. Maar vandaag was anders. Ze had geen papieren bij zich maar zat gewoon bij me aan tafel. Ze hield mijn hand vast. Mijn bijzondere meisje.

*

Bij de praatgroep voor mensen met alzheimer praten we over haat. Volgens de jonge therapeut is haat een krachtige emotie. Als je een alzheimerpatiënte vraagt van wie ze houdt, zal een antwoord uitblijven. Als je haar vraagt wie ze haat, komt een stroom aan herinneringen boven.

Haat. Hekel. De woorden echoën in mijn hoofd. Ik voel een knoop in mijn maag en proef gal in mijn mond. Ik haat. Ik merk dat ik mijn handen tot vuisten heb gebald. Sommige deelnemers kijken me aan. Een paar mannen, maar vooral vrouwen. Allerlei rassen en religies. De Verenigde Naties van de verachten en de verfoeiden. Ik kan hun gelaatstrekken niet goed onderscheiden. Het is een anonieme menigte.

Ik krijg nog maar amper adem. Wat is dat voor kabaal? Ben ik dat? Waarom kijken jullie zo naar me?

Onze therapeut komt naar me toe, loopt dan de kamer uit en keert terug met een vrij jonge vrouw met geblondeerd haar en veel te veel make-up. Ze loopt recht op me af.

'Dokter White,' zegt de vrouw. 'Jennifer, we gaan naar huis. Rustig maar. Schreeuw niet zo. Nee. Houd alsjeblieft op. Je doet me pijn. Nee, je hoeft niet te bellen. Ik red me wel. Jennifer, kom mee. Het is al goed. We gaan naar huis. Stil maar. Stil maar. Ik ben het, Magdalena. Kijk me aan. Rustig maar. We gaan naar huis.'

*

Af en toe zijn er van die zalige dagen waarop ik helder van geest ben. Vandaag is zo'n dag. Ik loop door het huis en schep er genoegen in om mijn bezittingen te bestuderen. Míjn boeken. Míjn piano, waarop James altijd zo klungelig speelde. Míjn lithografie van Calder, die James in 1976 in Londen voor me kocht maar die eruitziet als nieuw. Míjn kunstvoorwerpen, de houten heiligenbeeldjes en ex voto's uit de zeventiende eeuw, die we kochten van straatverkopers in Jalisco en Monterrey, ongetwijfeld uit kerken ontvreemd: vrome snuisterijen zonder de last van het geloof. Ik raak alles aan en geniet van de streling van leer, mahoniehout, canvas, porselein en tin.

Magdalena is onhandig. Ze laat een bord vallen, vloekt, veegt de scherven bijeen en laat ze nogmaals vallen als ze het deksel van de vuilnisemmer probeert te openen. Haar werk zal geen pretje zijn. Maar ik heb zo'n vermoeden dat ze het geld hard nodig heeft. Haar auto is minstens tien jaar oud. Er zitten deuken in de achterbumper en een barst in de voorruit.

Ze kleedt zich sjofel in een fletse, blauwe spijkerbroek en een wit mannenoverhemd dat haar brede heupen bedekt. Ze blondeert haar donkere haar, maar daar is ze niet zo goed in, want de wortels zijn nog steeds donker. Haar ogen lijken klein door een dikke laag eyeliner en mascara.

Ze zal ergens tussen de veertig en de vijfenveertig zijn. Ik zie dat ze een aantekening in mijn notitieboek maakt. *Jennifer heeft een goede dag. Maar ik niet.* Ik vraag haar wat er scheelt en ze haalt haar schouders op. Ze ziet er afgetobd uit en heeft dikke wallen onder haar ogen.

‘Waarom zou ik het nog een keer uitleggen?’ zegt ze. ‘Je vergeet het toch weer.’

Ik vraag me af of ze altijd zo onbeschoft is. Ik vraag me tal van dingen af. Hoelang regent het al? Hoe kan het dat mijn haar zo lang is? Waarom blijft de telefoon steeds overgaan? Er lijkt nooit voor mij gebeld te worden. Magdalena neemt op en haar gezicht krijgt een gesloten uitdrukking. Ze fluistert in de hoorn, alsof ze met een geheime minnaar aan het bellen is.

*

Ik sta midden op straat. De smerige sneeuw is naar de stoeprand geschoven, maar toch is het nog verraderlijk glad. Ik moet voorzichtig lopen. Er klinkt geschreeuw. Overal zijn auto’s. Luid getoeter. Iemand grijpt mijn arm, niet zachtzinnig, en sleept me mee, sneller dan ik kan bijbenen. Hij trekt me op de stoeprand van een eiland van beton. Plotseling komen er allemaal mensen om me heen staan. Vreemden. Van ver klinkt een bekende stem en de onbekenden wijken uiteen als het water van de Rode Zee. Daar komt ze: kastanjebruin haar, rillend in een T-shirt met korte mouwen dat de tatoeage van de ratelslang ontbloot.

‘Wacht, ik ben haar dochter! Bel alstublieft niet de politie!’

Als ze eindelijk bij ons is, is ze buiten adem.

‘Bedankt. Dank u wel. Wie haar ook maar van straat heeft geplukt, heel erg bedankt.’ Ze hapt naar adem. ‘Mijn excuses voor de overlast. Mijn moeder is dement,’ weet ze met veel moeite uit te brengen. Ze beeft van top tot teen. Het is ook bitter koud.

Terwijl de mensen weglopen, draait ze zich naar me om.

‘Mam, dat moet je echt niet meer doen! We zijn ons rot geschrokken.’

‘Waar ben ik?’

'Twee straten van huis. Midden op een van de drukste kruispunten in de stad.'

Ze zwijgt even. 'Het is mijn schuld. Ik was even naar mijn oude slaapkamer gegaan om mijn tas weg te zetten. Ik blijf vannacht toch logeren? Magdalena dacht dat je dat wel leuk zou vinden. We raakten aan de praat en hadden niet in de gaten dat je ervandoor was gegaan. Waar ging je naartoe?'

'Naar Amanda. Het is toch vrijdag?'

'Nee, het is woensdag. Maar ik begrijp het wel. Je was op zoek naar Amanda's huis?'

'Het is onze dag.'

'Ik snap het.' Ze denkt even na. 'Volgens mij moeten we maar even bij Amanda langsgaan. Misschien is ze wel thuis.'

'Hoe heet jij?'

'Fiona. Ik ben je dochter.'

'O ja, dat is ook zo. Nu herinner ik het me weer.'

'Laten we eens kijken of Amanda thuis is. Kijk, het licht springt net op groen.' Ze pakt mijn arm en trekt me mee. Hoewel ik minstens tien centimeter langer ben dan zij kan ik haar amper bijhouden. We passeren de kringloopwinkel en het metrostation. Bij de kerk gaan we de hoek om. Plotseling komt de wereld me weer bekend voor. Bij een herenhuis van bruinrode steen met een laag, zwart hek van smeedijzer rondom de voortuin blijf ik staan. Een boom met kale takken hangt boven het pad en het opstapje naar de voordeur.

'Dit is ons huis. Maar we gaan nu naar Amanda.'

'Ik weet het weer,' zeg ik. 'Ze woont drie huizen verderop. Eén, twee, drie.'

'Dat klopt. We zijn er al. Laten we aankloppen om te kijken of Amanda thuis is. Als ze niet opendoet, gaan we lekker thuis een kopje thee drinken en een kruiswoordpuzzel maken. Ik heb net een nieuw boekje gekocht.'

Fiona klopt drie keer hard op de deur. Ik druk op de bel. We wachten in de portiek maar niemand doet open. Er verschijnt geen gezicht achter de vitrage van het woonkamerraam. Niet dat Amanda ooit uit het raam zou gluren. Ondanks Peters waarschuwingen doet ze altijd meteen de deur open zonder te kijken wie er heeft aangebeld. Altijd klaar om de confrontatie aan te gaan met wat het leven voor haar in petto heeft.

Fiona staat met haar rug naar de deur. Ze heeft haar ogen gesloten en trilt over haar hele lichaam. Ik weet niet of dat door de kou of door iets anders komt. 'Vooruit mam, we gaan,' zegt ze. 'Er is niemand thuis.'

'Wat vreemd,' zeg ik. 'Normaal vergeet Amanda onze vrijdagen nooit.'

'Mam, toe nou,' zegt ze op dwingende toon. Ze trekt me zo hardhandig het portiek uit dat ik struikel en bijna val. Dan duwt ze me naar de stoep. Eén. Twee. Drie. We staan weer voor het andere herenhuis.

Als Fiona haar hand op het poortje legt, blijft ze staan en kijkt op. Ze ziet er bedroefd uit. Maar terwijl ze naar het huis kijkt, maakt het verdriet plaats voor iets anders: weemoed.

'Ik hou zielsveel van dit huis,' zegt ze. 'Ik vind het zo erg dat het straks niet meer van ons is.'

'Waarom zou het niet meer van ons zijn?' vraag ik. 'Je vader en ik zijn niet van plan om te verhuizen.' De wind giert door de straat en we zijn allebei blauw van de kou. Toch verroeren we ons niet en blijven we op de stoep voor het huis staan. De ijzige kou bevalt me wel. Het past bij dit gesprek dat om de een of andere reden belangrijk lijkt.

Fiona's gezicht is verwrongen van de kou en haar armen zijn een en al kippenvel, maar toch blijft ze daar doodstil staan. Het huis voor ons is solide en tastbaar. De warmrode stenen, de grote, uitstekende, rechthoekige ramen, de drie verdiepingen met het platte dak dat zo typerend is voor de huizen in Chicago uit die tijd. Ik merk dat ik er bijna net zo wanhopig naar verlang als toen James en ik het voor het eerst zagen, alsof het te hoog gegrepen voor me is. Toch is het echt van ons. Van mij. Ik heb James gedwongen om het te kopen, hoewel we ons dat toen eigenlijk niet konden veroorloven. Het is mijn thuis.

'Thuis,' zegt ze, alsof ze mijn gedachten kan lezen. Dan schudt ze gedecideerd haar hoofd. Ze grijpt me bij mijn elleboog, leidt me de treden op, duwt me naar binnen en helpt me om mijn jas en schoenen uit te trekken.

'Ik heb iets voor je.' Uit haar broekzak haalt ze een opgevouwen papier. 'Moet je zien,' zegt ze, terwijl ze het openvouwt. 'Kijk dan.'

Een foto. Van mijn huis. Nee, wacht even. Niet helemaal. Dit huis is kleiner. Het heeft minder ramen, ook allemaal kleiner van stuk. En het heeft maar twee verdiepingen. Maar verder is het een voor Chicago typisch herenhuis, met hetzelfde vierkante voortuintje. Net als mijn huis grenst het aan soortgelijke herenhuizen. Het een ziet er goed onderhouden uit, het ander is een beetje vervallen. Er hangen geen gordijnen voor de ramen. Er staat een bord voor het huis. 'VERKOCHT,' staat erop.

'Wat is dit?' vraag ik.

'Mijn huis. Mijn nieuwe huis. Ongelooflijk, vind je niet?' Ik probeer de foto af te pakken zodat ik hem beter kan bekijken, maar ze wil hem niet loslaten. Ik moet hem letterlijk uit haar handen trekken. Ze buigt zich naar me toe, alsof ze hem geen seconde uit het oog wil verliezen.

'Het staat in Hyde Park. Vlak bij de campus. Vandaar kan ik op de fiets naar mijn werk.'

'Het is gewoon eng,' zeg ik. 'De gelijkenis.'

'Ja, dat vond ik ook. Ik heb er natuurlijk ook te veel voor betaald. Er moet ontzettend veel aan gebeuren. Maar zulke huizen komen zelden op de markt. Ik moest snel zijn.'

Ik kan mijn ogen niet van het huis afhouden. Het lijkt sprekend op het mijne. Het slaapkamerraam zou zo kunnen doorgaan voor dat van mij en de smeedijzeren poort die toegang biedt tot de achtertuin is identiek aan de mijne.

'Wanneer trek je erin?'

'Dat is nog een beetje moeilijk te zeggen. Het sluiten van het koopcontract moest worden uitgesteld. Vanwege Amanda. Zij stond garant voor me.'

'Waarom zorgde dat dan voor problemen? Is ze van gedachten veranderd?'

'Nee, natuurlijk niet.'

'Wat was er dan?'

Fiona aarzelt even. 'Ik wilde haar er bij nader inzien toch niet mee lastigvallen,' zegt ze dan.

'Waarom heb je het niet aan mij of je vader gevraagd?'

Fiona wikkelt een paarse haarlok om haar wijsvinger. 'Geen idee. Ik wilde niet dat jullie je verplicht zouden voelen. Maar het is allemaal in orde gekomen. Ik kon toch aan het geld komen.'

'Je weet toch dat we je altijd willen helpen?'

'Natuurlijk, je bent altijd heel gul geweest.'

'Bij Mark ligt dat natuurlijk anders. Je vader en ik vertrouwen hem niet als het op geldzaken aankomt.'

'Je maakt het hem niet makkelijk.'

'Tja, misschien heb je gelijk.'

Ik heb niet in de gaten dat ik de foto nog steeds vasthoud totdat zij hem uit mijn handen grist, opvouwt en weer in haar zak steekt. Dan haalt ze hem weer tevoorschijn en bekijkt hem opnieuw, alsof ze zich ervan wil vergewissen dat het echt waar is. Het doet me denken aan de manier waarop ik vroeger, als ze lag te slapen, haar armpjes en beentjes streelde, verwonderd dat zo'n perfect kindje uit mij was gekomen.

'Dit wordt mijn thuis,' zegt ze zo zachtjes dat ik haar amper kan verstaan. Er verschijnt een glimlach op haar gezicht.

*

Uit mijn notitieboek:

Gisteravond keek ik naar David Letterman. Als huldeblijk aan de uitzending:

DE TOP 10 VAN TEKENEN DAT JE ALZHEIMER HEBT:

10. *Je echtgenoot stelt zichzelf opeens voor als 'je verzorger'.*
9. *Op je koelkast hangt een schema met een dagindeling van uur tot uur, met onder meer 'wandelen', 'haken' en 'yoga' als activiteiten.*
8. *Je krijgt aan de lopende band kruiswoordboekjes cadeau.*
7. *Vreemden doen opeens poeslief.*
6. *Deuren worden van buitenaf vergrendeld.*
5. *Je vraagt je kleinzoon of hij je meeneemt naar het schoolfeest.*
4. *Je rechterhand weet niet meer wat je linkerhand heeft gedaan.*
3. *Meisjes van de scouting komen langs en dwingen je om samen bloempotten te beschilderen.*

2. Je ontdekt steeds weer nieuwe kamers in je huis.

En het belangrijkste teken van alzheimer is... Dat weet je eigenlijk niet meer precies.

*

Als deze mist nu eens zou optrekken. Als ik het loden gevoel in mijn ledematen, handen en voeten zou kunnen verdrijven. Elke ademhaling doet pijn. Mijn handen liggen slap op mijn schoot. Nu zijn ze bleek en krachteloos, maar ooit hanteerden ze glanzende, scherpe dingen, prachtige voorwerpen die zwaar aanvoelden en macht gaven.

Mensen vleiden zich voor me neer en toonden hun naakte vlees. Ze stonden toe dat ik hun ledematen afsneed. *Als je hand je op de verkeerde weg brengt, hak hem dan af: je kunt beter verminkt het leven binnengaan dan in het bezit van twee handen naar de Gehenna te moeten gaan, naar het onblusbare vuur.*

*

'Schrijf over jezelf,' dringt Magdalena aan. 'Desnoods in de derde persoon. Vertel me een verhaal over een vrouw die Jennifer White heet.'

Jennifer White is iemand die afstand houdt. Sommigen vinden haar kil. Anderen zien het juist als een goede eigenschap, een vorm van integriteit. Met beide inschattingen kan ze leven. Het kan allebei aan haar opleiding worden toegeschreven. Een chirurg moet immers nauwkeurig en objectief zijn.

Je toont geen emoties bij een hand. Een hand is een verzameling feiten. Acht handwortelbeentjes, vijf middenhandsbeentjes en veertien vingerkootjes. Spieren en pezen die de vingers laten bewegen. De spieren van de onderam. De opponeerbare duim. Dat alles werkt samen. Alles staat met elkaar in verband. Het zorgt voor de fijne motoriek die mensen van andere diersoorten onderscheidt.

Maar Amanda. Ze denkt aan Amanda's middenhandsbeentjes, minus de vier vingers. Een verminkte zeester. Huilt ze? Nee. Ze schrijft in haar notitieboek. 'Amanda is gestorven. Zonder vingers.' Maar de details beklijven niet.

Ik stop en leg mijn pen neer. Ik vraag Magdalena welke buurman ook alweer werd verdacht van Amanda's dood. Ze reageert niet. Misschien omdat ik deze vraag al vaker heb gesteld en zij telkens weer moest antwoorden. Misschien omdat ze weet dat ik het zal vergeten als ze mijn vraag negeert.

Maar als ik een vraag heb gesteld, vergeet ik dat zelden. Nu Magdalena me negeert, blijft de onaffe kwestie tussen ons in hangen. Hij verstoort onze routine en overschaduwt het theedrinken. In dit geval vervuilt hij zelfs de lucht. Er is namelijk iets vreselijk mis.

*

Nogmaals mijn notitieboek. Fiona's handschrift:

Vandaag was je voor jouw doen ongewoon tam. Je bent vaak kwaad. In de war. En getuigt van een verrassende mate van rationele acceptatie. Deze passieve berusting zien we echter zelden.

Je hing over de tafel heen, met je gezicht naar het tafelblad gekeerd. Je armen bungelden naast je. Ik hurkte en sloeg een arm om je heen, maar je verroerde je niet en bleef zwijgen. Je reageerde nergens op en leek je niet bewust van mijn aanwezigheid.

Uiteindelijk kwam je overeind. Je duwde de stoel naar achteren en sleepte jezelf de trap op om naar bed te gaan. Ik had niet het hart om je achterna te gaan. Ik durfde geen vragen meer te stellen uit angst voor wat je zou onthullen over de duistere plek waar je vertoefde.

Het joeg me angst aan op een manier die ik niet van mezelf kende. Als ik vroeger twijfelde aan wat er in je omging, kon ik het altijd vragen. Soms vertelde je er dan over. Hoewel de waarheid pijnlijk was, maakte jij die door je kalme acceptatie verteerbaarder.

'Je vindt mij niet leuk, hè?' vroeg ik toen ik een jaar of vijftien was. 'Nee,' antwoordde je toen. 'En jij mag mij op het moment ook niet. Maar we vinden elkaar wel weer terug.' En dat gebeurde ook. Als ik toen had geweten dat ik papa en jou binnen tien jaar allebei zou verliezen, had ik me dan destijds anders gedragen? Waarschijnlijk niet. Vermoedelijk was ik ook dan het huis uit gevlucht om nog een tatoeage te laten zetten.

Die tatoeage. Je blijft ernaar vragen, mama, dus daarom schrijf ik er hier maar wat over. Het is een mooi verhaal. Ik had al twee tatoeages laten zetten. De eerste met Eric toen ik veertien was. Daar wist je niets van. Op een intieme plek: mijn linkerbil. Een piepkleine Tinkelbel. Tja, ik was nog maar veertien.

Toen ik op mijn zestiende als jongste eerstejaars van mijn groep mijn studie aan Stanford begon, liet ik er nog een zetten. Deze keer op mijn enkel. Een hennepplant. Je kunt wel raden waarom een meisje dat eigenlijk nog te jong was om van huis te zijn dat stoer vond.

Maar die ratelslang. Die liet ik op mijn zeventiende zetten. Mijn beste vriend zag het niet meer zitten en keerde terug naar West Virginia. Hij schreef nog een paar keer en maakte grapjes over magere honden en lelijke vrouwen, maar toen hoorde ik niets meer van hem. Twee andere vrienden kregen een relatie met elkaar en hadden voor niemand anders nog oog. Het voelde als een persoonlijke afwijzing.

Destijds woonde ik ook niet op de campus. Ik huurde een kamer van zo'n marketingmiep die in Silicon Valley werkte. Omdat ze veel op reis was of bij haar vriendje in de stad logeerde, was ze er vaker niet dan wel. Het huis lag hoog boven de campus in een sequoiabos.

Bezoekers zaten maar wat graag in de hottub *en waren diep onder de indruk van de plek. Maar zelf ben ik er nooit gewend geraakt. Het was me te stil en ik vond het vervelend dat de zon al om twee uur 's middags achter de heuvels zakte, wat me het gevoel gaf dat de dag dan alweer voorbij was.*

Coyotes liepen gewoon door de tuin, ratten trippelden onder de vloerplanken en achter het houtwerk. Zelfs de herten joegen me de stuipen op het lijf. Op zoek naar voedsel waagden ze zich helemaal tot het huis. Er hingen geen gordijnen voor de ramen – dat was ook niet nodig, aangezien het huis op ruim een hectare grond lag – en als ik 's nachts wakker werd, zag ik soms herten die me, met hun kop tegen de ruit gedrukt, tijdens het kauwen ernstig observeerden.

Ik bracht dus veel tijd beneden in Palo Alto door. Er was een koffiehuis waar ik graag kwam en soms urenlang zat te studeren. Dan dronk ik aan één stuk door zwarte koffie. Inmiddels was ik met mijn master begonnen en mijn docenten hadden al gezegd dat er een carrière in de wetenschap voor me in het verschiet lag, mits ik die ambieerde. Omdat ik dat dolgraag wilde, zat ik vrijwel elke avond in het koffiehuis te studeren.

Op een vrijdagavond zat ik er weer, helemaal hyper van alle koffie en vreselijk eenzaam. Hoewel ik totaal geen zin had om terug te keren naar dat huis zonder gordijnen, stond ik toch op het punt om dat te doen toen een leuke, jonge vrouw – net iets ouder dan ik – naar me toe kwam. Ze vroeg me of ik wiskunde studeerde. 'Zoiets,' zei ik. We kregen een gesprek over het belang van de economie.

Na een tijdje wees ze naar een jongeman aan een ander tafeltje. 'Wij gaan naar een feestje in Santa Cruz. Heb je zin om mee te gaan?' Ik vond het erg vreemd en twijfelde of ik deze mensen wel aardig vond. Ze waren me iets te gretig. Als de vrouw glimlachte, zag ik dat haar tanden te groot waren in verhouding tot haar mond. Maar ach, waarom ook niet, dacht ik toen onbekommerd.

Ze zeiden dat ik mijn auto kon laten staan. Aan het eind van het feest zouden ze me wel terugbrengen. Toen hadden mijn alarmbellen natuurlijk al moeten gaan rinkelen, maar ik stapte toch bij hen in. Ze reden meteen de bergen in, richting mijn huis.

'Wacht even, dit is niet de weg naar Santa Cruz,' zei ik. Ze zeiden dat ze vanwege het natuurschoon een omweg hadden gekozen. Maar ik had genoeg van de natuur en begon het gevoel te krijgen dat ik een enorme vergissing had begaan. Toevallig reden we net langs mijn straat en ik

vroeg hen om me thuis af te zetten. Dan haalde ik mijn auto de volgende ochtend wel weer op.

Maar ze weigerden. 'Nee, jij gaat met ons mee,' zeiden ze. Ik was kwaad en doodsbang. Ik kwam op het belachelijke idee om uit de auto te springen als hij in een bocht vaart zou minderen, maar toen ik de deur probeerde te openen, ontdekte ik dat er een kinderslot op zat. Ik kroop in mijn schulp en wachtte af.

We gingen naar een oude ranch, ergens in de bergen bij Santa Cruz. Ik ben nooit achter de exacte locatie gekomen. In Santa Clara hadden ze nog een eenzaam meisje opgepikt. We zaten in een kamer toen er een man binnenkwam die ons welkom heette in de familie. Hij zei dat we niets te vrezen hadden en het maar hoefden te zeggen als we naar huis wilden. We moesten hen gewoon een kans geven en onbevooroordeeld luisteren.

Op dat moment stond ik op en liep weg. Ik heb het niet op een rennen gezet, maar wandelde rustig over het lange zandpad terug naar de doorgaande weg. Tot mijn verbazing kwam er niemand achter me aan.

Met gebalde vuisten liep ik een kilometer langs de weg. Hoewel het pikkedonker was en ik geen flauw idee had waar ik was, liep ik stug door. Ik speelde met het idee om naar het dichtstbijzijnde huis te gaan en de politie te bellen. Toen zag ik koplampen. Ik stak mijn duim op en een truck met twee zestienjarige jongens uit Ben Lomond stopte.

Een van hen had die dag zijn rijbewijs gehaald. Ze waren allebei door het dolle heen. Om het te vieren gingen ze naar Santa Cruz om een tatoeage te laten zetten en dronken te worden.

'Ik ga mee,' zei ik. Ik wist dat ik toch pas de volgende ochtend de bus naar Palo Alto zou kunnen nemen.

Nadat we in een studentencafé een paar tequila's achterover hadden geslagen, begaven we ons naar een tatoeageshop die 24 uur per dag open was. Ik plofte neer in een stoel en zei: 'Geef me de ergste van allemaal. Zet de grootste, lelijkste tatoeage die je kent.'

Hij ging aan de slag en is de hele nacht bezig geweest. Hij moest pillen slikken om wakker te blijven. Dat had me natuurlijk zorgen moeten baren. De pijn was bijna ondraaglijk, maar de sterke drank hielp. Toen ik thuiskwam en mijn prachtige slang bewonderde, wist ik dat het elke stekende prik waard was geweest.

Hoewel mijn arm nog de hele week bleef kloppen, doorstond ik met glans mijn allerlaatste tentamens. Daarna keerde ik met een late vlucht terug naar Chicago. Jij wierp één blik op mijn arm en schreef me meteen een antibioticakuur voor. Maar je hebt nooit met een woord over mijn slang gerept. Positief noch negatief. Totdat je ziek werd.

Toen ging je me complimentjes geven. Je zei dat ik hem niet moest bedekken en moedigde me aan om mouwloze shirts te dragen. Volgens mij ben je er inmiddels net zo trots op als ik. Het is ons gezamenlijk embleem: 'Waag het niet om mij een haar te krenken.'

*

Vandaag kwamen er twee mannen en een vrouw langs. Rechercheurs. Magdalena vindt dat ik erover moet schrijven. Ze zegt dat ik mijn hoofd erbij moet houden. Onthouden wat ik heb gezegd. Helder van geest blijven.

De mannen waren dik en onhandig. Het was vreemd om hen op mijn keukenstoelen te zien zitten. De vrouw hoorde er ook bij. Ze was een beetje ordinair, maar had een waakzaam en intelligent gezicht. De twee mannen respecteerden haar. Ze luisterde vooral en zei af en toe iets. De mannen stelden om beurten vragen.

'Hoe was uw relatie met de overledene?'

'Welke overledene? Wie is er gestorven?'

'Amanda O'Toole. U was goed bevriend met haar.'

'Amanda? Dood? Wat een onzin. Ze kwam hier vanochtend nog vertellen over haar voornemen om namens de buurt een petitie in te dienen. Iets met overdadig hondengeblaf. Het instellen van sancties en boetes.'

'Laat ik u dan vragen hoe uw relatie met mevrouw O'Toole is.'

'We zijn goede vriendinnen.'

'Maar volgens een buurvrouw,' zei de man, terwijl hij zijn notitieboekje raadpleegde, 'hebt u op 15 februari, de dag na Valentijnsdag, om twee uur 's middags bij haar thuis flinke ruzie gehad.'

Magdalena bemoeide zich ermee. 'Ze hadden altijd ruzie. Ze waren net zo hecht als twee zussen. U weet hoe dat gaat binnen een familie.'

'Mevrouw, laat dokter White alstublieft antwoorden. Waar ging deze ruzie over?'

'Welke ruzie?' vroeg ik. Ik had een slechte dag en kon me niet concentreren. Die ochtend legde Magdalena in de badkamer een roodwit stokje in mijn hand. 'De tandenborstel,' zei ze. Het woord zei me echter niets. Toen ik later aan de keukentafel zat en een half opgegeten pakje boter voor me zag liggen, werd het weer helder in mijn hoofd. Toen werd alles weer wazig, waarna het opnieuw helder werd. Ik zat nog altijd op dezelfde plek, maar nu stond er een glas op tafel, half gevuld met een oranje vloeistof. Ernaast lag een bergje gekleurde pillen. 'Wat zijn dat?' vroeg ik aan Magdalena. De kleuren klopten niet. De felgekleurde vloeistof en de harde, blauwe, roze en knalgele pilletjes. Vergif. Ik liet me niet voor de gek houden. Echt niet. Toen Magdalena even niet oplette, heb ik ze allemaal door de wc gespoeld.

Maar om terug te komen op de belangrijkste kwestie:

'Die ruzie die u medio februari met mevrouw O'Toole had,' herhaalde de man enigszins ongeduldig.

'Ziet u dan niet dat ze het zich niet meer herinnert?' vroeg Magdalena.

'Dat komt dan wel erg goed uit,' zei de andere man. Hij keek de eerste man aan en trok zijn wenkbrauwen op. Die twee spanden samen.

'Ze is niet in orde,' zei Magdalena. 'Dat weten jullie. Jullie hebben haar doktersverklaring. Jullie weten hoe ze eraan toe is.'

De eerste man probeerde het opnieuw. 'Hoe gingen Amanda O'Toole en u in februari met elkaar om?'

'Zoals altijd, neem ik aan,' zei ik. 'We waren goede vriendinnen, maar er was ook strijd. Amanda is best een moeilijk mens.'

De vrouw deed voor het eerst haar mond open. 'Dat hebben we gehoord, ja,' zei ze met een voorzichtig glimlachje. Ze knikte de eerste man toe, ten teken dat hij moest verdergaan.

'Zeven dagen voordat het lijk werd ontdekt, had u ruzie met haar. Rond de tijd van de moord.'

'Welke moord?'

'Geeft u antwoord op de vraag. Waarom bent u op 15 februari naar Amanda O'Toole gegaan?'

'We liepen voortdurend bij elkaar binnen. We hadden een sleutel.'

'Maar die specifieke dag? Wat was u aan het doen? Volgens onze getuige hebt u niet aangebeld, maar uzelf binnengelaten. Dit was om halftwee 's middags. Rond twee uur hoorde de buurvrouw luide stemmen. Geruzie.'

Ik schudde mijn hoofd.

'Luister,' zei Magdalena. 'Ze heeft echt geen idee. Tien minuten na jullie vertrek zal ze zich jullie niet eens meer herinneren. Waarom laat u haar niet met rust? Hoe vaak wilt u deze vragen nog stellen?'

De eerste man wilde iets zeggen, maar de vrouw was hem voor. ‘Die avond is Amanda O’Toole voor het laatst gezien,’ zei ze. ‘Rond halfzeven kocht ze bij de drogist tandpasta en haalde iets te eten bij Dominick’s. De krant heeft ze echter niet meer uit de bus gehaald. Dat is ook in overeenstemming met het tijdstip van overlijden. Dokter White is hoe dan ook een van de laatste mensen die mevrouw O’Toole nog heeft gezien voordat ze werd vermoord.’

De wereld kantelde. Duisternis daalde neer. Mijn lichaam versteende.

‘Vermoord? Amanda?’ vroeg ik. Maar het was echt zo. Ergens wist ik dat. Het kwam niet als een schok. Noch als een verrassing. Ik rouwde al om haar.

Na een korte stilte begon de vrouw te praten. Haar stem klonk nu zachter. ‘Het moet erg zwaar zijn om dit telkens opnieuw te moeten doormaken.’

Ik dwong mezelf om adem te halen, mijn tot vuisten gebalde handen te ontspannen en de brok in mijn keel weg te slikken. Magdalena legde een hand op mijn schouder.

‘Wat komt u doen?’ vroeg Magdalena. ‘We hebben hier al verscheidene keren over gesproken. Waarom nu opnieuw? U hebt geen enkel bewijs.’

Het bleef stil.

‘Waarom bent u hier?’ probeerde Magdalena nogmaals. Niemand keek nog naar mij.

‘Het is gewoon routine. We hopen dat dokter White ons misschien toch kan helpen.’

‘Maar hoe dan?’

'Misschien heeft ze iets gezien. Of gehoord. Misschien weet ze iets over Amanda waarvan verder niemand op de hoogte is.' De vrouw wendde zich plotseling weer tot mij.

'Was dat zo?' vroeg ze. 'Had Amanda problemen? Had ze bij iemand kwaad bloed gezet? Had er iemand reden om... boos te zijn?'

Alle ogen waren op mij gericht. Maar ik was er niet meer. Ik bevond me in Amanda's huis. We zaten aan haar keukentafel en hadden de grootste lol om haar imitatie van de voorzitster van onze buurtwacht die het alarmnummer had gebeld om te melden dat er een gevaarlijke inbreker de kerk probeerde binnen te dringen, terwijl het in werkelijkheid bleek te gaan om een loslopende labrador die onder de struiken zijn behoefte deed.

Het was een eenvoudige keuken die nooit was gerenoveerd en niet voldeed aan de moderne maatstaven van deze buurt. Peter en Amanda, een promovendus godsdienstwetenschap en een lerares, kochten het huis voordat de wijk bij yuppen in trek kwam.

Simpele, wit geverfde, grenen keukenkastjes. Geruit linoleum op de vloer. Een twintig jaar oude, avocadogroene koelkast. Amanda haalde een uitgedroogde tulbandcake tevoorschijn, overgebleven van een bijeenkomst van de medezeggenschapsraad, en sneed twee plakjes af. We namen allebei een hapje en spuugden het op precies hetzelfde moment weer uit. We barstten opnieuw in lachen uit. Plotseling werd ik door verdriet overmand.

De vrouwelijke rechercheur hield me nauwlettend in de gaten. 'Zo is het genoeg,' zei ze. 'Dat was alles voor vandaag.'

'Dank u wel,' zei ik en even kruisten onze blikken elkaar. Toen vertrok het drietal weer.

*

Volgens de kalender is het 1 maart. Onze trouwdag. Van James en mij. Ik vergeet het meestal, maar James denkt er altijd aan. Op zo'n dag krijg ik geen idioot dure cadeaus van hem. Die geeft hij me juist als ik dat het minst verwacht. Niettemin krijg ik op zulke dagen de bijzonderste dingen. Wat zal het vandaag zijn? Ik voel me als een trouwe hond die zo lang heen en weer drentelt dat het tapijt nog zal slijten. Ik voel me zelden zo en als dat al het geval is, zal hij daar nooit iets van merken. Toch is de opwinding en de verwachting na al die jaren nog niet verdwenen. Mijn in het duister opbloeiende parasiet, waarvan de essentie me ondanks de alledaagsheid van het huwelijk een raadsel blijft. De gedeelde badkamer, de op de grond gesmeten kleding, de kruimels op de ontbijttafel… Ondanks alles blijft hij een mysterie. James is een godsgeschenk. En vandaag, terwijl ik wacht op zijn terugkeer uit onbekende streken, dank ik hem in stilte.

*

Ik pak het eerste fotoalbum. *1998-2000* staat erop. De vrouw dwingt me bijna ernaar te kijken. Ze begrijpt niet hoe verbijsterend het is om deze zee van onbekende gezichten en plekken aan me voorbij te zien trekken. Alle foto's hebben bijschriften in grote, zwarte letters, alsof ze voor een debiel kind zijn bedoeld. Voor mij dus.

'Wie is dit? Herinner je je haar? Herken je deze plek?' wordt me ettelijke keren gevraagd. Het is alsof ik de vakantiefoto's van een onbekende moet bekijken, kiekjes gemaakt op plekken waar ik absoluut niet naartoe wil.

Maar vandaag zal ik doen wat de therapeut van onze gespreksgroep voorstelt. Ik zal op elke foto naar aanwijzingen speuren. Ik doe alsof het album een historisch document is en ik een antropoloog ben. Feiten boven tafel krijgen en theorieën opstellen. Eerst de feiten. Zo gaat het altijd.

Mijn notitieboek ligt naast me zodat ik aantekeningen kan maken van mijn bevindingen.

Amanda staat er onder de eerste foto. Hij is in september 1998 gemaakt. *Amanda en Peter*. Een blakend, ouder echtpaar. Ze zouden zo kunnen figureren in een reclamespotje voor fitte senioren.

Het dikke, witte haar van de vrouw is in een paardenstaart samengebonden. Ze is sterk en kundig, dat zie je zo. Door alle rimpels straalt ze alleen maar meer gezag uit. Je zou haar ondergeschikte niet willen zijn. Dan moet je wel erg stevig in je schoenen staan, anders blijft er weinig van je over. Een directrice? Een politica? Iemand die gewend is om voor grote menigtes te staan.

De man naast haar is uit heel ander hout gesneden. Hoewel hij een grijze baard heeft, is zijn haar hier en daar nog zwart. Hij gaat enigszins schuil achter de vrouw en is maar net iets langer. Zijn glimlach straalt veel meer humor en goedmoedigheid uit.

Hem zou je om hulp of advies vragen. Haar zou je inschakelen als er meteen actie moet worden ondernomen. Ik kan zijn linkerhand niet zien. Zij draagt wel een trouwring. Als ze man en vrouw zijn, lijdt het geen twijfel wie het voor het zeggen heeft.

De foto bevat nog meer interessante details. Ze staan op een veranda, iets wat je zelden ziet bij de herenhuizen in deze straat. Het is zomer. Ze dragen shirts met korte mouwen en de kamperfoelie die langs de balustrade groeit, staat in volle bloei.

Achter hen staan inklapbare tuinstoelen, gemaakt van goedkoop, veelkleurig plastic. Helemaal vooraan een ovalen tafeltje waarop een glas met een waterige, goudgele vloeistof en drie lege glazen staan. In de rechteronderhoek zit een vage vlek. Misschien is het de hand van de fotograaf die gebaart dat de twee dichter bij elkaar moeten gaan staan.

De fotograaf moet de zon in de rug hebben gehad, aangezien hij of zij een schaduw op de nek en borsten van de vrouw werpt.

Plotseling weet ik het weer. Nee, ik voel het weer. De hitte. Het aanhoudende gezoem van de talrijke cicaden waarvan iemand quasi gekscherend opmerkte dat het wel een Bijbelse plaag leek. Ze knerpten onder je voeten, sloegen te pletter tegen de voorruit van je auto en dwongen ons om tijdens de warmste zomermaanden binnen te blijven.

Peter en Amanda hadden een veranda die met gaas was afgesloten. Zo konden we toch buiten zitten en waren we even verlost van het gevoel dat de muren op ons afkwamen. We zaten op James te wachten die, zoals altijd, aan de late kant was.

We dronken bier en opperden net om nog een paar flesjes te openen toen Peter voorstelde om dit moment te vereeuwigen. 'Welk moment?' hadden Amanda en ik op precies dezelfde toon uitgeroepen, waarna we in lachen uitbarstten.

Maar Peter liet zich nooit uit het veld slaan. 'Dit moment dat nooit meer terugkomt,' zei hij. 'Hierna zal het nooit meer zijn als nu.' Amanda trok een gek gezicht, maar ging toch naar binnen om het fototoestel te pakken.

'En wat gaat er dan na dit moment veranderen?' vroeg ik Peter plagerig. 'Wil je ons iets vertellen? Heb je een openbaring gehad?' Hij keek een beetje ongemakkelijk.

'Natuurlijk niet,' zei hij. 'Geen sprake van.' Hij ging verzitten, pakte zijn glas en hoewel het al leeg was, zette hij het toch aan zijn lippen.

'Ik ben gewoon dankbaar,' zei hij uiteindelijk.

'En dat in deze verstikkende hitte,' zei ik.

Hij kon er niet om lachen. 'Toch is dankbaar het juiste woord,' zei hij. 'Dankbaar voor alles wat we hebben.' Hij zweeg en begon te lachen. 'Het komt door die verdraaide cicaden,' zei hij. 'Die doen me denken aan de wraak van God, aan de plagen uit het Oude Testament.'

'Wist je,' vervolgde hij, 'dat er opvallende overeenkomsten zijn tussen de gebeurtenissen die worden beschreven in een oude Egyptische tekst van de priester Ipuwer en die in het Bijbelboek *Exodus*? Pestepidemieën en overstromingen, rivieren die rood werden en talloze sprinkhanen die de wereld zo verblindden dat men geen hand voor ogen meer kon zien. Menig promovendus heeft daar dankbaar gebruik van gemaakt. Maar als ik nooit meer een proefschrift hoef te lezen waarin het woord "sprinkhaan" voorkomt, zal ik eeuwig dankbaar zijn.' Hij zweeg, leunde naar voren en keek me ernstig aan.

'En jij, Jennifer?' vroeg hij. 'Waar ben jij dankbaar voor?'

Hij overviel me met de vraag, dus ik gaf een clichématig antwoord. 'Och, het gebruikelijke. Geluk en gezondheid. Dat het zo goed blijft gaan met de kinderen. Dat James en ik nog even fit zijn als we straks de zestig naderen. Dat het leven niet te saai wordt als we na ons zestigste fysiek beginnen af te takelen.'

Hij ging er serieuzer op in dan ik had verwacht.

'Wie weet. Dat zijn toch alleszins redelijke verwachtingen.'

'Tja, ik ben ook een redelijke vrouw,' zei ik. 'Maar ik maak me wel een beetje zorgen om je.'

Toen hoorde ik wat geschuifel en een zachte klap. Amanda keerde terug met de camera. Ze gebaarde dat Peter en ik bij elkaar moesten gaan staan. 'Nee,' zei ik. 'Peter jaagt me de stuipen op het lijf met zijn geklets. Ik heb er geen behoefte aan om in dit moment vereeuwigd te worden. Laat mij het maar doen.'

Ik nam de foto. In mijn sensorisch geheugen kan ik zelfs de dubbele klik van de ouderwetse fotocamera nog horen. Precies op dat moment kwam James binnen. Hij had bloemen en wijn bij zich en werd in beslag genomen door belangrijke zaken. Maar dat wist ik toen nog niet.

*

Het is een dag om kledingstukken te verscheuren. Om tanden te knarsen en spiegels te bedekken. Amanda.

Ik ga tekeer tegen Magdalena. 'Hoe heb je dit voor me kunnen verzwijgen? Ik mag dan wel ziek zijn, maar ik ben niet zwak! Ik heb de diagnose geaccepteerd. Ik heb mijn echtgenoot begraven. Ik kan wel tegen een stootje.'

'Maar we hebben het je wel verteld. Heel vaak zelfs.'

'Nee, dit had ik echt wel onthouden. Het zou hebben gevoeld alsof mijn eigen vingers waren afgesneden en mijn eigen hart was opengereten.'

'Kijk dan in je notitieboek. Hier. Kijk eens naar deze aantekening. En deze. Dit is het krantenartikel over haar dood. En hier heb je het overlijdensbericht. Dit heb je geschreven toen we het voor het eerst vertelden. We zijn twee keer naar het politiebureau geweest. Rechercheurs zijn hier drie keer langsgekomen. We hebben het er ongelooflijk vaak over gehad. Je hebt gerouwd. En opnieuw gerouwd. We zijn naar de kerk geweest. We hebben de rozenkrans opgezegd.'

'De rozenkrans? Heb ik dat echt gedaan?'

'Nou ja, ik heb de rozenkrans opgezegd. Jij zat erbij. Je was kalm. Je kreeg niet alles mee, maar je was ook niet overstuur. Zo ben je soms. Kalm en berustend. Bijna wezenloos. Als je in zo'n toestand verkeert, neem ik je altijd graag mee naar de kerk.' Magdalena kijkt me niet aan als ze dat zegt.

'Volgens mij is dat goed voor je,' vervolgt ze. 'Het helend vermogen is dan het grootst, omdat je ziel dan helemaal openstaat. De galmende stilte, de zoete geur, het rustgevende, gefilterde licht. Zijn Aanwezigheid. Maar deze keer ging het anders. Je kwam overeind. Je zag de mensen die stonden te wachten bij de biechtstoel. Jij bent ook in de rij gaan staan. Je bent achter het gordijn verdwenen. Je bleef erg lang weg. Toen je terugkwam, was je gezicht nat van de tranen. Tranen! Moet je je voorstellen!'

'Dat kan ik echt niet. Maar ga verder.'

'Zo is het werkelijk gegaan. Je stak je arm uit en pakte mijn rozenkrans. Je sloot je ogen. Je vingers raakten de kralen aan. Je lippen prevelden. "Wat doe je?" vroeg ik. "Ik doe boete voor Amanda," zei je toen.'

'Dat kan ik bijna niet geloven. Ik weet niet eens meer hoe ik de rozenkrans moet opzeggen. Dat heb ik tientallen jaren geleden voor het laatst gedaan.'

'Nou, je wekte de indruk alsof je precies wist waar je mee bezig was!'

Ik laat haar woorden bezinken en voel me rustiger. Ik bekijk de geschreven bewijsstukken en accepteer dat Magdalena me niet heeft verraden. Dat heeft mijn gehavende verstand gedaan. Maar dat maakt het verdriet er niet minder om. Amanda, mijn vriendin, mijn bondgenoot, mijn geduchtste tegenstander. Wat moet ik nu zonder jou?

Ik denk terug aan de tijd dat Mark eindexamen deed. James en hij hadden ruzie en spraken niet meer met elkaar. Tot mijn verontrusting had hij toenadering tot mij gezocht, net toen ik er klaar voor was om hem los te laten. Hij begon in die tijd die wat duistere uitstraling te krijgen. Hij was altijd al een knappe jongen geweest – de meisjes begonnen al te bellen toen hij nog maar twaalf was – maar in dat laatste schooljaar was hij veranderd in een gevaarlijke man, iemand aan wie meisjes hun hart verloren.

Die zomer was hoe dan ook een gedenkwaardige, omdat Amanda bij hoge uitzondering geen les hoefde te geven. We zaten samen op haar veranda die tot laat in de avond in de zon lag. Fiona was erg wijs voor een twaalfjarige en bleef liever thuis om te lezen. Die zomer waren dat de boeken van Jane Austen en Hermann Hesse. Maar Mark kwam altijd bij Amanda en mij zitten, soms maar heel even als hij op weg was naar een vriend en soms wel urenlang. Dan zat hij stilletjes naar onze gesprekken te luisteren. Hoewel het nog een jaar zou duren voordat hij officieel alcohol mocht drinken, schonk Amanda toch een biertje voor hem in. Dat dronk hij dan gretig en snel op, alsof we ons misschien zouden bedenken en hem het glas zouden afpakken.

Waarover spraken we avonden lang in de schemering? Uiteraard over politiek. De nieuwste petities, bijeenkomsten en protestmarsen waaraan Amanda had meegedaan. Voortdurend probeerde ze mij over te halen om mee te gaan.

Herover de Nacht. De Borstkankerloop. Ren voor Musculaire Dystrofie. We hadden het ook over boeken – we waren allebei verslingerd aan Engelse schrijvers en kenden het werk van Dickens en Trollope bijna uit ons hoofd. En over reizen. De vele plaatsen die James en ik hadden bezocht. Hoewel Amanda zelf liever thuisbleef, iets wat ik nooit heb begrepen, was ze er wel erg nieuwsgierig naar. En Mark luisterde al die tijd.

Op een van die avonden gebeurde er iets opmerkelijks. James en ik waren net teruggekeerd uit Sint-Petersburg, waar we een prachtige, vijftiende-eeuwse icoon van Theotokos met de Drie Handen hadden aangeschaft. Het was een rib uit ons lijf geweest.

Ik had het gezien in een galerie aan de Galernaya Ulitsa en was er meteen verliefd op geworden. James had me steeds van de koop afgehouden, maar op de ochtend van ons vertrek verdween hij een halfuur, waarna hij terugkeerde met een in bruin pakpapier gewikkeld pakketje. Met een mengeling van pret en woede had hij het me aangereikt.

Tijdens de vlucht naar huis hield ik het op mijn schoot. Ik had het niet in mijn koffer of in het bagagecompartiment boven mijn hoofd durven leggen. Nu wikkelde ik het papier er voorzichtig af om het aan Amanda te laten zien. De icoon was hooguit twintig centimeter groot en toonde de Heilige Moeder die het kindje Jezus op haar rechterarm hield. Ze hield haar linkerhand tegen haar borst, alsof ze haar blijdschap wilde beteugelen.

Onder aan de icoon was nog een derde hand te zien. De afgehakte hand van Johannes Damascenus. Volgens de overlevering had de Heilige Maagd die op wonderbaarlijke wijze weer weten aan te zetten. Als getuigenis van haar helende kracht lag de hand nu aan haar voeten.

Amanda hield de icoon zo'n vijf minuten zwijgend vast. Ze had dezelfde geconcentreerde blik als wanneer ze een lastige student lesgaf of namens de schooldirectie een belangrijke toespraak voorbereidde. 'Deze vind ik mooi,' zei ze uiteindelijk. 'Ik heb jouw liefde voor iconen nooit echt begrepen, maar deze is anders. Deze ontroert me op de een of andere manier.'

'Ik wil hem hebben,' zei ze toen. Haar stem klonk zacht maar overtuigd. 'Wil je hem aan me geven?'

Mark, die achterovergeleund op de trap had gezeten, schoot overeind. Ik staarde haar sprakeloos aan. We zwegen alle drie en toen er een auto op Fullerton Avenue claxonneerde, schrokken Mark en ik allebei. Amanda verroerde zich niet.

'Nou?' zei ze toen. 'Ik ga niet vragen of ik hem van je kan kopen, want ik weet dat ik dat niet kan betalen. Maar ik hoop dat je hem aan me wilt geven. Daar ga ik gewoon van uit.'

Ik stond op en liep naar haar schommelstoel. Ik pakte de icoon af, wat nog niet eens zo makkelijk ging omdat ze hem stevig vasthield.

'Waarom nu? Waarom dit?' vroeg ik. 'Je hebt me nog nooit om iets gevraagd.'

'En jij bent altijd erg gul geweest,' zei ze. 'Als je terugkomt van een reis, geef je me altijd de prachtigste dingen. Mijn mooiste spullen heb ik van jou gekregen. Maar hopelijk neem je het me niet kwalijk als ik zeg dat die niets voorstelden. Niets voorstellen. Het deed me allemaal niets. Maar dit. Dit is iets anders.'

We keken allebei verbaasd op toen Mark zijn keel schraapte en het woord nam. 'Maar mam is er idolaat van. Het is niet zomaar een souvenir.' Het leek alsof hij nog meer wilde zeggen, maar hij begon te blozen en sloot zijn mond.

'Dat snap ik,' zei Amanda, 'en dat is ook een van de redenen waarom ik het zo graag wil hebben. Niet de enige reden. Maar wel een belangrijke.'

'Nee,' zei ik, gedecideerder en luider dan mijn bedoeling was. 'Dit is van mij. Je weet dat je verder alles kunt krijgen wat je wilt hebben. Geld heeft nooit een rol gespeeld.'

'Nee, dat zal wel niet,' zei ze op licht dreigende toon. Mark hield ons nauwlettend in de gaten.

'Nee,' zei ik nogmaals. Ik wikkelde mijn icoon weer in het pakpapier en legde hem terug in het kistje. 'Nee, nee en nog eens nee. Deze keer ben je te ver gegaan.'

Ik verliet haar veranda en het duurde weken voordat mijn woede zo was bedaard dat ik weer met haar kon praten. Lange, eenzame weken. Maar na een tijd stond ze op onze vaste vrijdagmiddag opeens voor de deur. Ik pakte mijn jas en ging met haar mee. En daarmee was de kous af. Zij had iets gevraagd – wat voor haar ongetwijfeld een lesje in nederigheid was geweest – en ik had geweigerd. Er viel niets meer aan toe te voegen.

Toch kreeg dit verhaal nog een merkwaardig staartje. Mark ging, zoals gepland, die herfst aan Northwestern studeren. Aangezien hij vlakbij op kamers ging, was zijn vertrek niet zo ingrijpend als dat van Fiona, die vier jaar later naar Californië zou gaan.

Maar voor hem was het wel een grote verandering. Vlak voor zijn vertrek was hij extreem veeleisend. 'Ik heb een zitzak nodig,' opperde hij. 'Mijn huisgenoot heeft geen tv. We moeten er eentje kopen,' deelde hij mee. 'Bak eens wat koekjes,' eiste hij zelfs een keer.

Op mijn werk had ik het ook erg druk, dus ik besteedde weinig aandacht aan zijn verlangens. Toch putte het me allemaal meer uit dan ik had verwacht. Pas toen we uit Evanston waren teruggekeerd, waar we hem bij zijn studentenhuis hadden afgezet, ontdekte ik dat mijn icoon was verdwenen. Een witte vlek op de prominente plek die hij in de vestibule had gehad.

Ik belde Mark meteen, maar hij nam niet op. Ik sprak een bericht in op zijn antwoordapparaat en ijsbeerde door het huis. Ik belde James, liep naar het grote raam aan de voorzijde en keerde terug naar de telefoon om Mark nog eens te bellen.

Het kwam geen moment in me op dat iemand anders het kon hebben gestolen. Ik had Mark er meermalen naar ziet staren. Dan had hij met een verdwaasde blik in zijn ogen zijn hand ernaar uitgestoken, alsof hij het gezicht van de Maagd wilde strelen. Toen de deurbel ging, maakte ik een sprongetje van schrik. Het was Amanda, met de icoon.

'Moet je eens kijken wat er gisterochtend voor mijn deur lag,' zei ze, terwijl ze hem me aanreikte.

Ik nam hem aan. Mijn handen beefden. Ik wist niet wat ik moest zeggen.

'Gisterochtend?' bracht ik uiteindelijk uit. 'Waarom ben je dan nu pas hier?'

Amanda zweeg. Ze glimlachte alleen maar. Uiteindelijk gaf ik zelf maar antwoord op mijn vraag.

'Omdat je niet zeker wist of je hem wel wilde teruggeven,' zei ik.

Amanda leek haar woorden zorgvuldig te kiezen.

'Ik was geraakt door Marks gebaar,' zei ze.

'En je bent dit gaan koesteren. Er net zo verslingerd aan geraakt als ik.'

'Ja. Ik heb gevraagd of je het me wilde geven, maar dat wilde je niet.'

'Ik zei nee. En dat meende ik ook,' zei ik, terwijl ik mijn hand uitstak. Ze reikte me de icoon aan.

'Op een dag zal ik ongetwijfeld boeten voor mijn weigering,' zei ik.

'Vast en zeker. Misschien niet zoals je dat verwacht. Maar zulke dingen blijven nooit zonder consequenties,' zei Amanda.

Toen draaide ze zich om en liep weg. Mijn beste vriendin. Mijn vijandin. De vrouw die altijd een raadsel voor me zou blijven. En nu ze er niet meer was, voelde ik een peilloos verdriet.

*

Jennifer, je hebt een moeilijke dag. Jennifer, je hebt een moeilijke week. Jennifer, je bent er nog nooit zo erg aan toe geweest. Het gaat nu al tien dagen zo. Dokter Tsien heeft de dosis Reminyl verhoogd. En ook die van de Seroquel en de Zoloft.

Als Mark belt, lieg ik dat je even een dutje doet. Of ik neem helemaal niet op als ik zijn nummer herken. Fiona weet ervan. Ze komt elke dag langs. Je boft maar met zo'n schat van een dochter. Ik zal voor je bidden. Ik zal de rozenkrans opzeggen. Ik zal de Heilige Dimpna, de patroonheilige van de geesteszieken, aanroepen. Of mijn persoonlijke favoriet, Sint-Antonius, de patroonheilige van de verloren voorwerpen.

Wat je bent verloren? Arme jij. Je gezonde verstand. Je leven.

*

Fiona en ik gaan lunchen. Bij de Chinees. 'Je hebt geen mooie herinnering nodig om een mooie herinnering te creëren,' staat er op mijn gelukskoekje. 'Wie verzint zoiets?' zegt Fiona.

*

Amanda vond me altijd schaamteloos. Dat bedoelde ze als een compliment. Schaamte-loos. Zonder schaamte. Vroeger loog ik altijd tegen de pastoor als ik moest biechten. Ik kon nooit bedenken waarvoor ik nu in werkelijkheid vergeving moest vragen. 'Een sociopaat heeft dat in extreme mate,' zegt Amanda. 'Jij vertoont die neiging ook. Ik zou maar een beetje opletten.'

'Vergeef me, Vader, want ik heb gezondigd. Ik heb zesenveertig jaar geleden voor het laatst gebiecht. Jeetje, wat vliegt de tijd.'

*

Zo gaat het nu altijd. Ik ben vroeg wakker en hoop nog wat werk te verzetten voordat de kinderen ontbijt willen. Maar er is al iemand wakker. Die blonde vrouw. Verdorie. Deze keer is ze niet alleen. Ze is in het gezelschap van een andere vrouw, die koffie uit mijn lievelingsmok drinkt. Grofgebouwd. Kort, lichtbruin haar dat ze achter haar oren heeft gestreken. Ze draagt een spijkerjasje boven een versleten spijkerbroek. Cowboylaarzen.

'Jennifer, wat doe je nou weer?'

'Hoe bedoel je?' vraag ik, maar de blonde vrouw is alweer weggelopen. Ze komt direct terug met een blauwe handdoek die ze over mijn schouders legt. Ze slaat een arm om me heen, draait me om en leidt me weg uit de keuken.

Ik heb het opvallend koud en zie dat er water van mijn nachthemd op de houten vloer druppelt. Mijn natte voetafdrukken staan op het glanzende eikenhout. De blonde vrouw blijft tegen me praten terwijl ze me naar boven brengt.

'Waarom doe je dit nu uitgerekend vanochtend? Ik heb het je toch verteld? Ik heb het toch in je notitieboek geschreven? We hebben er gisteravond toch over gesproken? Soms heb ik echt het gevoel dat ik gek word hier.'

Ze trekt mijn natte kleding uit, droogt me af en hult me in een blauwe rok en een blauw met rood gestreepte trui. Al die tijd blijft ze tegen me praten.

‘Gedraag je nou eens. Geef gewoon antwoord op alle vragen. Blijf rustig. Maak geen scène. Het is een informeel bezoekje. Het zal er vriendelijk aan toe gaan. Je hoeft je geen zorgen te maken. We hoeven Fiona of die advocaat die ze in de arm heeft genomen er niet mee lastig te vallen. Dat is echt nergens voor nodig. Gewoon een paar vraagjes en dan gaat ze weer weg.’

De wereld is ingetogen vandaag. Het lijkt wel alsof ik door een sluier kijk. Ik zie alleen pasteltinten en verschoten kleuren. Mijn zintuigen registeren het niet meer zo goed. Door de sluier zie ik alles in een waas. Het is niet onprettig, maar het zou gevaarlijk kunnen zijn. Je denkt dat ze je niet in de gaten hebben, maar opeens besef je dat je al die tijd gewoon zichtbaar was. Kwetsbaar.

Niet dat je iets hebt gedaan waarvoor je je zou moeten schamen. Of dat je iets zou willen terugdraaien. Het gaat om wat je hád kunnen zeggen of doen. Het adembenemende risico dat je hebt genomen. Ik zit aan de keukentafel en kijk de vreemde vrouw aan. Mijn kaken zitten op slot. Ik heb de puf niet om mijn mond open te doen. Ik kan mijn ogen zelfs amper openhouden. Slapen. Slapen.

Ik kan me nog herinneren dat ik de douche heb aangezet en mijn armen en benen heb ingezeept. Ik kan me nog herinneren dat mijn nachthemd in de weg zat. Maar ik kon er geen verband tussen leggen. Te langzaam. Te onverschillig.

‘Waar was u in de week van zestien februari?’

‘Hier. Ik ben altijd hier.’

‘En op vijftien en zestien februari? Was u toen ook hier? Hebt u uw huis helemaal niet verlaten?’

Met een uiterste krachtsinspanning strek ik mijn arm uit en pak mijn notitieboek. Ik blader erdoor. 13 februari. 14 februari. 18 februari.

De blonde vrouw neemt het woord.

'We proberen alles wat ze doet, vast te leggen. Als ze niet lekker in haar vel zit, vindt ze het fijn om dat terug te lezen. Die dag zijn we er blijkbaar niet aan toegekomen. Maar als er iets bijzonders was gebeurd, had ik dat echt wel opgeschreven. Dat wil haar dochter graag.'

De vrouw met het bruine haar neemt het notitieboek van me over. Ze bladert er aandachtig door.

'Ik zie dat ze in januari een paar keer is weggelopen.'

'Ja, dat doet ze soms. Ik hou haar goed in de gaten, maar soms weet ze toch weg te komen.'

'Is dat medio februari toevallig ook gebeurd?'

'Nee, in februari niet. Eerlijk gezegd gebeurt dat vrij zelden.'

'Helen Tighe, de buurvrouw, heeft gezien dat ze zichzelf op 15 februari bij Amanda O'Toole binnenliet. Was dat een van die zeldzame keren?'

'Daar hebben we het al over gehad. Als dat echt zo is, weet ik er niets van. Ze is in elk geval niet lang weg geweest. Soms ga ik naar de kelder om de was te doen of ben ik soep aan het maken. Als ze al naar Amanda is geweest, was ze terug voordat ik het in de gaten had.'

'Baart u dat geen zorgen?'

'Zeker wel. Maar ik doe wat ik kan. We hebben op alle buitendeuren sloten laten plaatsen, maar dat maakt haar overstuur en doet meer kwaad dan goed. Het is beter om de deuren niet te vergrendelen en haar goed in de gaten te houden. De buren houden ook een oogje in het zeil. Zo'n straat is het. Iedereen zorgt een beetje voor elkaar. Ze wordt altijd teruggebracht. We hebben zo'n speciale armband laten maken, maar die wil ze niet om.'

'En 's nachts?'

'O, de nachten vormen geen enkel probleem. Ik heb van mensen gehoord die 's nachts moesten worden vastgebonden omdat ze anders maar bleven rondspoken. Nou, dat geldt niet voor haar. Om negen uur valt ze als een blok in slaap en pas om zes uur 's ochtends hoor je haar weer. Daar kun je de klok op gelijkzetten.'

De vrouw met het bruine haar luistert niet meer. Ze fronst haar voorhoofd en bekijkt het boek nog eens goed. Ze legt haar wijsvinger tussen twee pagina's, haalt hem weg en kijkt me aan.

'Er is een pagina verwijderd,' zegt ze. 'Hij is er niet uitgescheurd maar weggesneden. Met een scheermesje of iets dergelijks.' Ze kijkt me aan, schuift haar stoel dichter bij de blonde vrouw en begint op fluistertoon te praten. 'Ze was vroeger toch arts? Chirurg?'

'Dat klopt.'

'Heeft ze nog speciale attributen? Haar scalpel bijvoorbeeld?'

'Dat lijkt me niet. Zijn dergelijke spullen niet van het ziekenhuis? Ik ben zoiets hier nog nooit tegengekomen. En dat had dan wel gemoeten, want ik ken dit huis als mijn broekzak. Ik moet alles in de gaten houden, anders kan ze gekke dingen doen.'

De blonde vrouw pauzeert even om op adem te komen.

'Vorige week heeft ze al haar sieraden weggegooid. We kwamen er bij toeval achter. Haar dochter vond een diamanten hanger in de sneeuw, naast de vuilniszakken. We hebben het afval doorzocht en vonden eerst haar trouwring terug. En daarna nog een paar erfstukken, sommige kostbaar, andere enkel van emotionele waarde. Toen we de sieraden hadden teruggevonden, zijn we alles – maar dan ook echt alles – nagelopen. Ik ben geen messen tegengekomen. Haar dochter heeft een bijzondere ketting die van haar moeder is geweest en de zegelring van haar vader meegenomen. De rest heeft ze in de kluis gelegd.'

Ik maak geluid. Pas als de vrouwen me aankijken, dringt het tot me door dat ik zit te lachen.

Ik sta op en loop naar de woonkamer. Naar de piano. Naar de pianokruk. Ik sla het deksel open. De kruk ligt vol rommel. Dit is het ik-weet-niet-wat-ik-ermee-moet-plekje van James en mij. We leggen er spullen in waar we zo gauw geen plek voor weten, maar die we ook niet willen weggooien. Bonnetjes van aankopen die we misschien nog willen ruilen. Losse onderdeeltjes. Sokken waarvan de andere helft zoek is.

Ik graai tussen oude leesbrillen, al dan niet opgeladen batterijen en nummers van de *New Yorker*. Totdat ik de bodem voel. Dan trek ik het eruit. Het is in een linnen servet gewikkeld.

Mijn speciale scalpelheft. Glanzend. Aanlokkelijk. Het smeekt om vastgepakt te worden. Mijn naam is erin gegraveerd, met de datum waarop ik mijn opleiding tot chirurg voltooide. Wat zeiden ze ook alweer over me in het ziekenhuis? 'Wilt u een second opinion? Zij is de beste, maar levert geen half werk. Als je haar haar gang laat gaan, zal ze zelfs bij een gescheurde nagelriem willen opereren.'

Kleine omhulsels van plastic vallen uit het servet. In elk ervan zit een glinsterend, scherp mesje dat zo in mijn scalpelheft kan worden gestoken. Klaar om te snijden. De twee vrouwen staan naast me en houden me nauwlettend in de gaten. De blonde sluit haar ogen. De vrouw met het bruine haar steekt haar hand uit. 'Geeft u deze maar aan mij, mevrouw,' zegt ze. 'Ik ben bang dat u moet meekomen.'

*

We zitten in een auto. Ik zit achterin, achter een chauffeur met kort, bruin haar. Ik zou niet kunnen zeggen of het een man of een vrouw is. De handen aan het stuur ogen sterk, grof zelfs. Androgyn.

Magdalena zit naast me. Ze is aan het bellen. Op gehaaste toon praat ze met iemand. Dan hangt ze op en toetst nog een nummer in. Het is koud. Er zit sneeuw in de lucht. Toch zitten er knoppen aan de bomen. Ik doe het raampje omlaag en voel de wind op mijn gezicht. Dat is nu typisch voor lente in Chicago.

Ik hou van het woord 'typisch'. En van 'gewoonlijk'. 'Meestal' is ook goed. Als het maar iets betrekkelijks aangeeft. En toekomstige gebeurtenissen vergelijkt met die uit het verleden.

*

We zitten in een kamer. Met uitzondering van een tafel en een stoel – de stoel waarop ik zit – is hij leeg. Van de aanwezigen ken ik niemand. Vier mannen. Geen Magdalena. Ik lees iets van een vel papier. Ze vragen me of ik het begrijp. 'Bent u bereid met me te praten nu u weet wat uw rechten zijn?'

'Nee,' zeg ik op besliste toon. 'Nee, ik wil mijn advocaat spreken.' Over de hele breedte van een wand hangt een enorme spiegel. Verder is het vertrek helemaal leeg en kaal. Het is een plek om op je hoede te blijven.

'Uw advocaat is onderweg.'

'Ik wacht wel.'

Op de tafel ligt een plastic zakje waarin mijn scalpelheft en de mesjes zitten. De mannen praten zachtjes met elkaar, maar blijven de hele tijd naar mij en de voorwerpen kijken.

Ik vind het een grappige gedachte dat er in de film in zo'n vertrek als dit sigarettenrook zou hangen. Ongeschoren, afgetobde mannen die koude, slappe koffie uit plastic bekertjes drinken. Maar deze mannen zijn gladgeschoren en goed gekleed. Ze zien er keurig uit. Twee van hen drinken iets met schuimende melk uit kartonnen bekertjes. Een van hen heeft een energiedrankje en de ander een plastic flesje water. Mij wordt niets aangeboden.

Bij de deur klinkt rumoer en er komen drie vrouwen binnen. Drie lange, opvallende vrouwen. Amazones! Mijn dochter, of misschien mijn nichtje; de aardige vrouw die me helpt; en nog een vrouw.

Die laatste vrouw, die me vaag bekend voorkomt, steekt haar hand uit en geeft me een stevige handdruk. Ze glimlacht. 'Fijn om je weer te zien,' zegt ze, 'al had ik de omstandigheden graag anders gezien.' Ze probeert mijn gezicht te lezen en glimlacht nogmaals. 'Ik ben Joan Connor,' zegt ze. 'Je advocaat, die je een lieve duit kost.'

Mijn dochter/nichtje loopt direct op me af en slaat een arm om mijn schouders. 'Het komt goed, mam,' zegt ze. 'Ze kunnen je niets maken. Dit is Amerika. Ze zullen toch echt met bewijs moeten komen.'

De derde vrouw, de blonde, houdt zich afzijdig en blijft bij de deur staan. Ze is drijfnat van het zweet en heeft een kleur. Ik zoek in mijn jaszak naar mijn stethoscoop. Dan schiet het me weer te binnen.

Ik ben met pensioen. Ik heb alzheimer. Ik zit op het politiebureau vanwege mijn mesjes. Mijn geest komt niet verder dan deze feiten. Mijn zieke geest. Toch voel ik me waakzamer dan ooit. Ik ben overal klaar voor. Ik glimlach naar mijn dochter/nichtje, maar ze glimlacht niet terug.

De advocate wendt zich tot de mannen. Waar ze eerst nog op hun gemak kriskras door het vertrek stonden, staan ze nu schouder aan schouder, keurig netjes op een rij. Ze hebben geen oog meer voor hun drankjes, die ze op de tafel hebben achtergelaten. De mannen zijn op hun hoede. Voor de vijand.

'Gaat u dokter White aanhouden?'

'We hebben alleen een paar vragen. Ze wilde alleen praten met u erbij.'

'Dat is haar goed recht.'

'Dat hebben we haar ook uitgelegd. Kunnen we nu beginnen?'

Mijn advocate knikt. 'Kunt u wat extra stoelen regelen?'

De mannen gaan uit elkaar. Twee verlaten de kamer om vier metalen klapstoelen op te halen. Een ander komt terug met twee bekertjes water. Zwijgend biedt hij mij er een aan. De ander is voor de jonge vrouw.

De advocate gaat rechts van me zitten en mijn dochter/nichtje neemt aan mijn linkerzijde plaats. Haar arm ligt nog steeds om mijn schouders. De blonde vrouw blijft bij de deur staan. Als een van de mannen haar ook een stoel aanbiedt, wimpelt ze die af.

'Waar was u op 16 en 17 februari?'

'Dat weet ik niet meer.'

Mijn advocaat neemt het woord.

'Dit hebben jullie haar al talloze keren gevraagd. Ze heeft steeds naar eer en geweten geantwoord. Zoals u weet, lijdt dokter White aan alzheimer. Veel van uw vragen zal ze niet kunnen beantwoorden.'

'Begrepen. Wanneer hebt u voor het laatst uw scalpel gebruikt?'

'Dat weet ik niet meer. Enige tijd geleden.'

'Klopt het dat u orthopedisch chirurg was?'

'Ja, een van de beste.'

De man glimlacht zuinig.

'En handen waren uw specialiteit?'

'Handchirurgie.'

'Wat zegt u hiervan?' Hij overhandigt me een paar foto's. Ik bestudeer ze nauwkeurig.

'Een hand van een volwassene. Van een vrouw. Van gemiddelde grootte. Alleen de duim zit er nog aan. De andere vingers zijn afgesneden bij het MCP-gewricht.'

'Hoe zou u de incisies omschrijven?'

'Netjes. Maar niet dichtgeschroeid. Aan de hoeveelheid gestold bloed te zien is dit niet volgens het protocol uitgevoerd. Maar verder ziet het er keurig uit.'

'Welk mes is er volgens u gebruikt?'

'Dat kan ik op basis van de foto's niet zeggen. Zelf zou ik een mesje tien gebruiken, maar volgens mij zijn deze amputaties niet uit medische noodzaak verricht.'

'Zit daar een mesje tien bij?' Hij wijst naar het zakje.

'Uiteraard.'

'Waarom is dat zo vanzelfsprekend?'

'Omdat dat mesje bij chirurgische ingrepen het vaakst wordt gebruikt. Als chirurg heb je er altijd eentje bij de hand.'

'U weet toch wie er op deze foto's staat? Van wie deze hand is?'

Ik kijk mijn advocaat aan en schud mijn hoofd.

'Amanda O'Toole.'

'Amanda?'

'Inderdaad.'

'Mijn Amanda?'

‘Inderdaad.’

Ik ben sprakeloos. Ik kijk de jonge vrouw aan die haar arm om me heen heeft geslagen. Ze knikt.

‘Wie doet zoiets in hemelsnaam?’

‘Dat proberen we uit te zoeken.’

‘Waar is ze nu? Ik wil haar zien. Hebt u de vingers nog? Bij zo’n keurige amputatie is replantatie mogelijk.’

‘Dat zal helaas niet gaan.’

De muren komen opeens op me af. Ergens weet ik wat hij nu gaat zeggen. Die foto’s. Dit politiebureau. Een advocaat. Mijn scalpelheft. De mesjes. Amanda. Ik doe mijn ogen dicht.

Mijn dochter/nichtje neemt het voor me op. ‘Hoe vaak gaat u haar dit nog aandoen? Het is ontzettend wreed, dat beseft u toch wel?’

‘We hebben geen keus. Nu rechercheur Luton het scalpel heeft gevonden, kunnen we niet anders.’

‘Maar mijn moeder heeft het u zelf gegeven. Waarom zou ze dat doen als ze schuldig is?’

‘Misschien kan ze zich niet meer herinneren wat ze heeft gedaan.’ Hij wendt zich weer tot mij.

‘Hebt u Amanda O’Toole vermoord?’

Ik antwoord niet en staar naar mijn handen. Die zijn nog heel en niet met bloed besmeurd.

‘Luister, dokter White. Hebt u Amanda O’Toole vermoord en vervolgens vier van haar vingers afgesneden?’

'Ik kan het me niet herinneren,' zeg ik. Maar toch zie ik ineens beelden voor me die me niet meer loslaten.

De man houdt me nauwlettend in de gaten. Ik kijk hem in de ogen en schud mijn hoofd.

'Nee. Natuurlijk niet.'

'Weet u dat zeker? Even dacht ik dat u...'

'Mijn cliënt heeft antwoord gegeven. Zet haar niet onder druk. Ze is ziek.'

De tengere, blonde man die eerder van het energiedrankje dronk, neemt het woord.

'Wat raar dat ze sommige dingen wel weet en andere juist weer niet.'

'Dat heb je nu eenmaal met deze ziekte,' zegt de vrouw die naast me zit. 'Soms heeft ze heldere momenten.'

'Ik zeg het alleen maar. Ik heb toch stellig de indruk dat ze zich zojuist iets herinnerde.'

Hij wendt zich tot mij.

'Kunt u zich dan echt helemaal niets herinneren?'

Ik schud mijn hoofd en staar voor me uit, zijn blik ontwijkend. Mijn handen zijn nat van het zweet. Ik leg ze onder tafel op mijn schoot.

Mijn advocaat staat op. 'Gaat u mijn cliënt in staat van beschuldiging stellen?'

De eerste man aarzelt, maar schudt dan zijn hoofd. 'We moeten eerst nog een paar dingen uitzoeken.'

De vrouw naast me en de advocaat kijken elkaar aan op een manier die me niet aanstaat. We staan op om te vertrekken. Een van de mannen geeft me mijn jas. Ik zoek de andere vrouw, die blonde, maar ze is al verdwenen.

*

Uit mijn notitieboek. Een aantekening van 8 januari, in een merkwaardig, naar links hellend handschrift. Het is ondertekend door Amanda O'Toole:

Ik kwam vandaag zomaar even langs, Jennifer. Het leek goed met je te gaan. Je herkende me. Je wist nog dat ik afgelopen herfst aan mijn knie ben geopereerd. Ook was je niet vergeten dat ik dit voorjaar aan de achterzijde van het huis tomaten wil planten in de terraspotten die altijd veel zon krijgen. Je ziet er niet zo goed uit. Je bent afgevallen en je ogen zijn roodomrand. Ik vind het vreselijk dat ik je op deze manier moet verliezen, mijn lieve vriendin.

Maar vandaag hadden we het fijn samen. We zaten in de voorkamer en spraken over de mannen in ons leven. Peter, James en Mark. Je was vergeten dat zowel Peter als James er niet meer zijn. De een is naar Californië vertrokken en de ander naar een plek waar het veel beter of veel slechter is dan hier.

Peter heeft het erg naar zijn zin in Californië. Hij e-mailt me vaak. Dan vraagt hij ook naar jou. Na een huwelijk van veertig jaar verbreek je domweg niet al het contact. Peter en die natuurretraite van hem. Hij woont nu in een trailer in de Mojavewoestijn met een studente die ook in de ban van de new age is. Mensen vragen me soms hoe ik omga met het feit dat hij me heeft verlaten. Zo zien ze dat nu eenmaal.

'Is het huis niet leeg zonder hem?' vragen ze. 'Tja, dat was het altijd al,' zeg ik dan. Wij tweeën in dat grote, lege huis. Als jij jouw huis verkoopt en weggaat, verhuis ik misschien ook. Dan is er nog maar weinig wat me aan deze straat bindt.

Je vertelde dat je je zorgen maakt over Mark. Dat hij James' slechte eigenschappen lijkt te hebben geërfd, maar niet zijn sterke kanten.

Dat ben ik niet met je eens. Mark heeft ook een kwetsbare kant en die zou weleens de doorslag kunnen geven. Daarvan is hij zich ook bewust. James zou zijn zwakheden nooit hebben willen toegeven. Die is tot het eind aan toe zo zelfverzekerd geweest. Het kan prettig zijn om een partner te hebben die zo'n rotsvast zelfvertrouwen heeft.

Maar zoveel zelfverzekerdheid brengt ook risico's met zich mee. Vroeg of laat gaat zo'n persoon toch de fout in en als je hem dan niet corrigeert, loop je zelf ook gevaar. Dan ben je allebei reddeloos verloren. Je mag soms best een beetje aan elkaar twijfelen. Dat is essentieel voor een goed huwelijk. Een beetje tegengas kan nooit kwaad. Dat heb jij te weinig gegeven.

Luister, mijn huwelijk is na veertig jaar opeens in rook opgegaan. Hoort het eind van een huwelijk geurloos en smakeloos te zijn? Nee. Er hoort toch iets van over te blijven? Het ligt aan Peter en mij dat dat bij ons niet zo was. Dat het zo makkelijk en stilletjes voorbijging.

Toen James stierf, voelde je tenminste iets. Het kwam er dan misschien wel raar uit, maar het raakte je diep. Ik weet dat je je die periode niet meer kunt herinneren, maar je bent toen aan het tuinieren geslagen. Terwijl je absoluut geen groene vingers hebt. Eigenlijk kwam het erop neer dat je kuiltjes in je achtertuin groef.

Nadat je enkele tientallen kuiltjes had gegraven, stopte je er rozenplantjes in die je had gekocht bij een kwekerij. Het was de eerste keer dat je er een bezocht. Vervolgens keek je niet meer naar ze om. Ze gingen natuurlijk dood. Je tuin was bezaaid met hoopjes aarde waaruit dode, verlepte plantensprieten staken. Het werk van een dementerende die niet stil kon zitten.

Kun je je helemaal niets van die periode herinneren? Je vertoonde in die tijd al de eerste symptomen. Natuurlijk vertelde je mij over je bange voorgevoelens. Maar James wist nergens van. Heb je het ooit echt aan de kinderen verteld? Ik vermoed van niet. Je hebt gewoon een verzorgster in dienst genomen en hen er zelf achter laten komen.

Magdalena vertelde me dat je steeds meer last van agressieve buien hebt. Zelf ben ik daar nog geen getuige van geweest. Volgens Magdalena heb ik een kalmerende invloed op je. Maar dat betekent heus niet dat ik over magische krachten beschik. Ik heb genoeg over deze ziekte gelezen om te weten dat het verleden niets over de toekomst zegt. Het is net als met opvoeden: net als je denkt dat je de fijne kneepjes beheerst, verandert alles weer.

Daarom houdt een leerkracht ook het liefst dezelfde klas. Zelf heb ik tenslotte 43 jaar voor de brugklas gestaan. Als je je beste ideeën en leermethodes toepast op kinderen die een jaar ouder zijn, komt er niets meer van terecht.

Vandaag sprak je heel samenhangend over Fiona. Absoluut niet wazig. We zijn het ook volstrekt met elkaar eens. Het gaat goed met haar. We zijn allebei ontzettend trots op haar. Tijdens haar puberteit maakte ik me zorgen om haar, wat natuurlijk logisch is. Rond haar twintigste had ze het erg moeilijk. Het was vreselijk pijnlijk om daar getuige van te zijn.

Zoals je weet, heb ik mijn rol als peetmoeder serieus genomen! Ik ben nooit bang geweest dat ze problemen met drugs of seks zou krijgen, hoewel ze volgens mij met allebei heeft geëxperimenteerd. Maar dat is volstrekt normaal. Nee, ik maakte me zorgen over haar moeder Theresacomplex. Ze nam het altijd voor Mark op. En dan die afschuwelijke jongen. Godzijdank heeft ze die op tijd gedumpt. Anders was ze misschien wel met hem getrouwd.

Dat was natuurlijk nooit goed gegaan. Maar Fiona kennende, zou haar dat wel hebben beschadigd. Het zou haar vreselijk hebben aangegrepen. Meer dan het mij na veertig jaar huwelijk aangreep.

En nu is het genoeg! Ik ratel maar door. Hou je goed, lieve vriendin. Ik kom gauw weer eens langs.

*

Ik denk veel na over mijn kinderen. Vroeger waren ze zo dik met elkaar. Omdat Mark veel ouder was dan Fiona, zou je verwachten dat hij haar maar saai vond en afstand hield. Maar dat deed hij nooit. Toen niet, althans. Maar nu hebben ze ruzie. Mark heeft dat wel vaker. Dan raakt hij verbitterd, zoekt hij ruzie en stoot hij mensen af. Na verloop van tijd krijgt hij berouw en keert hij op zijn schreden terug.

Aanvankelijk was Fiona te jong voor Marks vrienden. Ik zag wel dat ze zo nu en dan heimelijk verliefd op een van hen was, maar maakte me er nooit al te veel zorgen om. Ze was te mager, te onhandig en te slim om de sportieve jongens waarmee Mark destijds omging, te kunnen bekoren. Maar er zat er eentje bij… Hoe oud was Fiona toen? Veertien? Ze was geen schattig meisje meer, maar ook nog niet de vriendelijke, open vrouw die ze later zou worden. Ze was een gesloten puber die niet liet zien wat er in haar omging.

Maar deze jongen, Marks huisgenoot tijdens zijn eerste jaar aan Northwestern, zag mogelijkheden. Ik waakte altijd voor gladde jongens die mogelijk op Fiona uit waren, maar Eric ontsnapte aan mijn aandacht. Te bleek. Te verlegen. Niet behept met de charme en wrevel die ik met geboren verleiders associeerde.

Ik heb geen idee wat er tussen hen is voorgevallen. Dat heeft Fiona me nooit willen vertellen. Heeft hij haar hart gebroken? Heeft ze door hem een geslachtsziekte opgelopen? Heeft ze een abortus laten plegen? Het zou allemaal kunnen, hoewel ik vermoed dat het allemaal wat minder dramatisch was. Destijds dacht ik dat zij hem alleen maar hielp met statistiek. Amanda verkeerde ook in die veronderstelling. Ze dacht dat Fiona met Eric te doen had omdat hij zo verlegen was. Geen van beiden dachten we ook maar een moment dat Fiona iets van hem wilde. Dat paste gewoon niet bij het beeld dat we van haar hadden.

Op een avond heb ik er een eind aan gemaakt, nadat ik hen op het trapje bij de voordeur had betrapt. Ik bespioneerde hen niet en was totaal niet op hen bedacht toen ik de voordeur opende en hen zag zitten. Hij keek nukkig, zoals mannen kunnen kijken als ze denken dat je niet van hen houdt. Ik had niet verwacht dat Fiona daar gevoelig voor zou zijn. Toen zag ik haar gezichtsuitdrukking. Ik zag er geen liefde in. Nee. Het was erger dan dat. Een wanhopig besef van verantwoordelijkheid. Het met grote tegenzin accepteren van een zware last.

Ik kon mezelf er ternauwernood van weerhouden om die jongeman een trap voor zijn magere gat te verkopen. Ik zie nog voor me hoe hij met hangende schouders tegen Fiona aanleunde, haar dwingend om sterk voor hem te zijn. Ze keek op en zag dat ik alles had gezien. Er leek een last van haar af te vallen toen ik mijn hoofd schudde. Nee.

Later die avond beschuldigde ze me er huilend van dat ik haar leven kapotmaakte. We speelden deze typische moeder-dochterscène met verve, zodat zowel James als Mark erin trapten. Maar we wisten waar het werkelijk om ging. Ik wist haar net op tijd te redden en daar was ze me dankbaar voor.

*

Naast mijn ochtendpillen en sapje ligt een brief. Alleen mijn naam staat erop. Geen adres. Geen postzegel. Twee velletjes ongelinieerd briefpapier in een kriebelig handschrift. Ik lees hem door. En dan nog eens:

Mam,

Het spijt me dat mijn vorige bezoek zo naar verliep. Ik ben er niet eens aan toegekomen om je de eigenlijke reden van mijn bezoek te vertellen. Maar dit hele voorval is eigenlijk alleen maar koren op mijn molen. Het is hoog tijd dat je het huis verkoopt en naar een verzorgingshuis gaat.

Bovendien is het tijd dat ik als mentor jouw medische beslissingen ga nemen. Ik weet dat je dat niet wilt. Je bent gesteld op je zelfstandigheid.

Met Magdalena's hulp gaat het 65 procent van de tijd goed. Maar die andere 35 procent…

Het lopende onderzoek naar de moord op Amanda baart me grote zorgen. Het feit dat ze jou van betrokkenheid verdenken – niet dat ik dat maar voor één seconde geloof – is voor mij voldoende reden om deze stap te zetten.

Geloof ik dat je een gevaar voor anderen bent? Nee. Geloof ik dat je een gevaar voor jezelf bent? Ja, dat denk ik echt. Ik krijg vast niet alles mee. Volgens mij houden Magdalena en Fiona veel voor me verborgen.

Jij hebt mij tot je mentor benoemd. Daar heb ik niet om gevraagd. Maar nu ik dat ben, wil ik me van mijn plicht kwijten. Natuurlijk zou je dit kunnen herroepen. Fiona probeert je over te halen (ja, ik heb in je notitieboek gelezen tijdens mijn vorige bezoek) om het mentorschap van me af te pakken. Maar volgens mij zou dat een vergissing zijn.

Wat betreft Fiona. Ik maak me zorgen om haar. Bijna net zoveel als om jou. Ik heb het ook al gezegd toen we elkaar zagen, maar je weet hoe ze kan zijn. Het kan nog zo lang goed met haar gaan, maar op een gegeven moment gaat het mis. Weet je nog die keer dat ze op Stanford zat? Toen papa haar moest halen, zodat ze thuis weer tot zichzelf kon komen?

Fiona zal je wel iets heel anders vertellen, maar ik heb echt het beste met je voor. De politie heeft je meermalen ondervraagd. Ik ben ervan overtuigd dat ze je als een toerekeningsvatbare volwassene zouden berechten als ze belastend bewijs zouden vinden.

Ik maak me grote zorgen om je. Ik weet dat ik me niet altijd even diplomatiek uitdruk. Ik ben geen welbespraakte bedrijfsjurist, zoals pap, maar een brompot. Maar ik bedoel het wel goed.

Juridisch gezien moet per afzonderlijke taak worden bekeken of je al dan niet wilsonbekwaam bent. Dit heb je ooit geweten en misschien besef je dat op heldere momenten nog steeds. Zo kun je niet langer in staat zijn om jezelf aan te kleden, maar nog wel om te besluiten waar je wilt wonen. Dat accepteer ik ook.

Het was verstandig dat je destijds hebt besloten Fiona je financiën te laten beheren. Je erkende dat je financieel gezien niet meer goed voor jezelf kon zorgen. Je beschikt over aanzienlijke middelen en die wil je uiteraard niet in de waagschaal stellen. Dat was een goede beslissing… Bijna althans.

Dit is een omslachtige manier om te zeggen dat ik je wilsonbekwaam wil laten verklaren zodat ik juridische bescherming voor je kan regelen. Voor het geval dat.

Op al even omslachtige wijze wil ik aangeven dat Fiona misschien niet de aangewezen persoon is om je geld te beheren. Ze kan het zonder meer. Maar is ze ook betrouwbaar? Ik zou het een prettig idee vinden om ook bankafschriften van je rekeningen te krijgen. Kunnen we dat misschien regelen?

Houd bij het lezen van deze brief in je achterhoofd dat ik het beste met je voorheb. Wilsonbekwaamheid is maar een etiketje. Het zegt niets over je werkelijke kunnen. Als een rechtbank beslist dat je dat bent, zal je toestand niet opeens dramatisch verslechteren. Je bent en blijft dezelfde vrouw. Maar door hier nu voor te kiezen en niet te wachten totdat de politie je weer meeneemt of zelfs aanhoudt, kun je wel veel problemen en gedoe voorkomen.

Ik kom morgen weer bij je langs. Geloof me alsjeblieft als ik zeg dat ik je wil helpen.

Je liefhebbende zoon,
Mark

*

Vandaag is mijn moeder overleden. Ik kan er geen traan om laten. Haar tijd was gewoon gekomen. Zo gaan die dingen.

'Mary toch,' zei mijn vader steevast als mijn moeder iets ongehoords deed – zoals tijdens een deftig etentje boven op een stoel de cancan dansen of in het bijzijn van geschokte voorbijgangers een duif stenigen, met fatale afloop. 'Mary toch!' Hun liefdesduet.

Een geweldige man, die vader van mij. Hij had een kalme geest, zoals Thoreau zou hebben gezegd. Hoe hij aan mijn moeder is gekomen? Ze flirtte met homoseksuele priesters, vertelde klinkklare leugens en zat om vier uur 's middags al aan de whisky. En nu is ze er niet meer. Eindelijk.

Mijn vlucht naar Philadelphia heeft vertraging opgelopen, dus als ik in het hospice aankom, is haar bed al leeg. Blijkbaar heeft men niet doorgegeven dat ik onderweg was. Ik plof neer op het afgehaalde bed. Maakt het iets uit? Nee. Ik betwijfel of ze nog had geweten wie ik was.

Ze was het spoor op het laatst behoorlijk bijster. Ze was altijd een vroom katholiek geweest, maar in de laatste maanden van haar leven wisselde ze Jezus Christus en de Heilige Maagd in voor een aantal maagdelijke martelaren. Theresa van Ávila, Catharina van Siena en Lucia van Syracuse waren haar trouwe metgezellen. Ze giechelde om hen, wapperde met een Kleenex naar hen en bood hen eten aan. Afgaand op hun niet-aflatende eetlust en het gegiebel van mijn moeder als ze haar van repliek dienden, was het een hongerig en grappig stel.

Tot op het laatst bleef ze kattenkwaad uithalen. Zo heeft ze een keer een zakje ketchup gepakt van het dienblad waarop haar lunch werd geserveerd en daarmee de binnenkant van haar polsen en de voorkant van haar enkels besmeurd. Bittere, zure stigmata. Mijn moeder was helemaal in haar nopjes toen een leerling-verpleegkundige bij de aanblik ervan begon te gillen. Vervolgens gaf ze een onzichtbare medeplichtige de vijf.

Uiteindelijk werd een val haar fataal. Een volstrekt onschuldige val. Toen ze van haar bed naar het toilet hobbelde, zakte ze opeens door haar knieën. Ze viel op de vloer, werd overeind geholpen, maar het was het begin van het einde.

Die avond kreeg ze hoge koorts. De hele nacht voerde ze intense gesprekken met haar heiligen. Ze verkeerde in een andere roes dan normaal, want ze nam afscheid van hen. Ze zoende de maagden vaarwel en omhelsde hen lang en liefdevol. Ze zwaaide naar de artsen, de verpleegkundigen en de zaalhulpen. Ze zwaaide naar bezoekers die door de gang liepen. Ze vroeg en kreeg een groot glas Schotse whisky. Ze ontving de laatste sacramenten. Vaarwel, vaarwel.

Mijn vader kwam nooit ter sprake. Ik ook niet.

Tot op het allerlaatst hield ze wel van een geintje. Toen de zaalhulpen haar dode lichaam wilden weghalen, viel het een van hen op dat er een vreemde bobbel tussen haar borsten zat. Voorzichtig stak hij zijn hand in haar ziekenhuisschort. Hij gilde, deinsde achteruit en schudde met zijn hand. 'Ben je gebeten?' vroeg zijn collega grijnzend. En inderdaad, mijn moeders kunstgebit had hem te grazen genomen. In haar jonge jaren was ze een mooie vrouw geweest en ze was altijd van haar aantrekkingskracht overtuigd gebleven. Daarom zette ze vlak voor haar dood een val op een plek die in haar ogen nog steeds in trek was.

De verpleegkundige vertelde me dit en ik moest glimlachen. Ik vroeg me af wat er uiteindelijk van mijn verstand zou overblijven. Tot welke fundamentele waarheden zou ik mijn toevlucht zoeken? Welke streken zou ik uithalen? En met wie?

'Jennifer?'

Iemand schudt me door elkaar. De verpleegkundige.

'Jennifer, het is tijd voor je pillen.'

'Nee, ik moet de begrafenisondernemer bellen. De crematie regelen. Ik moet er niet aan denken om haar te begraven. Laat haar maar mooi tot as vergaan. De grafkosten zijn al betaald. Mijn vader ligt er al. Die liefhebbende echtgenoot en vader. Haar naam moet in de grafsteen worden gebeiteld. Dat is alles. Morgenavond kan ik al terug naar huis vliegen. Terug naar mijn praktijk, naar James en de kinderen.'

'Jennifer, je bent in Chicago. Je bent thuis.'

'Nee, ik ben in Philadelphia. In het hospice. Bij het stoffelijk overschot van mijn moeder.'

'Nee, Jennifer. Je moeder is al heel lang dood. Ze is jaren geleden al gestorven.'

'Nee, dat kan niet.'

'Jawel. Toe, slik je pillen nou. Hier heb je een bekertje water. Goed zo. Zullen we een eindje gaan wandelen?' Ze steekt haar hand uit. Ik pak hem vast en bestudeer hem. Als ik niet kan slapen of in de war ben, benoem ik dingen. Dan probeer ik me te herinneren wat belangrijk is en gebruik ik de juiste namen. Namen zijn waardevol.

Ik glijd met mijn vingers over de hand die ik vasthoud. 'Dit is het *os hamatum*. En dit het *os pisiforme*. Het *os triquetrum*, het *os lunatum*, het *os scaphoideum*, het *os capitatum*, het *os trapezoideum* en het *os trapezium*. De handwortelbeentjes, de proximale phalangen, de distale phalangen. De sesambeentjes.'

'Je aanraking voelt prettig. Je was vast een goede dokter.'

'Misschien wel. Maar dat wil nog niet zeggen dat ik ook een goede dochter was. Wanneer is ze overleden?'

'Ruim twintig jaar geleden. Je hebt me erover verteld.'

'Was ik erg verdrietig?'

'Dat weet ik niet. Ik kende je toen nog niet. Misschien wel, maar je bent hoe dan ook niet iemand die met zijn gevoelens te koop loopt.'

Ik blijf haar hand vasthouden en streel haar vingers. De dingen die ertoe doen. De waarheden waaraan we ons tot het eind aan toe vastklampen. 'Dankzij deze botjes kunnen we leven zoals we doen,' zei ik vroeger als ik college gaf. Dan wees ik de vingerkootjes stuk voor stuk aan. 'Behandel ze met grote eerbied. Zonder stellen we namelijk niets voor. Zonder zijn we amper mens.'

*

Die knapperd vertrok door de achterdeur op de momenten dat James door de voordeur binnenkwam. Tijdens het visite lopen moest ik streng tegen hem zijn. Hij was nog zo jong. Ik berispte hem als hij niet goed had gehecht. 'Maar nadat ik een reconstructie had gedaan van het beschadigde gewricht, zag je een duidelijke klinische verbetering bij de patiënt,' zei hij eens, bijna in de tranen. Op zulke momenten was hij absoluut niet aantrekkelijk.

De nukkigheid van de onervarene, de grillen van de gekwetste. 'Waarom doe je zo tegen me?' vroeg hij eens.

'Omdat ik je niet mag voortrekken.'

'Omdat dat zou opvallen?'

'Omdat het mijn reputatie en die van het ziekenhuis in gevaar brengt.'

'Als ik zo middelmatig ben, wat moet je dan met mij?'

'Je bent niet middelmatig. Je bent prachtig.'

Het hield geen stand. Logisch ook. En er werd over gekletst. Toch had ik er nog geen milliseconde van willen missen. Maar het verdriet toen ik hem kwijt was. Dat kon ik met niemand delen. Het was een eenzame tijd.

*

Ik tast rond maar voel alleen maar beddengoed. De wekker geeft aan dat het 1.13 uur is. James is nog steeds niet thuis. Hoewel ik weet waar hij uithangt, maak ik me toch zorgen. Het is een gevaarlijke wereld en tussen één en drie uur 's nachts loop je het meeste risico.

Niet alleen buiten op straat, maar ook binnen. Als ik opsta omdat ik moet plassen of wil controleren of ik alle deuren en ramen wel heb gesloten, hoor ik soms een schorre, raspende ademhaling. Maar ik zou alleen thuis moeten zijn. De kinderen zijn allang vertrokken. En James is nog niet van zijn zwerftochten teruggekeerd.

Ik ga op zoek en ontdek dat het geluid uit een van de logeerkamers komt. De deur staat open. Er ligt een grote, logge gestalte op het bed. Man of vrouw? Mens of monster? Op dit tijdstip, in deze halfslaap, is alles mogelijk.

Ik haal diep adem om mijn angst de baas te blijven. Ik sluit de deur en sluip naar de trap. Ik spurt de treden af en struikel bijna. Ik zoek een veilig heenkomen. Het toilet is het enige vertrek met een deur die op slot kan. Ik sluit mezelf erin op, ga op de wc-pot zitten en probeer tot bedaren te komen. Had ik maar iemand aan wie ik me kon vastklampen. Iemand die mijn hand vastpakt en zegt dat het allemaal maar een droom is. Ik zie het verschil namelijk niet meer. Maar er is niemand.

Magdalena is op pad en laat me zomaar bij een onbekende achter. Plotseling verlang ik naar een hond, een vogel of een vis; het maakt me niet uit, als het maar een hartslag heeft. Ik ben gek op katten, maar we hebben er nooit een genomen omdat zo'n dier naar buiten moet kunnen en niet opgesloten hoort te zitten. Maar in Chicago is het te gevaarlijk om een kat naar buiten te laten.

Zat ik ermee toen James voor het eerst 's nachts niet thuiskwam? Toen hij voor het eerst zondigde? Eventjes maar. Toen ik ontdekte hoe het echt zat, maakte de pijn plaats voor woede.

Op hem was ik niet eens echt kwaad. Dat was hooguit een vlaag van woede die al snel wegzakte. Nee, mijn woede richtte zich naar binnen. Ik had nooit verwacht dat ik bedrogen zou worden. Ik had zo'n hoge dunk van mezelf dat ik er zonder meer van uitging dat anderen me ook hoog hadden zitten, vooral mijn naasten. James. En de kinderen, zelfs tijdens die afgrijselijke puberteit. En Amanda natuurlijk. Ik heb Amanda als enige over James verteld, maar de banaliteit van haar antwoord stelde me teleur.

'Verraad is het allerergste,' zei ze. 'Als je iemand niet meer kunt vertrouwen, is ook het respect weg.'

Ik zei dat er een heleboel dingen nog erger waren dan verraad. En dat respect altijd als eerste verdween.

'Wat is er dan erger dan verraad?'

'Blind worden. Je armen niet meer kunnen gebruiken. Vrijwel elke handicap of misvorming.'

'Ziekte.'

'Ja.'

'Als je maar gezond bent...' Ze trok er een gezicht bij alsof ze een tegeltjeswijsheid opzegde.

'Daar komt het wel op neer.'

'Dat is een mening die jou als arts natuurlijk mooi uitkomt. Jij kunt ook altijd zo door hameren.'

'Er zijn genoeg spijkers te vinden.'

'En hoever reikt die theorie van jou?'

'Welke theorie?'

'Dat lichamelijke pijn erger is dan psychische of spirituele pijn?'

'Dat heeft toch allemaal met elkaar te maken? Als arts houd ik me altijd bij hetzelfde standpunt: als een patiënt bij me komt, doe ik mijn uiterste best om hem te genezen. En als dat niet mogelijk is, probeer ik ervoor te zorgen dat de kwaal het dagelijks leven zo min mogelijk beheerst. Lichamelijke aandoeningen zijn uiteraard van grote invloed op de psyche en het gevoelsleven. Daar moet je bij een prognose rekening mee houden.'

'En het spirituele effect?'

'Dat weet ik echt niet. Hoe kan het tot een spirituele crisis leiden als je je hand niet meer kunt gebruiken? In de middeleeuwen meenden artsen natuurlijk dat het precies andersom was: spirituele tekortkomingen leidden tot lichamelijke kwalen. Wellust veroorzaakte bijvoorbeeld lepra. Maar verder...'

'Je kunt gaan twijfelen aan God. Aan hoe de wereld in elkaar zit. Aan goed en kwaad. Maar laat ik de vraag anders stellen. Wat zou bij jou een spirituele crisis veroorzaken? Wat zou aan jouw wereldbeeld kunnen tornen?'

'Nou, James' affaire doet er in elk geval geen afbreuk aan! Ik besef dat de meeste mensen dat niet zouden begrijpen, maar wij hebben een ongelooflijk sterke band. Het is maar een bevlieging. We overleven het wel.'

'Dat is dan duidelijk. Maar wat dan wel?'

Ik dacht erover na. Ondertussen schonk Amanda zichzelf nog een kop koffie in.

'Volgens mij,' zei ik, 'ben ik het bangst voor corruptie.'

'En hoe definieer jij corruptie?'

'Een handeling of proces waarbij iets besmet of bezoedeld wordt. De integriteit van iets of iemand wordt aangetast.'

'Maar als James vreemdgaat, corrumpeert dat dan niet je huwelijk?'

'Wat James en ik hebben, kan niet worden aangetast. Ik heb heus wel in de gaten dat je de integriteit van onze relatie in twijfel trekt.'

Ik sprak langzaam omdat ik voor mezelf iets duidelijk probeerde te krijgen.

'Dat doe ik inderdaad.'

'Het is een drama als iets goeds of eerbaars wordt gecorrumpeerd,' vervolgde ik. 'Daarom vind ik het ook zo verschrikkelijk dat de katholieke kerk zijn priesters in bescherming neemt. In mijn ogen is de aantasting van jonge mensen het grootste kwaad van allemaal.'

'Is het daarom dan niet verschrikkelijk wat James doet? Omdat jullie geen van beiden nog onschuldig zijn?'

'Zo zit het niet.'

'Wat moet de straf voor corruptie zijn?'

Ik besefte dat ze een spelletje met me speelde. Een gevaarlijk spelletje.

'Ik zie corruptie als het ultieme kwaad. Het moet worden uitgeroeid.'

'Moet het met de dood worden bestraft?'

'Ja, wel als het zich in zijn zuiverste vorm manifesteert.'

'Toch ben je tegen de doodstraf. Je hebt met me meegelopen in protestmarsen. Hebt deelgenomen aan wakes bij kaarslicht.'

'Onze rechtbanken oordelen niet op de juiste manier over goed en kwaad.'

'Hoe moet dat dan?'

'Dwalen we nu niet erg af? We hadden het over verraad en vertrouwen. En nu zit je me gewoon uit te lachen.'

'Dat zou ik nooit doen.'

'Dat doe je altijd.'

'Goed, ik geef het toe.'

De herinnering vervaagt, zoals bij het eind van een speelfilm. Ik kan Amanda's stem niet meer horen, maar sommige woorden blijf ik zien, alsof ze in het luchtledige staan geschreven. 'Respect'. 'Onschuld'. 'Dood'. Ze lijken reëler dan de werkelijkheid waarin ik me bevind. Ik zit in de duisternis en probeer niet te horen hoe het huis ademt.

*

James was woedend gisteravond. Volgens hem had iemand alle schone sokken uit zijn sokkenlade gestolen. Iemand had zijn lievelingskam meegenomen. Iemand had zijn scheermesje gebruikt. Hij klonk als de beer van *Goudlokje*. 'Wie heeft mijn pap opgegeten?' We wisten natuurlijk allebei wie het had gedaan. Fiona is dertien, een moeilijke leeftijd.

*

Behoeftig. Ik haat dat woord. Ik haat het idee. Sommige behoeftes zijn onontkoombaar. Ik heb zuurstof nodig. Ik heb voedingsstoffen nodig. Dit werktuig, mijn lichaam, heeft beweging nodig. Dat kan ik allemaal nog wel accepteren. Maar dat geldt zeker niet voor mijn hunkering naar gezelschap. De kameraadschap van de ok en de kleedkamer, koffiedrinken met Amanda aan haar of mijn keukentafel.

Omdat ik geen gezelschap meer kan opzoeken, wordt het naar me toe gebracht. Ik ben er niet langer getuige van dat er geld van eigenaar verwisselt. Dat wordt handig achter mijn rug om gedaan omdat Fiona mijn financiën beheert. We doen nu net alsof. We doen alsof Magdalena mijn vriendin is. Dat ze hier uit vrije wil en op mijn uitnodiging is gekomen.

We wonen samen en vormen een merkwaardig stel. De vrouw zonder verleden en de vrouw die zich wanhopig aan het hare vastklampt. Magdalena zou graag met een schone lei willen beginnen en ik rouw juist om het feit dat de mijne tegen mijn zin wordt schoongeveegd. We hebben allebei verlangens die de ander niet kan vervullen.

*

Het is onvoorstelbaar om op je veertigste zwanger te zijn. Het is onvoorstelbaar dat je er geen idee van had totdat een naïeve collega een opmerking maakte over je uitdijende lichaam. Maar je hebt nooit een regelmatige cyclus gehad. Het duurde zes jaar voordat je zwanger werd van Mark. Je had de hoop al opgegeven. Bijna ingestemd met een hond, wat James zo graag wilde. Nooit meer voorbehoedsmiddelen gebruikt. En dan nu dit.

Hoe zal James reageren? Zal hij het kunnen raden? Wat zal hij ervan vinden als hij de eerste schok te boven is gekomen? Je staart naar het witte staafje met het roze plusje op het uiteinde. Je hebt op dat staafje geplast en nu is je leven voorgoed veranderd.

*

Mark, Fiona en ik zitten in de woonkamer. Vaag kan ik me herinneren dat Mark en Fiona met elkaar overhooplagen. Fiona zat er erg mee, maar voor zover ik dat kan beoordelen, raakte het Mark niet. Nu lijken ze toch weer nader tot elkaar te zijn gekomen. Mark hangt op de lange, leren Stickley-bank. Fiona zit in de schommelstoel naar hem te glunderen. Even lijkt ze weer het kleine zusje dat haar grote broer zo adoreerde.

'Deze keer dachten ze je echt iets te kunnen maken,' zei Mark, 'maar de tests hebben niets opgeleverd.' Hij friemelt aan zijn horlogebandje, maar lijkt zich niet druk te maken. Ik zie hoe er een bezorgde frons over Fiona's gezicht trekt.

'Waar heb je het over?' vraag ik. Ik ben prikkelbaar en voel me vandaag niet zo moederlijk. Ik moet mijn administratie nog doen en ben vermoeider dan ik wil toegeven. Eigenlijk zou ik me met een kop koffie in de studeerkamer willen terugtrekken in plaats van te kletsen met deze jongeren, hoe nauw verwant we ook zijn.

'Laat maar zitten,' zegt Fiona, dus ik begin er niet meer over. Ik kijk naar mijn horloge. Ik zie dat Fiona naar me kijkt en opnieuw verschijnt de frons op haar gezicht. Mark kijkt nu naar mijn Calder die boven de piano hangt.

'Waar is je vader?' vraag ik. 'Hij zal het jammer vinden dat hij jullie misloopt.' Ik sta op, ten teken dat dit gesprek wat mij betreft is beëindigd. Merkwaardig genoeg voelt het bijna alsof ze expres mijn tijd verspillen en me met een list van mijn werk willen houden.

'Hij is waarschijnlijk niet op tijd terug,' zegt Mark die domweg op de bank blijft zitten. De blik die Fiona hem schenkt, ontgaat me niet. Er is iets aan de hand. Ze houden iets voor me achter, maar ik erger me zo dat ik niet doorvraag.

'Waar is Magdalena?' vraagt Fiona opeens. 'We willen iets met jullie bespreken.' Net als ze wil opstaan, komt Magdalena binnen. Haar ogen zijn een beetje rood.

'Het spijt me, ik zat aan de telefoon,' zeg ze. 'Familiezaken.'

Fiona gaat weer zitten en zet zich met haar rechtervoet af om de schommelstoel in beweging te krijgen. Doordat ze zo klein en mager is, lijkt ze wel een kind dat heen en weer schommelt.

‘We wilden iets met jullie afstemmen,’ zegt ze en ze kijkt ondertussen naar Mark. Maar Mark staart weer naar de Calder, dus Fiona vervolgt haar betoog.

‘De media vallen Mark en mij lastig. Iemand heeft informatie gelekt. Ze weten dat mama opnieuw is ondervraagd en weer is vrijgelaten. Meer niet. Toch heb ik liever niet dat er nog meer nadelige publiciteit komt.’ Terwijl ze dit zegt, werpt ze weer een vluchtige blik op Mark.

‘Van mij krijgen ze niets te horen,’ zegt Magdalena. ‘Dat weet je toch? Ik hang altijd meteen op. Als er iemand voor de deur staat die ik niet ken, doe ik niet eens open.’

Mark neemt het woord. ‘Dat kan wel zo zijn, maar vorige week nog heeft iemand mama aangesproken toen ze in haar eentje door de voortuin dwaalde.’

‘Hoezo heeft iemand mij aangesproken?’ vraag ik kil. ‘Waarom zou ik in vredesnaam door mijn eigen voortuin dwalen? Je doet net alsof ik een klein kind ben.’

Mark glimlacht, maar dat is niet voor mij bestemd. Gewoon een binnenpretje.

Magdalena kijkt onzeker en enigszins bevreesd. ‘Dat heeft niemand me verteld,’ zegt ze.

‘Ik ben gebeld door een journalist. Fiona ook. Blijkbaar was mam goed in vorm die dag. Ze had het in haar hoofd gehaald dat die journalist meer wilde weten over Amanda’s didactische vaardigheden. Weet je nog dat Amanda niets moest hebben van de medezeggenschapsraad? Die kerel snapte er niets van. Het lijkt erop dat ze korte tijd volledig langs elkaar heen praatten. Vervolgens heeft mam hem weggestuurd. Hij begrijpt niet wat er speelt.’

‘Een beetje journalist doet navraag bij het ziekenhuis of de kliniek en weet in een mum van tijd wat er met mam aan de hand is,’ zegt

Fiona. 'En dan is er natuurlijk nog dat lek bij de politie. Maar ik wil het hem noch iemand anders makkelijker maken dan nodig is.'

'Weet je wat er met mij aan de hand is?' vraag ik. 'Dat zal ik je zeggen. Ik ben woedend.'

Ik ben stomverbaasd dat geen van drieën zelfs maar de moeite neemt om me aan te kijken. 'Neem me niet kwalijk,' zeg ik op afgemeten toon en met lage stem. Daarmee krijg ik in de ok ook altijd de aandacht. Maar deze keer werkt het niet.

'Je kunt je geen slordigheden meer veroorloven,' zegt Mark tegen Magdalena. 'Heb je dat begrepen? Drie misstappen en je kunt gaan. Dit was de eerste.'

Magdalena haalt adem met horten en stoten. 'Ja,' zegt ze, 'begrepen.'

Zelfs Fiona, die normaal altijd zoveel aandacht voor me heeft en zo aardig tegen anderen is, heeft een verbeten uitstraling. 'Dit moet de hoogste prioriteit hebben,' zegt ze tegen Magdalena. 'Je moet de familie beschermen. De rest valt daarbij in het niet.'

*

We kijken naar appels. Grote bergen appels. Allemaal verschillende soorten, kleuren en formaten. Daarnaast liggen hopen groene en rode peren. Dan sinaasappelen. Wie maakt daar zulke keurige stapels van? Wie houdt het allemaal zo netjes?

Ik pak een rode appel en neem een hapje. Hij heeft een bittere nasmaak. Ik spuug hem uit en kies een andere appel. Daar neem ik ook een hapje van. Een meisje staat naar me te kijken. 'Mama, die mevrouw gooit eten weg.' De moeder maant het meisje tot stilte, maar ze luistert niet. 'En waarom trekt ze haar kleren uit?' vraagt ze.

'Jennifer!' Ik draai me om. Een forse, blonde vrouw komt op me af rennen. Van schrik bots ik tegen de appels aan. Ze rollen met tientallen tegelijk uit de kraam en vallen op mijn voeten en kriskras over de vloer.

'Trek je kleren aan!'

'Waarom zou ik?'

'Jennifer, nee. Niet doen. Hou alsjeblieft je slipje aan. In vredesnaam, straks bellen ze de politie weer.' Een grote man snelt op ons af. 'Mevrouw?' vraagt hij. De blonde vrouw valt hem in de rede. 'Ze lijdt aan alzheimer. Ze weet niet wat ze doet. Hier, dit is een brief van haar arts.'

De blonde vrouw trekt een verfrommelde envelop uit haar handtas. Ze maakt hem snel open en reikt de man een vel papier aan. Hij leest het met gefronst voorhoofd. 'Goed, kleed haar aan en neem haar mee. Hoe haalt u het in uw hoofd om haar mee te nemen als er dit soort dingen kunnen gebeuren?'

'Meestal gaat het hartstikke goed met haar. Maar soms...'

'In elk geval zo vaak dat u een brief bij u hebt!'

'Ja, maar...'

'Neem haar nu maar mee.'

De blonde vrouw trekt iets over mijn hoofd en heupen. Dan raapt ze iets kleiners op, verfrommelt het tot een bal en stopt het in haar zak. Als we de winkel verlaten, hoor ik kinderen roepen. 'Kijk dan, mama! Mama, kijk!'

*

Mijn notitieboek. Fiona's handschrift:

Mam, we hebben vandaag gesproken over iets waarover ik het al jaren met je wilde hebben. Maar het leek gewoon nooit het juiste moment.

Ik was altijd bang om erover te beginnen, maar nu is alles anders. Zelfs als je kwaad wordt, is dat maar voor even. Een onthulling stelt helemaal niets meer voor. We schieten maar al te snel weer in het oude, vertrouwde rolpatroon. Zo veilig is het natuurlijk niet altijd geweest, dus het is nog altijd een beetje eng om een gesprek te beginnen.

We spraken over hoe ik als veertienjarige was. Weet je nog? Ruzie zoekend, opstandig en onbeleefd. Eigenlijk gedroeg ik me precies zoals je dat op die leeftijd zou verwachten. Ik ben twee keer weggelopen. Misschien kun je je dat nog herinneren. De eerste keer gebeurde dat in een vlaag van woede. Het ene moment stond ik nog tegen het kindermeisje te schreeuwen – hoe heette ze ook alweer? Sophia? Daphne? – en het volgende stond ik al op Union Station, waar ik een treinkaartje voor New York probeerde te kopen. Enkele politieagenten hielden me staande en namen me mee. Ook nu lijk ik jonger dan ik ben. Kun je nagaan hoe ik er op mijn veertiende moet hebben uitgezien: mager, met X-benen en een kort jongenskapsel dat ik met haarcrème overeind hield. De eerste van vele piercings in mijn oren en wangen. Uiteraard helemaal in het zwart gekleed.

Joost mag weten wat ik in New York wilde gaan doen. Ik moet mijn hoofd er toch een beetje bij hebben gehad, aangezien ik de portemonnee van Sophia, Daphne of Helga had doorzocht en haar creditcard meende te hebben gestolen. In werkelijkheid bleek het een lidmaatschapskaart van de wegenwacht te zijn die jij haar had gegeven voor het geval ze autopech zou krijgen. Ik was ontzettend naïef. Toen de agenten me thuisbrachten, was jij net van je werk teruggekeerd. Je had je jas nog niet eens uitgedaan. Het relaas van de agenten nam je koeltjes voor kennisgeving aan. Ik kreeg geen straf en je hebt er nooit meer met een woord over gerept. Je zei alleen maar dat ik mijn handen moest wassen omdat we aan tafel gingen. Woedend was ik.

Maar de tweede keer was anders. Ik had het net met Eric uitgemaakt. Vanwege jou. Ik was totaal in paniek. Ik had in de afgrond gekeken en wist niet meer of ik er nu in was gesprongen of van de rand was weggetrokken. Ik dacht in elk geval niet na. Mijn hart bonsde in mijn keel. Ik kreeg nog maar amper adem en had een vreemde uitslag over mijn hele lichaam. Jij leek helemaal niets in de gaten te hebben. Je ging 's ochtends naar je werk en kwam pas 's avonds weer thuis. Mark studeerde al. En pap was natuurlijk ook weer eens van huis. Ik dacht dat ik doodging. Ik voelde me stuurloos en was bang. Daarom liep ik opnieuw weg. Maar deze keer pakte ik het slimmer aan. Ik pakte mijn spullen en vroeg Amanda om onderdak. Ze was dolblij. Ze nam haar taak als peetmoeder erg serieus en zei vaak dat ik altijd bij haar terechtkon als er problemen waren, bij voorkeur met jou natuurlijk. Het verbaast je waarschijnlijk niet dat ze er altijd van genoot als ik mijn beklag over je deed. Ik was dol op haar. Ik zag wel dat ze erg hard kon zijn voor anderen en naar de buitenwereld een masker opzette. Maar ik wist daar altijd doorheen te breken. Natuurlijk maakte ik schaamteloos misbruik van haar. Ook die keer. Ik vertelde waar ik mee zat en keek toe hoe de radertjes in haar hoofd gingen draaien.

Terugkijkend vermoed ik dat ze dit al jaren van plan was. Dat heb ik je vandaag ook verteld. Ze wachtte alleen het juiste moment af. Ze wachtte, beraamde haar plannetje en hield hoop. Ze was er getuige van hoe ik van een gevoelig, lief meisje in een zonderlinge tiener met een moedercomplex veranderde. Ze wachtte haar kans af. Ze dacht dat het juiste moment daar was. We zaten aan de eettafel en ze keek een beetje vreemd. Dat was niets voor Amanda, die normaal altijd zo vastberaden was. Maar ik voelde haar schroom toen ze me uiteindelijk vroeg of ik misschien de rest van mijn tienerjaren bij Peter en haar wilde wonen. Natuurlijk kon ik jou, Mark en pap gewoon blijven zien. Zij zou dan mijn pleegmoeder worden. Het bracht me zo van mijn stuk dat ik mijn angst om te leven compleet vergat. Ik vond het verleidelijk. Deze wraak, kant-en-klaar. Ik zei dat ik er even over moest nadenken.

Dat vond ze prima. Ze zei dat ik naar huis moest gaan en moest bedenken wat ik wilde. Toen ik die avond thuiskwam, was ik helemaal van slag. Jij merkte dat er iets aan de hand was – tijdens het eten keek je de hele tijd naar me – maar zei niets. Toch kwam je die avond naar mijn kamer, iets wat je zelden deed. Je ging op de rand van mijn bed zitten en zei iets merkwaardigs. Het was alsof je wist wat er speelde. 'Nog drie jaar. Nog maar drie jaar,' zei je, terwijl je zachtjes op mijn arm klopte. Met dat simpele gebaar won je me voor je terug. Hoewel ik op die leef-

tijd terugdeinsde voor lichamelijk contact, was ik blij met je aanraking. Ik liet Amanda met haar uitgekookte plannetje voor wat ze was. We hebben er nooit meer over gesproken, Amanda en ik. Ze heeft er nooit meer naar gevraagd en behandelde me hetzelfde als voorheen. We gingen gewoon op de oude voet verder: het opstandige meisje en de toegewijde peetmoeder. Zo bleef het tot haar dood.

Weet je wat er gebeurde toen ik dit vanmiddag vertelde? Je glimlachte, stak je arm uit en klopte weer zachtjes op mijn arm. Sneller dan me lief was, liet je me weer los. Ik heb er nu geen hekel meer aan om aangeraakt te worden. Integendeel zelfs. Toch word ik nog maar weinig aangeraakt. Ik heb een paar jaar in de wildernis geleefd en lijk de weg terug niet meer te kunnen vinden. God sta me bij, dacht ik bij mezelf. Ik besefte pas dat ik het hardop had uitgesproken toen jij zei: 'Ja, doet u dat, alstublieft.'

*

Ik heb een slechte dag. Zo'n dag waarop een gelovige zou gaan bidden, maar zo diep wil ik niet zinken. Eén woord blijft door mijn hoofd spoken. Een bescheiden smeekbede aan mindere goden. 'Alstublieft.' Dat woord hoor ik telkens weer.

*

Fiona is in tranen. Ze zit aan mijn keukentafel en heeft haar hoofd in haar handen gelegd. Magdalena staat achter haar en wrijft over haar gebogen rug. Van mij mogen ze allebei doodvallen.

'Ik doe hartstikke veel,' snikt Fiona. 'Dag in dag uit. Al maandenlang.' De kop van de groenogige slang steekt net onder de lange mouwen van haar T-shirt uit. Haar haar zit in de war doordat ze er met haar handen doorheen heeft zitten strijken. We hebben al een tijdje ruzie.

'Dat doe je ook,' zegt Magdalena. 'Heus.' Haar kalmerende toon past niet bij haar gezichtsuitdrukking.

'En wat doe je dan precies allemaal?' vraag ik. 'Heb ik je ooit om iets gevraagd?' Ik ben woedend en zwaar verongelijkt.

'Ik weet dat het door haar ziekte komt, maar toch doet het pijn. Veel pijn,' zegt Fiona. Haar stem klinkt gesmoord. Ze zit nog steeds met haar hoofd in haar handen.

'Helemaal niet. Je hoeft niet te doen alsof ik gek ben. Goed, ik vergeet dingen. Maar omdat ik even niet meer weet waar mijn autosleutels zijn, ben ik nog niet psychotisch. Nu kun je wel nee schudden, maar ik heb je wel gehoord. Aan de telefoon. "Ze doet erg moeilijk vandaag. Ze lijkt wel psychotisch." Dat heb je gezegd. Ontken het nu maar niet.'

Fiona schudt haar hoofd en zegt niets.

De blonde vrouw neemt het woord. 'Jennifer, je kunt je autosleutels niet vinden omdat je die niet meer hebt. Je auto is vorig jaar verkocht. Je mag niet meer rijden. Daar ben je te ziek voor.'

'Begin jij nou ook al?'

'Ja. Dat zal iedereen je zeggen.'

'Iedereen.'

'Ja, ga het maar vragen. Loop maar naar buiten en klop maar aan bij de buren.'

'Dus jullie hebben over mij gekletst,' zeg ik. 'Het doorverteld. Jullie zijn ergens op uit. Mijn geld zeker. Fiona, jij zat mijn administratie te bekijken. Dat heb ik wel gezien.'

Fiona tilt haar hoofd op. 'Mam, ik help je op financieel gebied. Ik ben je bewindvoerder. Dat hebben we twee jaar geleden geregeld. Toen de diagnose alzheimer werd gesteld. Kun je je dat nog herinneren?'

Ze grinnikt cynisch en wendt zich tot Magdalena. 'Nu vraag ik een dementerende vrouw of ze zich iets kan herinneren. Het moet niet gekker worden.'

‘Nu is het mooi geweest. Oprotten. Nu meteen. Laat die papieren maar liggen. Ik wil alles controleren.’

‘Mam, je bent nooit goed met cijfers geweest. Dat zeg je zelf ook altijd. Je kunt totaal niet met geld omgaan.’

‘Daar kun je mensen voor inhuren. Dat ga ik doen. Ik regel iemand die alles kan nalopen.’

‘Alles nalopen? Waarom?’ roept Fiona uit.

‘Waarom denk je? Om zeker te weten dat alles in orde is. Noem het een second opinion.’

‘Maar je hebt altijd vertrouwen in me gehad. Altijd.’

‘Hou het professioneel. Denk je soms dat ik woedend word als een patiënt een second opinion wil? Dat zou nog eens wat zijn, zeg.’

‘Dit is anders.’

‘Hoezo? Heb je dan iets te verbergen?’

‘Nee mam. Doe normaal.’

‘Dat doe ik ook. Ik gedraag me volkomen normaal. En ik zal niet toestaan dat jij me verraadt. Ga weg. Ik hoef je niet meer te zien. Vanaf vandaag heb ik geen dochter meer,’ zeg ik.

Opeens lijkt alles heel simpel. Geen dochter! Geen man! Geen zoon! Geen kopzorgen! Ik ga mijn spullen pakken. Ik vertrek met onbekende bestemming. Ik neem gewoon verlof, want ik heb wel wat vakantie verdiend. Ik doe het gewoon.

Ik denk aan de bankafschriften die Fiona aan het bestuderen was. Ik heb er ook het geld voor. Ik vertel niemand waar ik naartoe ga. Dan kan ook niemand me volgen. Niet langer een gevangene in mijn eigen huis. Niet langer iemand die steeds weer achter me aankomt. O, wat lijkt die vrijheid me heerlijk.

'Jennifer, dit meen je allemaal niet zo,' zegt Magdalena. Ze kan haar ware emoties niet verbergen. De blik op haar gezicht is er een van heimelijke triomf.

'Bemoei je er niet mee. Maak jij niet net zo goed deel uit van deze samenzwering? Je bent ontslagen. Oprotten, alle twee. Ik heb het druk.'

Magdalena zet haar handen in haar zij. 'Je kunt me niet ontslaan.'

'Hoezo niet?'

'Je kunt me niet ontslaan. Je bent mijn baas niet.'

'En wie is dat dan wel?'

Magdalena gebaart naar Fiona. 'Zij. Samen met je zoon. Zij hebben me ingehuurd. Zij hebben het contract met het uitzendbureau ondertekend. Het geld komt van hen.'

'Nee, dat geld is van mij. Dat weet ik zeker.'

'Jouw naam staat niet op de maandelijkse cheque.'

'Dat is gewoon een kunstgreep. Ze pikken mijn geld in om jou te kunnen betalen. Bovendien vergeet je even dat dit mijn huis is. Ik beslis wie er komt en gaat.'

Als Fiona weer iets zegt, trillen haar kaken van woede. 'Niet lang meer,' zegt ze.

'Wat zeg je nou?'

'Je blijft hier niet lang meer wonen. Daar zijn Mark en ik het over eens.'

'Sinds wanneer ben jij zo dik met Mark?'

'We praten. We proberen op één lijn te zitten. Wanneer dat nodig is. Als het moet, zullen we je wilsonbekwaam laten verklaren en in een verzorgingshuis plaatsen. We hebben overtuigend bewijs. De vele telefoontjes naar het alarmnummer. De bezoekjes aan de eerste hulp. Ooggetuigenverslagen. Om nog maar te zwijgen over het lopende politieonderzoek.'

'Spannen jullie tegen mij samen?'

'Ja, wij allemaal,' zegt Magdalena. 'De hele wereld is tegen je!' Ze zet de ketel op het vuur. 'Ik zet maar eens een pot thee,' zegt ze. 'En dan gaan we lekker wandelen. We moeten boodschappen doen. Help me maar met een lijstje. We hebben in elk geval melk nodig. En pasta. Vanavond eten we pasta. Als er verse basilicum is, zal ik marinarasaus maken. Anders doen we er geraspte Parmezaanse kaas over. Dat moet ik ook kopen. En het zout is bijna op. Kijk, hier is het lijstje. Wil jij er nog iets aan toevoegen? Ben ik iets vergeten?'

Ik neem het lijstje aan en staar naar de tekens. Vaag gekrabbel. Ik snap er niets van, maar ik knik verstandig om de indruk te wekken dat ik het begrijp. Er is iets waarop ik de vinger niet kan leggen. De fluitketel fluit. Thee, melk, suiker. Wat is er zojuist gebeurd? Waarom heeft Fiona rode ogen van het huilen en weigert ze me aan te kijken?

'Goed zo. Doe nu maar rustig. We drinken een kopje thee en kletsen wat. Daarna gaan we naar de supermarkt.' Ze kijkt Fiona aan. 'Ga maar naar huis. Het komt wel goed. Ze is het al kwijt. Morgen weet ze er niets meer van. Over een uur zelfs al niet meer.'

'Maar ze is nog nooit zo tegen me uitgevallen. Wel tegen Mark, maar niet tegen mij.'

'Dat is niet helemaal waar. Je bent er niet altijd bij. Ik zou je verhalen kunnen vertellen. Ze gaat hard achteruit.'

'Dat zegt dokter Tsien ook. Volgens hem is dit de moeilijkste fase. De volgende zal makkelijker zijn. Verdrietiger, maar minder zwaar. Het is bijna zover. We hebben gewoon geen keus meer.'

Ik luister goed naar hen. Volgens mij is het belangrijk wat ze zeggen, maar de betekenis van hun woorden vervliegt zodra ze zijn uitgesproken.

Ik pak een koekje van het schaaltje dat me wordt voorgehouden. Ik proef de zoetheid ervan. Ik drink de warme vloeistof uit het kopje dat voor me is neergezet. Ik negeer de twee vrouwen die in mijn keuken zitten; twee van de vele vreemden die me vaag bekend voorkomen, die zich aan me opdringen en in mijn huis rondwaren.

Uitgerekend op dit moment buigt een van hen zich over me heen. Ze probeert me over het hoofd te aaien. Te aaien nota bene. Stop. Nee. Ik ben geen dier dat door aanraking gekalmeerd kan worden. Ik wil helemaal niet gekalmeerd worden.

*

Er is maar één foto van James die ik echt mooi vind. Het is James ten voeten uit: pompeus, charmant en zelfingenomen. Als hij een kroon en bontmantel had gedragen, had dat niet vreemd gestaan. Ik vind het een geweldige foto, omdat hij zo oprecht is. Hij is waarheidsgetrouw. Op andere foto's oogt hij spontaan, openhartig en enthousiast. Maar dat was slechts een pose. In werkelijkheid heeft hij een veel te hoge dunk van zichzelf om anderen als gelijken te beschouwen. Hoewel ik dat besef, hou ik geen greintje minder van hem.

*

Ik roep Amanda. Ik doe de deur achter me dicht en stop de sleutel in mijn zak. Het is doodstil. Ik tast rond, vind de lichtschakelaar en duw hem omhoog. De gang baadt in een fel licht. 'Hallo!' roep ik deze keer harder. Niets. Is ze misschien de stad uit? Dat had ze me vast laten weten. Dan had ik haar planten water moeten geven, haar post uit de brievenbus moeten halen en Max te eten moeten geven.

Dat doet me ergens aan denken. 'Max!' roep ik. 'Lieverdje!' Maar ik hoor geen rinkelend belletje noch het getrippel van kattenpootjes op het hardhout.

Voor de doorgang naar de woonkamer hangt een geel lint. POLITIE. NIET BETREDEN staat erop. Ik loop naar de keuken, die ik even goed ken als de mijne. Er is iets mis. De geluiden van een bedrijvig huishouden ontbreken. Er klinkt geen gezoem van de koelkast. Ik open de deur. Het is er donker en er hangt een vieze lucht. De waterleidingen die Amanda altijd uit haar slaap hielden, zwijgen nu. Ik hoor ook geen krakende vloerplanken.

Toch voel ik een aanwezigheid die met mij in conclaaf wil. Ik moet niets hebben van het bovennatuurlijke. Ik beschik niet over een rijke fantasie noch ben ik een gelovig mens. Maar ik weet zeker dat een openbaring aanstaande is. Ik ben niet alleen.

Dan verschijnt ze uit het duister. Ik herken haar amper omdat ze blaakt van gezondheid en haar haar glanst als goud. Ze draagt een eenvoudig, blauw mantelpak, dunne kousen en schoenen met lage hakken. Zo heb ik haar nog nooit gezien. Ze ziet eruit als een jonge leidinggevende uit de jaren zeventig, vastbesloten om carrière te maken. Een engel uit het bedrijfsleven. Maar haar gezicht is verkrampt van pijn en er zit verband om haar handen. Ze steekt ze naar me uit.

Ik grijp haar rechterpols en wikkel voorzichtig het ruwe katoen af. Rond en rond totdat hij zichtbaar wordt: volmaakt, blank en zacht. De ongeschonden hand van een mooi kind. Ik vergelijk hem met mijn eigen handen die onder de levervlekken zitten. Het zijn de handen van de heks die een kind meelokt naar het bos om haar vet te mesten en op te eten. De handen van een zondares.

Plotseling zijn Amanda en ik niet langer alleen. Mijn moeder is er nu ook met haar maagdelijke martelaressen. En mijn vader die merkwaardig genoeg een motorhelm en een leren jas draagt, terwijl hij bij leven te bescheten was om zijn rijbewijs te halen. James is er natuurlijk, en Ana, Jim, Kimmy en Beth uit het ziekenhuis en mijn buren Janet, Edward en Shirley.

Zelfs Cindy en Beth die ik nog uit mijn studententijd ken en mijn jeugdvriendin Jeannette zijn er. Mijn grootmoeder O'Neill. En haar zus May, mijn oudtante. Mensen aan wie ik al tientallen jaren niet meer heb gedacht. De kamer is vol gezichten die ik allemaal herken. Hoewel ze me niet allemaal dierbaar zijn, ken ik hen bij naam, en dat is meer dan genoeg. Is dit dan mijn openbaring? Is dit de hemel? Onder de mensen te zijn en al hun namen te kennen?

*

Het is donker in mijn huis. Ik stoot tegen iets met een scherpe rand en bezeer mijn heup. Ik steek mijn handen uit en op de tast vind ik een muur, een deurpost en een gesloten deur. Ik duw de klink omlaag, maar hij gaat niet open. Ik moet heel nodig naar het toilet. Waar is de lichtschakelaar? Ik wil naar huis. Terug naar Philadelphia. Ik zit hier al een hele tijd. Als een gevangene.

Welke misdaad heb ik begaan? Hoelang zit ik al opgesloten? 'Vaak zijn ketenen veiliger dan de vrijheid.' Wie heeft dat ook alweer gezegd? Mijn blaas knapt bijna uit elkaar. Ik ga op mijn hurken zitten, trek mijn nachthemd op en doe mijn onderbroek omlaag. Ik laat het lopen. Spetters op mijn blote enkels en voeten. Wat maakt het uit?

Wat een opluchting. Nu kan ik tenminste gaan slapen. Ik vlei me ter plekke neer. Onder me voelt het zacht. Het is weliswaar geen bed, maar het kan ermee door. Ik sla mijn armen om me heen om het warm te krijgen. Als ik hier heel stil blijf liggen, komt het allemaal goed. Als ik van mijn ketenen geniet, zal ik vrij zijn.

*

Binnen is het niet veilig. Het is er te donker en het huis ademt. Het ademt en er zijn onbekenden die je aanraken. Aan je kleren trekken. Je mond openduwen en er smerige pillen in stoppen. Buiten is het lichter. De maan en de straatlantaarns werpen een kalmerend schijnsel op de trottoirs en de tuinen die net uit hun winterslaap ontwaken.

Alles is waar het moet zijn. Zelfs het compacte, knalrood geschilderde, metalen voorwerp biedt een schitterende aanblik. Het heeft altijd voor het huis gestaan. Het zal er altijd blijven. Iets houdt zich in de donkere schaduwen schuil, maar het heeft geen kwaad in de zin. Het zal me hier rustig op het gras laten zitten.

Als ik naar rechts kijk, zie ik de kerk aan het eind van de straat. Links de wasserette. En boven me de sterren. Heldere speldenprikjes die meestal een vaste plek hebben, maar soms knipperen en signalen doorgeven, terwijl ze traag langs de uitgestrekte, duistere hemel trekken.

Als ik die boodschap nu maar kon begrijpen. Was mijn vriendin nu maar hier. Zij zou het snappen. Zij staat voor geborgenheid. Ze biedt troost. Haar gezicht geeft geen krimp en ze verheft haar stem niet. Ze reikt niet naar de telefoon. Ze dwingt me geen thee te drinken of ronde, bittere dingetjes te slikken. Ik ben in beweging gekomen en doe het poortje open. Drie huizen verderop. Ik tel ze goed. 'Drie is het magische getal,' zegt mijn vriendin altijd.

Het tuinhekje klemt, maar ik weet het open te duwen. Het stenen pad is oneffen. Voorzichtig loop ik naar het lachende boeddhabeeld van witte steen dat over de voortuin uitkijkt. 'Boeddha heeft de sleutel,' zegt mijn vriendin. 'Je bent hier altijd welkom, dag en nacht.'

Ik pak de sleutel, die onder de bolle toet van het boeddhabeeld ligt verstopt, en laat mezelf binnen. Ik moet mijn vriendin vinden. Zij zal me alles kunnen uitleggen. Ze weet alles. Ze heeft overal verstand van.

*

Blijkbaar ben ik vandaag jarig. 22 mei. Magdalena heeft het me voorgerekend: ik ben vandaag vijfenzestig geworden. Ik ga met Fiona en Mark uit eten bij Le Titi. 's Middags komt mijn vroegere assistente Sarah langs. Wat goed dat ze het niet vergeten is. Ik kan me háár geboortedatum met de beste wil van de wereld niet herinneren. En dat zal in mijn jonge jaren niet anders zijn geweest. Ik zou er zelfs niet naar gevraagd hebben. Sarah overhandigt me namens het ziekenhuis een geschenk: een beeld van een meter hoog, de heilige Rita van Cascia. Achttiende-eeuws. Een juweeltje.

'Vandaag is het ook haar naamdag,' zegt Sarah.

'Haar sterfdag en mijn geboortedag zijn inderdaad dezelfde. Maar we delen nog meer.'

'Dat klopt. Patiënten vestigden hun laatste hoop vaak op u.'

'Je bent goed op de hoogte van de heiligen.'

'Maar ik heb dan ook vijftien jaar voor u gewerkt. Hoe dan ook, we vonden het allemaal heel vervelend dat we geen afscheidsfeestje voor u konden houden. U was van de ene op de andere dag vertrokken. We hebben allemaal een bijdrage geleverd. Hier is de kaart, alstublieft.'

'Ik voel me vereerd.'

En dat is ook zo. Ik ben echt geroerd.

'Zo denken wij er ook over. Het was een eer om voor u te werken.'

Ik leg mijn hand op het beeld en strijk over de vergulde aureool en de contouren van haar mantel, die van haar schouders tot haar voeten reikt.

'Waarom zit er een snee op haar voorhoofd?' vraagt Sara, wijzend naar het beeld.

'Volgens de overlevering smeekte ze God om net zo te mogen lijden als Christus. Toen viel er een doorn van een kruisbeeld aan de muur en kreeg ze daar een stigma.'

'En de roos die ze bij zich heeft?'

'Toen ze stervende was, vroeg een verre nicht of ze nog een laatste wens had. Ze wilde graag een roos uit haar tuin. Hoewel het winter was, bloeide daar ineens toch een roos.'

'Wat zijn zulke oude verhalen toch prachtig. Vindt u niet?'

'De een is interessanter dan de ander. Rita's verhaal boeit me niet echt. Een wrede vader, een dronken echtgenoot en ongehoorzame zonen. Wel erg cliché allemaal. Maar het idee dat je je altijd tot iemand kunt wenden als er geen andere opties meer zijn, staat me wel aan.'

'Hebt u haar weleens aangeroepen? Ik ben gewoon nieuwsgierig.'

'Nee hoor. Die enkele keer dat ik zelf hulp nodig had, kon ik dat gewoon aan anderen vragen.'

'Maar nu hebt u het over uw medemens. Ik heb het over iets anders.'

'Bedoel je een hogere macht?'

'Ik bedoel... uw diagnose,' zegt Sara voorzichtig. 'We hebben er nooit over gesproken. Officieel weet niemand in het ziekenhuis waarom u vervroegd met pensioen bent gegaan. Maar er wordt natuurlijk wel over gepraat.'

'Natuurlijk hoopte ik dat er een fout was gemaakt.'

'Hebt u niet gebeden om een wonder?'

'Nee, echt niet.'

'Hebt u dan geen hoop?'

'Nee.'

‘Hoe houdt u het dan vol? Dat begrijp ik niet.’

‘Wat valt er te begrijpen? Ik heb een degeneratieve ziekte die ongeneeslijk is. Wereldwijd zijn er honderdduizenden mensen die hetzelfde lot moeten ondergaan.’

‘U doet er zo nuchter over, maar we hebben het nu wel over úw leven, niet over een of andere hypothetische patiënt.’

‘Maar heb ik dan een keus, mijn lieve Sarah?’

‘Het spijt me. Ik wil me nergens mee bemoeien. Ik vraag me gewoon af hoe u het volhoudt.’

‘Op een gegeven moment gaan we dood. Buitengewone omstandigheden daargelaten krijgen we vooraf meestal een waarschuwing. De een weet het sneller dan de ander. De een lijdt meer pijn dan de ander. Vraag je me nu hoe ik het volhoud, terwijl ik weet dat ik ga sterven maar nog niet stervende ben?’

‘Ja, zoiets, denk ik.’

‘Iedereen is natuurlijk anders. De heilige Rita verlangde in haar doodsstrijd het onmogelijke: een roos midden in de winter.’

‘En u?’

Ik ben met stomheid geslagen. Niemand stelt me nog zulke vragen. Er wordt me alleen nog gevraagd of ik thee wil. Of ik het koud heb. Of ik misschien naar Bach wil luisteren. Belangrijke vragen worden vermeden.

‘Mijn laatste wens?’

‘Nou ja, niet uw laatste wens! Maar verwacht u zo nuchter te blijven? Of zult u uiteindelijk ook naar het onmogelijke gaan verlangen?’

'Die grens zal steeds meer vervagen. Dat hoort bij mijn aandoening. Vanochtend bladerde ik door mijn notitieboek en op sommige dagen denk ik blijkbaar dat mijn ouders er nog zijn. Ik heb een paar lange gesprekken met hen gevoerd waarvan Magdalena aantekeningen heeft gemaakt. Ik kan me er natuurlijk niets van herinneren. Maar ik vind het een leuk idee.'

'Misschien worden op die manier onmogelijke wensen toch ingewilligd.'

'Misschien wel. Maar om nog even terug te komen op jouw vraag over hoe ik het volhoud...'

'Ja?'

'Een goede vriendin van mij is onlangs overleden.'

'Dat heb ik gehoord. Ik vind het heel erg voor u.'

'Ondanks het verdriet en de woede was ik ook dankbaar... Dankbaar dat ik nog leefde. Diep in mijn hart wil ik dus niet dood. Ik ben er heus wel mee bezig. Op slechte dagen denk ik vaak dat ik er liever een eind aan maak als ik nog verder achteruitga. Maar ik ben er nog niet klaar voor.'

'Gelukkig maar!' Sara komt naar me toe en omhelst me. Dan maakt ze aanstalten om te vertrekken. Ik zwaai haar uit. Als ik de voordeur heb dichtgedaan, ga ik zitten om mijn cadeau nog eens goed te bekijken. Wat een prachtig geschenk. Het krijgt een ereplaatsje in de woonkamer, op de schoorsteenmantel, naast de icoon.

Ik voel me vandaag enorm gezegend.

Nee, het is allemaal nog niet voorbij. Nog niet.

*

We zitten voor de tv. Dat doen we 's avonds eigenlijk altijd. Dit programma is makkelijk te volgen. Ik hoef niets te onthouden. Het is een spelprogramma. Een bonte verzameling deelnemers lijkt een oneindige hoeveelheid feitjes paraat te hebben.

De blonde vrouw vindt het geweldig. Ze zegt dingen als: 'Hij is mijn favoriet.' En: 'Ongelooflijk dat zij de volgende ronde niet heeft gehaald.' Ik heb moeite om me te concentreren. Ik probeer te doen wat de tegeltjeswijsheid op het nieuwe wandtegeltje in de keuken me opdraagt: 'Leef in het nu.' Ik heb geen keus. Er zit niets anders op. Maar op tv springt een jongeman met een veel te dikke laag eyeliner enthousiast op en neer omdat hij zijn bovenmatige kennis over het paargedrag van pinguïns tentoon heeft kunnen spreiden. Wil ik wel in dit nu leven? Juist als ik opsta om de kamer te verlaten, gaat de telefoon. Ik draai me om en neem op.

'Mam, met Fiona.'

'Wie?'

'Fiona, je dochter. Mag ik Magdalena even? Die aardige vrouw die bij je woont?'

Ik geef haar de telefoon maar blijf in de kamer. Er wordt over me gepraat. Er worden besluiten genomen.

De blonde vrouw zegt weinig en stemt in met wat de beller te zeggen heeft. 'Ja. Oké. Goed. Ja, we zullen er zijn.' Dan hangt ze op.

'Waar ging dat over? Waar moeten we zijn?'

Ik ben blij dat ik me ergens in kan vastbijten. Dolblij dat ik mijn stem kan verheffen en iets van die spanning kan kwijtraken.

'Rustig maar, Jennifer. Het stelt niets voor. De politie heeft nog wat vragen. Ze willen dat je morgen weer naar het bureau komt. Fiona zal er ook bij zijn. En je advocaat... Herinner je je haar nog?'

'Waarom wil de politie met me praten?'

'Het gaat over Amanda.'

'Wat heeft Amanda misdaan?'

'Niets. Helemaal niets. Integendeel juist. De politie zoekt uit wie haar heeft vermoord.'

'Er zijn heel wat mensen die haar wel iets zouden willen aandoen.'

De blonde vrouw lacht schamper. 'Ja, dat zei ik ook al. Maar daar had ik meteen spijt van, want toen gingen ze mij allemaal vragen stellen.'

Op tv struikelt een jonge vrouw met onnatuurlijk rood haar over een vraag over popmuziek uit de jaren zeventig. Het publiek in de studio is door het dolle heen.

'Waarom zeg je dat dan ook? Jij kent Amanda toch helemaal niet?'

'Ik ben hier al acht maanden. Tijd zat om een goed beeld van alles te krijgen.'

'O ja, vertel eens?'

'Ze bejegende jou altijd met respect. Met eerbied zelfs. Ook als je de weg helemaal kwijt was. Ze deed nooit neerbuigend, maar behandelde je altijd als een gelijke. Als een meerdere zelfs. Meestal was dat ook terecht. Bij haar had je nooit van die buien.'

'Dat klinkt allemaal erg lovenswaardig. Wat was er dan mis?'

'Het had zijn keerzijde. Ze kon weinig van je hebben. Ze werd al snel ongeduldig als ze keer op keer dezelfde vraag moest beantwoorden. Dan gaf ze maar helemaal geen antwoord meer. "Dat is allemaal lang geleden gebeurd," hoorde ik haar eens zeggen op een toon die geen tegenspraak duldde.'

'Nu doe je alsof dat wreed is.'

'Tja, bij jou komt van alles boven. Oude vragen, oud zeer, oud geluk en oud verdriet. Het is alsof je keer op keer naar de kelder gaat en daar dozen vindt met spullen die je had willen weggeven. Dingen waarvan je dacht dat je ze allang had weggedaan. Nu krijg je die weer onder ogen. Steeds opnieuw. Gisteren wilde je bijvoorbeeld dat ik naar de drogist ging om tampons voor je te kopen. Je riep dat het een noodgeval was.'

'Misschien was dat ook wel zo.'

'Jennifer, je bent vijfenzestig.'

'O ja.'

'In elk geval heeft Amanda kort voor haar dood iets gedaan of gezegd waardoor jij helemaal van de kaart was.'

'Wat dan?'

'Dat weet ik niet. Ik was in de studeerkamer. Ik hoorde geschreeuw. Toen ik de woonkamer binnenkwam, was het al voorbij. Het geschreeuw althans. Maar het zat niet meer goed tussen jullie. "Ik zal echt geen seconde aarzelen," zei Amanda nog en daarna ging ze meteen weg. Jij was helemaal over de rooie. Die avond kreeg je een van je buien. Ik heb je naar de eerste hulp moeten brengen. Omdat je geen valium wilde slikken, kreeg je daar een injectie met een kalmerend middel.'

'Ik kan me er niets van herinneren.'

'Dat weet ik. De volgende ochtend wilde je naar Amanda toe. Je zei dat je even wilde bijkletsen omdat je haar al een tijdje niet meer had gezien. Ik heb gedaan alsof ik haar belde en toen gezegd dat ze niet thuis was.'

'Geloofde ik dat?'

'Ja. Later zou blijken dat we haar die voorgaande middag voor het laatst hadden gezien. Maar op het moment dat ik zogenaamd belde, was ze nog in leven. Ze schijnt die dag nog boodschappen te hebben gedaan en naar een vergadering te zijn geweest. Een dag later haalde ze echter de *Tribune* niet meer uit de brievenbus. Na een week is mevrouw Barnes bij haar gaan kijken. Zij heeft het lijk gevonden.'

'Heb je dit ook aan de politie verteld?'

'Al heel vaak.'

'Waarom willen ze me dan spreken? Ik heb niets te vertellen.'

'Ze blijven het proberen sinds ze het scalpelheft en de mesjes in handen hebben gekregen. Door je steeds opnieuw op telkens een andere toon te ondervragen, hopen ze uiteindelijk een reactie bij je los te maken. Dat zegt je advocaat althans.'

'Ik heb weleens gehoord dat dat het toonbeeld van waanzin is. Steeds hetzelfde doen maar hopen op een ander effect.'

'Tja, maar soms kun je je opeens wel dingen herinneren. Tot onze stomme verbazing. Laatst vroeg je bijvoorbeeld hoe het met mijn elleboog ging. Die had ik een paar dagen eerder bij een val op de stoep bezeerd. Je wist nog goed dat je me had onderzocht en dat er niets gebroken of gescheurd was. Dat is dan weer een voordeel van werken voor een dokter. Gelukkig maar, want ik ben belabberd verzekerd.'

'Ik weet er niets meer van. Het komt en het gaat. Hoe heet je eigenlijk?'

'Magdalena. Kijk, daar staat het. Op dat grote vel.'

'Hoelang ben je hier al?'

'Je hebt me bijna acht maanden geleden ingehuurd. Afgelopen oktober. Vlak voor Halloween.'

‘Ik ben dol op Halloween.’

‘Dat weet ik. Zo’n leuke Halloween had ik niet meer gehad sinds mijn kinderen klein waren. Je stond erop dat we ons verkleedden. Als heksen. Dat vond je de enige passende vermomming voor twee oude besjes als wij. Je had het hele huis versierd en het soort snoepgoed gekocht dat kinderen met niemand willen delen. Je moest en zou de deur zelf opendoen en complimenteerde de kinderen met hun vermomming. Ik stond echt versteld. Dat was de eerste van vele verrassingen.’

‘Ik vind Halloween inderdaad leuk. Die tijd van het jaar is me lief. De herfst is een hartstochtelijk seizoen. De andere jaargetijden zijn zo kleurloos, in de herfst zie je opeens hoe dingen veranderen. Echt veranderen. Mogelijkheden dienen zich gewoon aan. De clichés van een nieuw begin die je in de lente hoort, gelden niet voor de herfst. O nee. Dan draait het om iets op een primair niveau wat duisterder, belangrijker is.’

‘Je bleef tot drie uur ’s nachts rondspoken. Je was hartstikke uitgelaten. Maar op een positieve manier. Dat was de eerste keer dat ik dat meemaakte. Je ijsbeerde maar rond. Ik ben in mijn stoel in de woonkamer in slaap gevallen. Jij bent uiteindelijk op de bank gaan liggen. Allebei nog als heks verkleed.’

‘Ik vind het verkleden leuk. En het uitdelen van snoep. Een avondje helemaal in mijn rol opgaan.’

‘Je had je ook prachtig vermomd. Die witte make-up contrasteerde goed met de donkere kringen om je ogen. En dan die pruik met dat schouderlange grijs-zwarte haar. De valse moedervlek boven je rechtermondhoek die je hoge jukbeenderen accentueerde. Een merkwaardige Schone Slaapster. Toen je je ogen opende, zag je dat ik naar je keek. “Wat een heerlijk om ons zo te laten gaan,” fluisterde je.’

*

Mark is in een goed humeur. Dat doet mijn moederhart geen goed. Het wekt juist mijn argwaan. De euforie. De snedige humor. De complimentjes over het broodje met matige eiersalade dat Magdalena ons als lunch serveerde. Zijn onvermogen om te erkennen dat de gordijnen in de woonkamer nog dezelfde helderrode kleur hebben als altijd. Zijn neiging om vertrouwelijk te doen.

'Hoe gaat het, mam?'

'Hoeveel heb je nodig?' vraag ik meteen.

Hij twijfelt geen moment. 'Zoveel als je kunt missen.'

'Is het zo erg?'

'Nog erger dan je denkt.'

'Wat ben jij opeens openhartig. Ben je soms high?'

'Misschien wel. Dat is de enige toestand waarin ik jou een beetje kan verdragen.'

'Je moet bij je zus zijn.'

'Wat?'

'Ik heb zelfs geen chequeboek meer. Al zou ik dat willen, Fiona regelt nu alles.'

'Maar je kunt toch wel één cheque uitschrijven?'

'Ik heb niks meer. Fiona is grondig te werk gegaan.'

'Maar een halfjaar geleden heb je nog wel een cheque voor me uitgeschreven.'

'Toen had ik een oud chequeboek in een bureaula gevonden. Zodra het geld was afgeschreven, heeft Fiona al mijn laden doorzocht en het meegenomen.'

'Wat is het toch een kreng.'

'De appel valt niet ver van de boom.'

'Dat zijn jouw woorden.'

Hij trommelt met zijn vingers op het tafelblad. Het is een ritme dat me vaag bekend voorkomt. Da-da-da-daa-daa-da-dada.

'Je bent vandaag erg helder.'

'Dat klopt.'

'Toch interessant hoe dat komt en gaat.'

'Interessant is volgens mij niet het juiste woord.'

We zitten in de studeerkamer, omdat de schoonmaaksters er zijn. Ze hebben ons verjaagd uit de woonkamer en de keuken, waar we gewoonlijk zitten en bewaren deze kamer voor het laatst. Het geraas van de stofzuiger, het geklets van de zwabber en gekletter van emmers komt steeds dichterbij.

'Ik vraag me af of je je dit gesprek morgen nog zult herinneren.' Mark staat bij de tv en bekijkt James' dvd-verzameling van filmklassiekers. Er was geen film noir die James niet had gezien.

'Misschien wel, misschien niet. Dat hangt ervan af,' zeg ik, terwijl ik toekijk hoe Mark eerst de dvd van *Du rififi chez les hommes* uit de kast trekt, maar dan toch de voorkeur aan *White Heat* geeft.

'Dus ik kan maar beter niets zeggen waarvan ik spijt kan krijgen?' Hij duwt de plastic cassette open, haalt het zilverkleurige schijfje eruit, stopt zijn vinger in het gaatje en laat het rondtollen.

'Dat ligt eraan. Zul je er spijt van krijgen omdat je iets hardvochtigs of akeligs wilt zeggen, of omdat ik het me misschien zal herinneren?' vraag ik.

'Dat laatste waarschijnlijk. Ik heb alleen spijt als iets vervelende gevolgen heeft.' Hij glimlacht, legt de dvd op de tv en gaat tegenover me zitten. Hij lijkt wat tot bedaren te komen. 'En jij?' vraagt hij. 'Heb jij spijt van dingen?' Hoewel zijn vraag een spottende ondertoon heeft, heb ik het idee dat hij het oprecht wil weten.

'Ik was juist altijd het tegenovergestelde,' zeg ik. 'Ik liet mijn beslissingen nooit beïnvloeden door de eventuele consequenties.'

'Gold dat ook voor medische beslissingen? Was je nooit bang dat jouw beslissingen gevolgen konden hebben? Zoals misschien... de dood?' Hij kijkt ernstig, waardoor zijn strenge gelaatstrekken alleen maar benadrukt worden. Hij hoopt dat ik iets zeg waarop hij me kan vastpinnen. Maar dat laat ik echt niet gebeuren.

'Dat zijn gevolgen. Een gevolg is iets anders dan een consequentie.'

'Voor mij zijn het synoniemen,' zegt hij.

'Er bestaat een nuanceverschil tussen,' zeg ik, genietend van deze discussie. Alles is beter dan theedrinken met Magdalena en eindeloos over koetjes en kalfjes te moeten praten. 'Een consequentie heeft iets van een bestraffing,' zeg ik. 'Een gevolg is gewoon een resultaat. De output van de input.'

'Ben je tevreden over de... output... van jouw daden?'

'Ik was niet altijd even blij met het resultaat van sommige operaties. Het zijn er maar een paar, maar toch. Gegeven de omstandigheden heb ik destijds echter de best mogelijke beslissing genomen. Dat waren geen fouten. Het waren beslissingen die gevolgen hadden.'

Mark zwijgt even. 'Je bent goed op dreef,' zegt hij. 'Niemand kan jou vandaag te slim af zijn.'

Ik moet erom glimlachen. Hij klinkt als de tienjarige jongen die hij ooit was, toen hij met Jimmy Petersen werd betrapt op het roken van sigaretten achter de Jewel.

'Hoezo?' vraag ik. 'Hoopte je dat dan?'

Hij geeft geen antwoord, maar snijdt een ander onderwerp aan.

'Heeft Amanda nog met je gesproken?'

'Waarover? Nee toch, heb je geprobeerd om haar ook geld af te troggelen?'

'Ik had van jou net een mooi bedrag gekregen. Ik vond het ongepast om alweer bij jou aan te kloppen.'

'Wat was haar reactie?'

'Heeft ze er dan niet met jou over gesproken? Wat vreemd. Dat had ik wel verwacht.'

'Nee, ze houdt dingen liever voor zichzelf. Wat zei ze?'

'Ze lachte me uit en zei dat ik naar de maan kon lopen.'

'Typisch Amanda.'

'Het was om razend van te worden. Ik kon haar wel vermoorden.' Mark wiebelt zenuwachtig in zijn stoel. 'O, het spijt me, dat had ik niet moeten zeggen.'

'Wat?'

'Dat weet je best.' Hij kijkt me aan. 'Of misschien ook niet. Laat maar zitten.'

We doen er allebei het zwijgen toe. Als Mark opnieuw het woord neemt, klinkt hij weer als een klein jongetje.

'Je hebt helemaal niet naar mij gevraagd,' zegt hij. 'Hoe het met mijn werk en liefdesleven gaat.'

Ik sta op. De schoonmaaksters komen steeds dichterbij. Binnen een paar minuten zullen ze voor de deur staan en moeten wij plaatsmaken. Ik ben blij toe, want dit gesprek wekt mijn irritatie.

'Zeg nou maar gewoon wat je op je lever hebt,' zeg ik. 'Je bent geen kind meer. Laat maar horen.'

Mark staat ook op en tot mijn verrassing barst hij in lachen uit. 'Ik had kunnen weten dat je dat niet zou pikken,' zei hij, 'maar het was het proberen waard.'

'Ik ben nooit gevoelig geweest voor emotionele chantage,' zeg ik. 'Ik mag dan wel ziek in mijn hoofd zijn, maar hopelijk zal dat nooit veranderen.'

'Nou, laat ik dan maar zelf vertellen hoe het er met mij voorstaat,' zegt Mark. 'Lange, donkerharige, aantrekkelijke, 29-jarige advocaat met een drugsprobleempje zoekt op blijkbaar steeds weer de verkeerde plek naar liefde en geld.' Zijn stem heeft een spottende ondertoon, maar ik zie heus wel dat zijn schouders een beetje hangen. Zijn kleding hangt losjes om zijn lijf. De manchetknopen reiken te ver over zijn polsen en zijn riem is stevig vastgesnoerd zodat zijn pantalon om zijn te smalle taille blijft zitten.

Ondanks alles steek ik mijn hand uit. Vlak voordat mijn vingers zijn rechterwang aanraken, krimpt hij ineen en deinst terug.

'Ik vind die andere kant van je leuker,' zegt hij. 'Die past beter bij je.' Hij gebaart naar de schoonmaaksters die op de drempel van de studeerkamer staan te wachten op toestemming om binnen te mogen komen. 'En zo eindigt weer een bezoek aan mijn lieve, oude moedertje,' zegt hij, terwijl hij het vertrek uitloopt. 'Laten we vergeten dat dit gesprek ooit heeft plaatsgevonden. Lekker ironische opmerking, of niet dan?'

Uit mijn notitieboek. 15 december 2008. Boven aan de pagina staat Amanda's naam.

Jennifer,

Vandaag besloten we naar het Libanese afhaalrestaurant aan Lincoln te gaan, waar je die zalige hummus kunt krijgen, en in het park te gaan picknicken. Zo warm was het! Je moest van mij wel handschoenen en een muts dragen, omdat je nog steeds dat vervelende hoestje hebt. Magdalena deed een beetje moeilijk, maar daar hebben we ons niets van aangetrokken. Je had echt zin om naar buiten te gaan.

Je zei keer op keer dat je het zo jammer vond dat James en Peter er niet bij konden zijn. Eerst twijfelde ik waarom jij dacht dat ze er niet bij waren. Gaandeweg begreep ik dat je het weet aan de aloude mannensmoes: ze waren aan het werk. Je besefte niet dat Peter ruim tien jaar geleden al met pensioen is gegaan en dat James, als hij nog had geleefd, een jaar geleden zou zijn gepensioneerd.

Als je oud wordt, gaat het leven merkwaardig genoeg zo razendsnel dat je het niet meer kunt bijbenen. Nadat ik met pensioen was gegaan, werd ik nog drie jaar lang elke ochtend om zes uur wakker, klaar om naar school te gaan. Ik vind het bijna niet te geloven dat ik al twaalf jaar geen klaslokaal meer van binnen heb gezien, geen huilende twaalfjarige heb moeten troosten of een boze ouder heb moeten kalmeren. Het voelt gewoon als gisteren. Wat vonden we het altijd idioot als onze ouders en grootouders dat vroeger zeiden. En nu telt gisteren voor jou niet eens meer. Alleen vandaag nog. Nu.

Hoe dan ook, we kochten hummus en baba ghanoush en wandelden op ons gemak naar het park. Vlak bij de dierentuin vonden we een verlaten bankje. Het was schitterend weer en in het park wemelde het van de hardlopers, baby's en honden.

Een voortvarende jonge vader met een baby in een rugdrager en een hondenriem aan zijn eigen riem leerde zijn kleuter vliegeren. Je was je minder bewust van je toestand dan anders. Je leek niet te beseffen dat je achteruitgaat. Grappig hoe dat zelfinzicht in vlagen komt. Toch ging het die dag zo goed met je dat dat geen probleem was.

Misschien vond je het juist om die reden ook wel fijn om terug te gaan naar het verleden. Ik kan me er amper een voorstelling van maken hoe het voelde toen je vroeg: 'Waar gebruik ik dit voor?' Je hield een plastic lepel op die bij het bakje met de tabouleh hoorde.

We praatten over Peter en James en deden ons gebruikelijke beklag over hun zwaktes. Dat doen vrouwen nu eenmaal als ze zich vervelen en eigenlijk niets te melden hebben, maar wel interactie willen. Eerst jij, toen ik, daarna jij weer. Het was net zo bevredigend als een goede volley bij tennis.

Voor de verandering corrigeerde ik je niet. Normaal gesproken geef ik niet toe – dat is het enige waarover Fiona en ik het echt oneens zijn – maar nu corrigeerde ik mezelf steeds als ik de verleden tijd gebruikte. 'Ja, James was wel een beetje een dandy. Nee, samenleven met Peter was geen strijd.'

Slechts op één moment werd de lome, prettige sfeer van die dag doorbroken. Op een gegeven moment begon er in de dierentuin een dier te schreeuwen. Misschien was het een olifant of een grote katachtige. Het klonk als een jammerklacht en duurde heel kort, maar jij raakte erdoor van streek.

'Geef dat kind haar dekentje terug!' schreeuwde je zo hard dat iedereen in onze buurt opschrok.

Ik schrok me in elk geval een ongeluk. Ik liet mijn blikje fris op mijn broek vallen. Maar jij leek je uitbarsting onmiddellijk weer vergeten te zijn. Ik moest denken aan wat Magdalena had verteld over je plotselinge stemmingswisselingen. Ik had het zelf nog nooit meegemaakt. Meestal ben je er net iets beter of slechter aan toe dan die dag.

Ik weet dat je soms 'buien' hebt, zoals ze dat noemen. Ik heb Magdalena en Fiona gezegd dat ze me altijd mogen bellen als ze hulp nodig hebben. Tot nu toe hebben ze dat niet gedaan. Volgens mij komt dat door een zekere mate van bezitterigheid. Het is toch een soort concurrentiestrijd.

Deze dag doordrong me er in elk geval van dat we geleidelijk gewend raken aan tragiek. Het is namelijk tragisch, mijn lieve vriendin, wat er met jou gebeurt.

Ik ben erg egoïstisch, want nu denk ik vooral aan mezelf. Op een gegeven moment krijg jij het allemaal niet meer mee. Dan heeft deze ziekte jouw helemaal in zijn greep en gaat het alleen nog om pijnbestrijding. Maar voor mij is dat anders. Door dit uitstapje besefte ik weer eens dat ík heel veel verdoving nodig zal hebben. Net als de plaatselijke verdoving die je krijgt om de grote naald niet te hoeven voelen, zal mijn voorbereiding op het verdriet van het dreigende afscheid niet afdoende zijn.

Dat er een eind aan mijn huwelijk kwam, grijpt me veel minder aan dan dat onze vriendschap – als je het zo wilt noemen – straks voorbij is. Ik vind dat zo erg dat ik bijna al mijn schepen zou willen verbranden en jou op de oever zou willen achterlaten. Ik zal veel te vaak afscheid van je moeten nemen. Hoe vaak heb je de dood van James al niet moeten verwerken? Hoe vaak zal ik nog afscheid van je moeten nemen, waarna je als een verrezen Christusfiguur gewoon weer zult verschijnen? Ja, het is beter om mijn schepen te verbranden. Dan hoef ik je niet telkens opnieuw los te laten totdat mijn hart het uiteindelijk niet meer zal kunnen verdragen.

*

Ik ben met een complexe operatie van de *plexus brachialis* bezig. Het letsel heeft de zenuwuiteinden beschadigd. De patiënt is onder narcose. Zijn (of haar?) gezicht is bedekt.

Het gaat niet goed. Ik probeer intraplexale neurotisatie en gebruik de zenuwen die nog met het ruggenmerg zijn verbonden als donor voor de afgescheurde zenuwen. Maar ik maak een verkeerde inschatting en raak de *vena subclavia*. Een afschuwelijke hoeveelheid bloed. Ik oefen druk uit en roep dat de vaatchirurg moet komen, maar het is al te laat.

Ik denk aan de gezichten van de familieleden in de wachtruimte. Al schaam ik me ervoor, toch moet ik ook denken aan de advocaten en het interne onderzoek dat ongetwijfeld zal volgen. Aan die saaie papierwinkel die grote en kleine fouten met zich meebrengen.

Dan verandert het vertrek als bij toverslag en bevind ik me niet langer in de ok. Er ligt geen verdoofde patiënt meer op de tafel. In plaats daarvan staar ik naar een bed met een gekreukeld, met bloemen bedrukt dekbed. Ik ben nat van het zweet en mijn hart bonst in mijn keel, maar ik draag geen latex handschoenen meer noch houd ik scherpe instrumenten vast. Het is een groot bed met een eikenhouten frame. Een bijpassend dressoir. Een prachtig bewerkt, rood, Perzisch tapijt. Het komt me niet bekend voor.

Ik wil terug naar de ok, met zijn rustgevende groene muren en de roestvrijstalen instrumenten die, weerspiegeld in de steriele sets, groter lijken dan ze zijn. Alles ligt daar op de juiste plek. Dat is hier, in deze niet-steriele kamer vol meubels en opsmuk, niet zo. Ik voel me er ongemakkelijk. Ik wil mijn handen wassen, de handschoenen weer aantrekken en het nogmaals proberen. Ik sluit mijn ogen, maar als ik ze opendoe, ben ik nog steeds in hetzelfde vertrek.

Dan hoor ik stemmen. Met enige moeite vind ik de deur die toegang tot de kamer biedt. Ik speur elke centimeter van elke muur af en uiteindelijk vind ik hem. Achter de deur ligt een lange gang. Aan de donkerrode muren hangen foto's. Aan het eind ervan leidt een trap omlaag. Onder mijn voeten zachte, pluchen stof die het glanzende hout bedekt. Een patroon van met elkaar verweven blauwe en groene bloemen.

Voorzichtig daal ik de trap af. Ik kijk naar mijn voeten en houd een langgerekt, glad stuk hout vast. Ik tel de treden. Twintig keer steek ik mijn rechtervoet uit en zet hem een trede lager. Twintig keer voeg ik mijn linkervoet bij mijn rechtervoet. En dan nog verder omlaag. Terwijl ik afdaal, klinken de stemmen steeds luider. Er klinkt gelach. Ik hoor mijn naam. Ik ga voorzichtig verder.

Het zijn er twee, een man en een vrouw. Ze zitten in de woonkamer op de Stickley-bank. De vrouw heeft schouderlang haar dat overduidelijk is geblondeerd. Het staat haar niet. Ze is dik. Haar broek zit te strak. Het oogt ongemakkelijk. Het bovenste knoopje snijdt in haar buik.

De man springt op als hij me in het oog krijgt. Het is een oudere man. Een oude man. Hij steekt zijn armen naar me uit. 'Jenny!' zegt hij en omhelst me meteen. Hij ruikt lekker. Zijn geruite shirt voelt zacht tegen mijn wang. Maar zijn baard prikt. Sneeuwwit haar met een kale plek boven op zijn hoofd. Geen witte, maar een grijze baard. Door het contrast lijkt die smerig. Het geeft hem een wat onverzorgde uitstraling.

'Ben je dan niet blij om je oude vriend Peter weer te zien?' vraagt de blonde vrouw.

'Zeker wel,' zeg ik met een glimlach. 'Peter, hoe gaat het met je?' Ik laat hartelijkheid in mijn stem doorklinken en dwing mezelf om zijn hand te pakken. Ik moet scherp blijven. Ik moet het spelletje meespelen.

'Wel best,' zegt hij. 'Ik geniet van de zon. Zoals je weet, ben ik nooit een liefhebber van de winters in Chicago geweest. Hoewel het nu toch echt lente lijkt te zijn. Ga toch zitten. Hier.' Hij trekt een beige stoel naar me toe en ik zink erin weg. Hij pakt mijn hand weer. 'We hebben elkaar veel te lang niet gezien, Jen.'

'Hoelang is het geleden?' vraagt de blonde vrouw, maar ze wacht het antwoord niet af. 'Je oren zullen wel suizen!' zegt ze. 'Peter heeft het alleen maar over jou.'

Ze glimlacht. Hij glimlacht. Ik glimlach ook.

'Ja, daar kon je weleens gelijk in hebben,' zeg ik.

Er valt een nogal ongemakkelijke stilte. Dan begint de man weer te praten. Zijn toon is nog steeds vriendelijk, maar wel voorzichtiger.

'Je herkent me niet meer, hè?' zegt hij. Gelukkig kijkt hij niet zo gekwetst als anderen die deze vraag stelden. Vaak krijg ik zo'n smekende blik die me altijd het gevoel geeft dat ik moet liegen. Ik vind hem meteen een stuk aardiger. 'Nee,' zeg ik. 'Totaal niet.'

'Ik ben in de stad om wat zaken af te handelen,' zegt hij. 'Voor de begrafenis ben ik natuurlijk ook overgekomen, maar toen vonden ze het beter dat ik je met rust liet. Het ligt allemaal een beetje ingewikkeld. Amanda heeft haar testament na de scheiding niet veranderd. Haar nalatenschap zal in verzekerde bewaring moeten worden gesteld. Het kan nog maanden duren voordat er nabestaanden worden gevonden die het huis zullen erven. Het was haar enige bezit, maar het zal zelfs op de huidige markt een lieve duit opleveren. Maar nu ben ik dus met handen en voeten gebonden.'

'Welke scheiding?' vraag ik. 'Welke begrafenis?'

Hij zwijgt even. 'Weet je, ik herinner me dit wel voor ons allebei,' zegt hij met een glimlach. Dan wordt hij weer ernstig. 'Ik heb begrepen dat je problemen hebt,' zegt hij. 'Je moet weten dat ik vertrouwen in je heb. Blind vertrouwen. Je hebt overduidelijk geen idee waarover ik het heb. Wat ik je nu ga vertellen, zul je je waarschijnlijk ook niet herinneren. Maar misschien blijft er toch iets van hangen, dus ik waag het er maar op.'

De blonde vrouw maakt aanstalten om op te staan.

'Nee, nee. Je hoeft niet weg te gaan,' zegt hij. 'Het is geen vertrouwelijk gesprek. Gewoon iets wat ik kwijt moet. Eigenlijk vooral voor mezelf. Bovendien wil ik het over leuke dingen hebben,' zegt hij. 'Misschien maakt dat toch iets bij haar los.'

'Ik speel wel voor secretaresse,' zegt de blonde vrouw. 'Ik zal alles opschrijven. Als ze er beter aan toe is, kan ze het nog eens nalezen. Dan snapt ze het misschien beter.' Ze loopt weg en komt terug met een groot, in leer gebonden boek. Ze slaat het open op een lege pagina en pakt een pen. Boven aan de pagina schrijft ze iets op. Vervolgens kijkt ze de man verwachtingsvol aan.

'Waar zal ik eens beginnen?' zegt de man. 'Er waren eens... Ja, dat is een goede manier. Een sprookje. Vol archetypes.'

Mijn interesse is gewekt. 'Vertel,' zeg ik.

'Er waren eens zes mensen. Vier volwassenen en twee kinderen. Twee echtparen. Het ene echtpaar was zo'n tien jaar ouder dan het andere en had geen kinderen. Het jongere stel had een zoon en een dochter. Het meisje was nog maar een jaar of twee en de jongen zeven. Ondanks het leeftijdsverschil onderhielden de echtparen een hechte vriendschap.' Hij zwijgt en denkt na. 'Wat zal ik je over hen vertellen? Geen algemeenheden. Eén specifieke gebeurtenis.' Hij vertelt verder.

'Op een dag besluiten ze naar het strand te gaan. Ze nemen broodjes ham, hardgekookte eieren, appels, peren en op de koop toe nog een paar flessen wijn mee.

Ze verlaten de stad en rijden helemaal naar het noorden. Naar een nationaal park met grote zandduinen aan het meer, waar het op een zomerse zondag als deze praktisch uitgestorven is.

Dat heeft natuurlijk een reden. Een kolossale kerncentrale torent boven de duinen uit en loost afvalwater in het meer dat daar ondiep is. Het bederft het landschap en wie bang is aangelegd, zou zich hier niet wagen. Maar bang aangelegd zijn deze vier volwassenen zeker niet. Ze maken grapjes over het relatief warme water, de gemuteerde vissen en de bovengemiddeld grote watervogels.

De peuter loopt in haar luier rond en wordt door haar moeder naar het water gebracht om te pootjebaden. De jongen pakt zijn schep en emmer en begint lukraak kuilen in het zand te graven. De oudere vrouw en de twee mannen gaan op hun strandstoelen zitten en praten met elkaar. Het is een vredig tafereel. Een rustig dagje aan het meer. Als ze honger krijgen, verdelen ze het voedsel. De zanderige happen worden met rode wijn weggespoeld. Het is een idyllische middag. Goede vrienden samen op het strand. Alles is volmaakt. Volmaakter dan het ooit nog zal worden.' De man zwijgt, klaarblijkelijk in gedachten verzonken.

De blonde vrouw schrijft als een bezetene. 'Dit verhaal is een prachtig geschenk,' zegt ze. 'Wat zal Jennifer het leuk vinden om dit nog eens terug te lezen.' Maar ik vang er een glimp van op. Meer dan een glimp. Een film in technicolor. Het is een aaneenschakeling van beelden. Al mijn zintuigen worden geprikkeld. Ik begin snel te praten, uit angst dat het anders weer zal vervagen.

'Ja, de zanderige ham die tussen onze tanden knarst. De zure wijn. De kerncentrale die boven ons uittorent. De volwassenen die te diep in het glaasje kijken. Er wordt steeds harder gepraat. Makkelijker gelachen. De oudere man houdt maat omdat hij nog moet rijden, maar hij schenkt de anderen gewillig bij. De andere drie drinken zoveel dat ze de uitgelatenheid en openhartigheid voorbij zijn. Er komt een soort oerinstinct bij hen boven.'

'Dat klopt,' zegt de man. Hij doet zijn mond al open om zijn verhaal te vervolgen, maar ik val hem in de rede en verwoord de film in mijn hoofd. Ik voel de hitte van de middagzon op mijn blote armen. Het zand tegen mijn dijen. Ik hoor de roep van de gemuteerde vogels.

'De oudere vrouw begint. Ze vraagt de jongere man of het hem ook is opgevallen dat zijn vrouw is veranderd.

"Hoe dan?" vraagt de jongere man.

"Haar haar en kleding. Haar hele uitstraling."

"Nee, dat is me niet opgevallen. Ze ziet er altijd geweldig uit." Hij schenkt zijn vrouw een liefdevolle glimlach en gebaart naar de oudere man dat hij haar glas moet bijvullen.

De jongere vrouw is geschrokken. Er gebeurt iets waarop ze niet had gerekend.

"Is het niet in je opgekomen dat ze misschien iets te vieren heeft?" vraagt de oudere vrouw. "Dat er iets is gebeurd waar ze blij mee is? Misschien niet iets waar een gemiddelde vrouw op zit te wachten. Maar zij is dan ook niet de eerste de beste."

De jongere man luistert in opperste concentratie. Hij is een advocaat die snel naam aan het maken is. Zo gedraagt hij zich ook in de rechtszaal en in de directiekamer. Hij is niet op het verkeerde been te zetten en wekt altijd de indruk dat hij overal van afweet, zelfs als dat niet zo is.

"Mijn vrouw is niet dom," zegt hij.

"Maar jij misschien wel," zegt de oudere vrouw. Ze nipt aan haar wijn zonder haar blik van hem af te wenden.

"Ik volg je niet."

"Macht doet rare dingen met je."

"Dat klopt, maar wat heeft dat hiermee te maken?"

"Kennis is macht, zeggen ze weleens," zegt de oudere vrouw.

"En onwetendheid een zegen," zegt de jongere man op spottende toon.

"O, wil je dit gesprek liever beëindigen?"

De jongere man denkt even na. "Nee," zegt hij dan, "ik ben nieuwsgierig hoe het verder gaat."

"Ik ook," zegt de jongere vrouw.

Alleen de oudere man krijgt er niets van mee. De andere drie hebben zich van hem afgewend. De kinderen maken ruzie wie welk speelgoed mag hebben.

De jongere man verbreekt uiteindelijk het zwijgen. "Goed, dan weet ze het. Ik ben ook niet echt discreet geweest. Als ze het had gevraagd, had ik het haar verteld. Het is onbelangrijk. Wat wij hebben, is niet kapot te krijgen."

De jongere vrouw ontspant zichtbaar. Zijn antwoord lucht haar blijkbaar op. Ze haalt onverschillig haar schouders op. "Ik had je niets te vragen. Niets wat de moeite waard was om na te vragen. Ik heb wat dingetjes uitgezocht en ontdekt wat ik wilde weten. Een onbeduidende affaire, van korte duur. Dat was alles."

De jongere man glimlacht. Het is een vreemde, bijna voldane glimlach. "Ja, ons huwelijk kan heus wel tegen een stootje."

"Zeker weten," zegt de jongere vrouw.

"Aha," zegt de oudere vrouw. "Maar het gaat nu niet om iets onbeduidends. Zeker niet. Seks is banaal. Ik wilde het niet over seks hebben. Ik wilde praten over iets wat families bindt of verscheurt. Iets wat seks en zelfs liefde overtreft. Geld."

De jongere vrouw verstijft en haar gezicht verstrakt. "Doe dit niet," zegt ze.

De oudere vrouw richt zich weer tot de jongere man. "Je doet de deur van je studeerkamer op slot. Hetzelfde geldt voor je bureaula. Je vrouw mag er niet binnenkomen. Waarom eigenlijk niet?"

"Vanwege de kinderen natuurlijk. Er liggen belangrijke papieren in. Ik wil niet dat er met rood potlood op bewijsstukken of vertrouwelijke memo's wordt gekliederd."

"Vanwege de kinderen?"

"Omdat dat zo hoort als je documenten met gevoelige informatie van kantoor mee naar huis neemt."

"Maar wat zou iemand aantreffen als ze de afgesloten deur en lade zou weten open te krijgen?" vroeg de oudere vrouw. "Stel dat iemand je zo goed kent dat ze weet waar je de sleutels hebt verstopt?"

"Ze zou alleen maar dingen aantreffen die interessant zijn voor bedrijfsjuristen," zegt de jongere man.

De oudere vrouw trekt haar rechterwenkbrauw op. Het lijkt een ingestudeerd gebaar, dat ze al vele malen heeft gemaakt om anderen te imponeren.

"Dat klopt niet helemaal," zegt de jongere vrouw. Ze lijkt zich te ergeren aan de afhoudende toon van de jongere man.

"En wat dan nog?" De jongere man kijkt haar aan.

"Dan blijkt dat kennis macht is," zegt de jonge vrouw.

"Het lijkt erop dat je iets van die macht uit handen hebt gegeven aan je goede vriendin. Waarom in hemelsnaam?" Hij begint zijn zelfbeheersing te verliezen.

"Daar lijkt het inderdaad op," zegt de jongere vrouw, zonder de andere vrouw aan te kijken. "Misschien was dat stom."

"En?" vraagt de jongere man aan de jongere vrouw. "En nu? Wat ga je doen? Me aangeven? Daar heb je zelf geen belang bij."

"Daar heb je gelijk in," zegt de jongere vrouw. "Na lang piekeren had ik besloten om het zo te laten. Om je er niet mee te confronteren. Deze vondst was gewoon een rariteit die ik af en toe uit mijn zak haalde om te bestuderen. Zoals mijn goede vriendin al zei, ging het me om de macht. Daar werd ik blij van."

"Ik deed het voor ons, niet alleen voor mij," zegt de man. Hij drinkt zijn glas wijn in een paar teugen leeg, neemt de fles over van de oudere man die met stomheid is geslagen en schenkt nog meer in. "Wat ik heb weggenomen, wordt niet gemist. Daar heb ik goed op gelet. Niemand is erdoor gedupeerd. Ik heb geen kinderen of wezen beroofd. Ik heb steeds kleine bedragen weggesluisd. Maar dat is nu toch een aardige som geld geworden. Niemand heeft er last van en het zal nooit worden ontdekt. Het is niet alleen voor mij, maar ook voor jou."

"Ik geloof je," zegt de jongere vrouw. "Ik geloof dat je dat jezelf voorhoudt en het oprecht meent."

"Het is ook voor de kinderen."

"Dat geloof ik ook," zegt de jongere vrouw. Ze draait zich om naar het meisje, veegt het zand van haar voorhoofd en strijkt haar haar glad. De jongen is nog altijd druk in de weer met zijn schop en emmer. Hij lijkt wel een tunnel naar China te willen graven. De jongere vrouw beschouwt de kwestie als afgesloten en wil een ander gespreksonderwerp aansnijden. Maar de oudere vrouw denkt daar anders over. Ze komt overeind.

"Maar dit gaat niet alleen jullie aan. Het is een kwestie van normen en waarden. Er moet een eind komen aan deze... bezigheid. En wel nu meteen. Er wordt niet meer gezwendeld. Er vallen dan wel geen slachtoffers, maar toch is het crimineel."

Het lijdt geen twijfel dat dit een regelrecht bevel is. Ook is het overduidelijk dat het niet gehoorzamen ervan ernstige consequenties zal hebben.'

Ik zet de film stil en keer terug naar het nu. 'Waarom deed Amanda dat?' vraag ik aan de oude man.

Peter lijkt zich te hebben neergelegd bij de wending die het gesprek heeft genomen. 'Geen idee,' zegt hij. 'Met Amanda wist je het nooit. Wilde ze wraak? Deed ze het om te plagen? Misschien wilde ze het juiste doen en een ernstig vergrijp voorkomen. Of misschien wilde ze haar vrienden behoeden voor de vernedering van arrestatie en gevangenneming. Maar je hebt het verhaal nog niet afgemaakt.'

Ik heb de filmbeelden niet meer nodig om de draad vast te houden. Het vervolg heeft zich in mijn hoofd vastgezet.

'We zijn weer op het strand,' zeg ik. 'De oudere man is van streek. Hij kan zijn oren bijna niet geloven.

"Bied je excuses aan!" zegt hij tegen zijn vrouw. "Bied je excuses aan voor je weerzinwekkende gedrag. Het maakt me niet uit hoe dronken je bent, maar je verpest andermans leven niet zomaar voor de lol."

De jongere vrouw valt hem echter in de rede en richt zich rechtstreeks tot de oudere vrouw. "Excuses zijn niet nodig, aangezien die toch niet geaccepteerd zullen worden. Je hebt mijn vertrouwen beschaamd."

"Zie je wel?" roept de oudere vrouw. "Vertrouwen doet er dus wel toe. Verraad is een ernstige zaak."

De jongere vrouw laat dit even bezinken. "Oké," zegt ze. Ze pakt een hardgekookt eitje. "Maar zevenhonderd jaar geleden had ik straffere maatregelen genomen."

"Wat dan?" vraagt de oudere vrouw geamuseerd.

"Dan had ik dit bij afnemende maan in je tuin begraven, zoals vrouwen uit de middeleeuwen bij hun vijanden deden."

"En dan?"

"Dan was je gaan rotten." De jongere vrouw zwijgt even. "Je geest en ziel zijn natuurlijk al verrot," zegt ze dan. Beide mannen gaan rechtop zitten en luisteren aandachtig. Dit is serieus. Deze woorden kunnen niet ongedaan gemaakt worden.

"Dit is voor je lichaam bedoeld. Het begint van binnenuit. Met het hart. En vervolgens de andere organen. Je begint te stinken. Als de verrotting de opperhuid bereikt, zal die gaan ontbinden. De aaseters weten er wel raad mee. Je ogen. Je geslachtsdelen. Je ledematen. Je oren, tenen en vingers."

De oudere vrouw moet erom lachen. Ze wekt de indruk het geweldig te vinden. "Ik vergeet altijd dat je middeleeuwse geschiedenis hebt gestudeerd voordat je aan geneeskunde begon. Dat is me de combinatie wel, zeg!"

"Dit is geen anekdote," zegt de jongere vrouw. "Het is een waarschuwing. Ik zou haar zeker niet in de wind slaan." Ze begint de picknickspullen op te ruimen, alsof er zojuist slechts een redelijk gesprek tussen twee redelijke mensen heeft plaatsgevonden.'

Magdalena heeft het schrijven gestaakt. Het notitieboek en de pen liggen op haar schoot.

'En de mannen? En de kinderen? Wat deden zij toen dit werd gezegd?' vraagt ze.

'Ze hoorden het aan. Ze vormden het noodzakelijke publiek. Deze twee vrouwen weten heel goed hoe je iets nog dramatischer kunt maken.'

'Maar toch niet in het bijzijn van de kinderen?'

'Jawel. Juist wel.'

'Wat is er toen gebeurd?' vraagt ze.

'Niets. Helemaal niets. Toen de invloed van de alcohol minder werd, reden ze dicht opeengepakt in één auto weer naar huis. Het meisje was nog te jong om er iets van mee te krijgen. De jongen dacht er het zijne van. Het leek alsof er niets was gebeurd.

Bij thuiskomst laadden ze de auto uit. De vrouwen gaven elkaar en hun wederzijdse mannen een afscheidskus. De jongere man en vrouw bleven op dezelfde respectvolle, kameraadschappelijke manier met elkaar omgaan als daarvoor. Als het een schijnvertoning was, wisten ze het goed te brengen. Niemand heeft ooit een barstje in hun relatie kunnen ontdekken.'

'Wat is er met het geld gebeurd? Ik neem aan dat er een eind kwam aan de... diefstal... of hoe je het ook wilt noemen,' zegt Magdalena.

'Dat klopt. Er is nooit een schandaal van gekomen, laat staan een rechtszaak of een gevangenisstraf. Het echtpaar maakte echter geen dure reizen meer. Ook werden er geen dure meubelstukken, tapijten of kunstwerken meer aangeschaft. Maar verder leidden ze een ogenschijnlijk gelukkig bestaan.'

'En de twee vrouwen?' vraagt Magdalena.

'Voor hen geldt hetzelfde. Het was alsof de gebeurtenissen van die dag nooit hadden plaatsgevonden. Alsof de herinnering collectief werd uitgewist. Een *folie en quatre* die werd verdrongen.'

De man met de baard neemt het woord. 'Maar jij herinnert het je nog,' zegt hij tegen me. 'Van alles wat je hebt meegemaakt, blijft uitgerekend dit verhaal hangen.' Hij slaakt een diepe zucht. 'Misschien was het beter geweest als we dit gesprek niet hadden gevoerd,' zegt hij.

Hij staat op om te vertrekken maar iets in zijn houding, de manier waarop hij op zijn rechterbeen steunt, roept een herinnering bij me op. 'Jij bent Peter,' zeg ik.

Hij gaat weer zitten. 'Dat klopt,' zegt hij. 'Dat klopt.' Hij glimlacht. Hij heeft een mooie glimlach.

'Peter! Mijn goede vriend!' Ik omhels hem. Nee, ik klamp me aan hem vast. Ik kan hem bijna niet meer loslaten.

'Dat is lang geleden!' zeg ik. 'Waar zat je al die jaren?'

'Nou, eigenlijk ben ik pas anderhalf jaar geleden vertrokken. Maar het lijkt inderdaad langer. Er was niet echt een aanleiding om terug te komen. Dat veranderde natuurlijk door de recente... gebeurtenissen.'

'Bedoel je de moord op Amanda?'

Hij grinnikt even. 'Inderdaad.'

'Hoe gaat het met je?'

'Niet zo best. Lief dat je het vraagt. Het is grappig – nou ja, eerder naïef – dat mensen denken dat er na een scheiding geen emotionele band meer bestaat.'

'Dat zag ik in het ziekenhuis ook vaak. Mensen die gescheiden waren, waren in de uitslaapkamer soms juist erg lief voor elkaar.'

Magdalena raakt mijn arm aan. Ik krimp ineen en deins terug. 'Het is tijd om je aan te kleden,' zegt ze.

Ik kijk omlaag en zie dat ik mijn nachthemd nog aanheb. Ik bloos. 'Inderdaad,' zeg ik, 'ik kom eraan.'

Maar het loopt anders. Boven aan de trap raak ik de kluts kwijt. Er ging iets door mijn hoofd. Ik was iets van plan. Maar nu weet ik het niet meer. Ik sta in een halfduistere gang, waar alleen door openstaande deuren licht naar binnen valt.

In de vertrekken, die baden in het zonlicht, zie ik keurig opgemaakte bedden. Er klopt een ader in mijn nek. Ik heb het benauwd. Ik steek mijn armen uit, tast naar de muur en grijp een rechthoekig, plastic plaatje vast. Dit ken ik. De lichtschakelaar. Ik duw hem omhoog. Koningsblauwe muren. Foto's van lachende mensen. Waarom is iedereen toch altijd zo blij?

Als ik de schakelaar omlaag duw, keert het schemerduister terug. Omhoog, verlichting, omlaag, wanhoop. Omhoog omlaag. Het is een bekende handeling die me tevreden stemt. Ik weet wat dit is. Ik weet wat het doet. Mijn lichaam voelt niet meer zo vreemd en mijn ademhaling wordt weer regelmatiger. Ik blijf ermee doorgaan totdat de blonde vrouw naar boven komt en me wegleidt.

*

Sommige dingen blijven wel hangen. Ik doe wat Carl, mijn vriend de neuroloog, opperde en graaf door mijn geheugen. 'Kijk wat er naar boven komt,' zei hij. 'Zie waar het je leidt. Zet die zenuwcellen maar aan het werk.'

Verrassende dingen. Niet wat ik had verwacht. Geen bruiloften en begrafenissen. Geen geboorten en sterfgevallen. Kleine momenten. Mijn kat Binky die in een boom was geklommen toen ik vijf jaar oud was. De keer dat, toen ik in de brugklas zat, mijn slipje van de waslijn was gewaaid en in de tuin van Billy Plenner neerkwam, iets waarover hij telkens weer begon. De keer dat ik een biljet van vijf dollar bij de rolschaatsbaan vond en me de koning te rijk waande. Stoeien met een negenjarige Fiona in het gras van Lincoln Park.

De dag na mijn vijftigste verjaardag, waarvoor James een groot feest had gegeven. Toen ik me afvroeg of de scherven deze keer echt niet meer te lijmen waren.

Het was een geweldige avond. Er waren zoveel mensen dat ze niet allemaal in de woonkamer pasten, maar ook in de keuken stonden en op de trap zaten. Iedereen genoot van de uitstekende wijnen die James had uitgekozen. Mijn collega's uit het ziekenhuis. Die lieve

Carl en mijn assistente Sarah. Het orthopedisch team: Mitch en John. Cardiologie en psychiatrie waren ook goed vertegenwoordigd. En mijn kinderen natuurlijk. Mark was vijftien en knapper dan ooit. Hij had zijn arm om me heen geslagen en leidde me naar een tafel waarop talloze wijnflessen en heerlijke hapjes stonden. Hij omhelsde me en schonk een glas wijn voor me in. Maatjes. Fiona dartelde tussen de feestgangers door en dook zo nu en dan op om aan mijn arm te trekken. En James. Het was een opwindende gedachte dat hij er ook was. Soms kwamen we elkaar tegen in de menigte. Dan duwde hij steeds een stevige kus op mijn mond. Alsof hij het meende. Zalig.

Maar toen: het valluik dat openklapte. De tuimeling naar de hel. Ik zocht James, maar kon hem niet vinden. Ik zocht in de keuken, de woonkamer, de eetkamer en klopte zelfs op de deur van het toilet. Maar James was nergens te bekennen.

Plotseling was het te druk en te warm in huis. Door de voordeur ontsnapte ik naar de voortuin, waar ik me laafde aan de kilte van deze frisse meiavond. Op dat moment hoorde ik ruziënde stemmen. Peter en Amanda. Ze hadden alleen maar oog voor elkaar en merkten mij niet op.

'Je bent te ver gegaan,' zei Peter. Hoewel hij zacht sprak, kon je duidelijk horen dat hij woedend was.

'Maar ik heb niets gedaan...' Amanda klonk kil en beheerst.

'Niets? Jij doet zogenaamd nooit iets. Zo gemeen zijn en er dan nog over liegen ook. Maar deze keer ben je echt te ver gegaan.'

In het heldere maanlicht kon ik hun gezichten zien. Beiden leken overtuigd van hun gelijk. Een strijd tussen twee engelen der wrake.

'Het is hoog tijd dat James het weet, dat hij te horen krijgt dat zijn gezinnetje niet is wat het lijkt, maar... ongebruikelijke antecedenten heeft. Dat hij een koekoeksjong in zijn nest heeft. Dat hij wordt bedrogen en niet als enige een scheve schaats heeft gereden. Hij hield Fiona's hand vast en grapte dat ze bij haar geboorte verwisseld moest zijn omdat ze zo anders was dan hij. Dat was precies het moment waarop ik heb zitten wachten. Een kans die ik wel moest grijpen. De waarheid moet boven tafel komen.'

'En jij was slechts het medium dat die waarheid overbracht?'

'Ik heb niets gezegd. Alleen gekeken. Ik heb hem een blik geschonken. Toen wist James genoeg. Hij was er toch al bijna zeker van. Dat kan toch ook niet anders?'

'Je liegt dus als je zegt dat je niets hebt gedaan.'

Peter moest moeite doen om niet te schreeuwen en haalde zwaar adem. Ik had hem nog nooit zo gezien. Hij was een goedmoedige reus die niet snel kwaad werd.

'Ik lieg nooit. Bovendien heb ik geen woord gezegd. Geen woord. Dus nee, ik heb niet gelogen.'

'Je doet het alleen *in extremis*, dat klopt.'

'Wat bedoel je daar nu weer mee?'

'Als het maar belangrijk genoeg is, als de gevolgen te onverteerbaar voor je zijn, ben jij ook maar een gewone sterveling.'

'Wanneer heb ik dan gelogen, afgezien van dit veronderstelde voorval?'

'Het is weliswaar vijftig jaar geleden, maar het is wel gebeurd. Ik heb een goed geheugen.' Peter had zijn zelfbeheersing hervonden en koos zijn woorden zorgvuldig. 'Het filosofietentamen in 1966,' zei hij.

Stilte. Amanda verroerde zich niet. Ik hoorde alleen de auto's die op Fullerton Avenue voorbij raasden.

'Hoe weet je dat?'

'Ik deed promotieonderzoek bij doctor Grendall en wachtte voor zijn kamer. De deur stond op een kier. Jij ontkende alles. Zei dat je je niet aan bedrog en plagiaat had schuldig gemaakt. Toen heb je gelogen.'

'Uiteraard. Ik kon niet anders.'

'Na je vertrek kwam doctor Grendall naar buiten. Toen hij me zag, schudde hij zijn hoofd en zei: "Wat een vrouw. Meedogenloos. Ze zal het nog ver schoppen."'

'Wat zei jij toen?'

'Let op uw woorden. U hebt het wel over mijn toekomstige vrouw.'

'Dus toen je dat jaar op de campus toenadering zocht?'

'Toen was ik al zeker van mijn zaak.'

Er viel een stilte. Amanda deed een stapje achteruit, tastte naar het smeedijzeren hek dat de voortuin omgrensde en omklemde een van de spijlen.

'Nou, jij weet wel hoe je een ruzie in jouw voordeel beslecht.'

'Ik was er niet op uit om te winnen.'

Geleidelijk aan werd Peter weer zichzelf. De spanning vloeide weg uit zijn schouders, hij bracht zijn hand naar zijn hoofd en woelde door zijn haar. Het was een gebaar van verzoening dat hij vaak naar Amanda maakte.

'Nee, dat ben je nooit.' Ik zag hoe haar vingers zich van het hek losmaakten. Ook zij bracht haar hand naar haar hoofd, maar het zag er gekunsteld uit.

'Waarom heb je dit gedaan?' vroeg Peter. 'Waarom heb je hem aan het twijfelen gebracht over Fiona's... onduidelijke... afkomst? Over Jennifers enige misstap, over wat iedereen, behalve hij, al negen jaar weet? Zoals ik al zei, lieg je alleen *in extremis*. Wat is er dan aan de hand?'

Opnieuw hoorde ik alleen het geraas van het verkeer in de verte.

Peter sprak nu langzaam, zoekend naar het antwoord.

'Het feest. Het heeft iets met het feest te maken. Maar wat? We vieren feest, dat is iets vreugdevols. Het is ter ere van je beste vriendin en je hebt het samen met James georganiseerd. Jullie hebben het fantastisch geregeld. Ik heb Jennifer zelden zo opgetogen gezien. Ze is moeilijk te behagen, maar het is jullie toch gelukt. Dat heb je zelf ook wel in de gaten. Jennifer en James zoenen elkaar waar iedereen bij is. Mark is apetrots op zijn moeder, wat gezien zijn leeftijd nogal wonderbaarlijk is. Fiona waagt zich tussen de mensen, maar zoekt zo nu en dan ook bevestiging bij James of Jennifer. Wat is het precies?'

Amanda hield haar lippen stijf op elkaar. Ze was niet van plan om hem te helpen.

Peters hand gleed niet meer door zijn haar, maar bleef op zijn achterhoofd liggen. Hij stak zijn andere hand naar Amanda uit. Het leek bijna alsof hij naar haar wees, maar toen balde hij zijn hand opeens tot een vuist.

'Dat is het. Te veel blijdschap. Je bent jaloers. Je kunt het niet hebben dat je vriendin gelukkig is.'

Op dat moment draaide ik me stilletjes om en ging het huis weer binnen, terug naar de warmte en het licht. James was nergens te bekennen. Ik glimlachte en knikte tot de spieren in mijn gezicht en nek er pijn van deden. Toen de laatste gast was vertrokken, bracht ik Fiona naar bed en gaf ik Mark een nachtzoen. Daarna lag ik tot het ochtendgloren wakker in mijn bed.

De volgende ochtend weigerde James om met mij en Fiona naar het park te gaan. In plaats daarvan nam hij Mark mee naar de dierentuin. Hij wilde niet met zijn allen eten, maar ging met Mark naar de McDonald's. Een maand lang verbeet hij zich als ik iets tegen hem zei. In bed keerde hij me de rug toe. Als Fiona hem een nachtzoen wilde geven, wendde hij zijn gezicht af, zodat ze hem op de wang moest kussen.

Na ongeveer een maand klaarde de lucht weer op. Zo ging dat altijd bij James en mij. Je ontdekt iets, rouwt erom, accepteert het en vergeeft de ander soms zelfs. Daarom hebben we het zo lang met elkaar uitgehouden. Daarom hebben we het gered. Eerlijkheid noch vergeving vormt het geheim van een goed huwelijk. Het gaat erom te accepteren en te respecteren dat de ander het recht heeft om fouten te maken. Of beter gezegd: het recht heeft om keuzes te maken. Keuzes waarvan je geen spijt mag hebben, omdat ze juist waren. Ik heb dan ook nooit het boetekleed aangetrokken. Maar hoewel de kwestie niet meer werd aangeroerd, raakte er wel iets voorgoed beschadigd. Het betekende weliswaar niet de nekslag voor ons huwelijk, maar het kwam nooit meer helemaal goed.

Mark en Fiona voelden dat aan, zoals kinderen dat nu eenmaal doen. Dat was te merken aan hun gedrag. Mark deed nors en onbeschoft tegen James en afstandelijk tegen mij. Voor Fiona was het het moeilijkst. Als we samen naar een film op tv keken, zat ze tussen James en mij in op de bank. Dan legde ze haar handen op onze armen, alsof ze een medium was. Maar wat moest ze dan doorgeven? We voelden nog genegenheid voor elkaar. We genoten van elkaars gezelschap, zij het iets minder dan voorheen. Maar respect... dat was inderdaad het probleem. Als James tegen me praatte, was dat altijd met een lichte afkeer. Zijn omhelzingen waren ruw en opeens was hij een volhardende, bijna agressieve minnaar, wat ik niet eens zo erg vond. Fiona had het echter zwaar met de veranderingen binnen ons gezin. Het ene moment probeerde ze ons te verzoenen en het andere werd ze woedend. Ze kon ontzettend lief zijn, maar ook vreselijke buien hebben. Ze was nog te jong om het aan opspelende hormonen te kunnen wijten, hoewel haar buien erger werden naarmate de puberteit naderde. Ze was vaak bij Amanda. Als ze niet in de woonkamer of in haar slaapkamer was, ging ik haar drie huizen verderop halen. Amanda zwaaide haar dan bij de voordeur uit, een afscheidsgroet en lokroep ineen. Fiona was een opstandig, koppig meisje dat ik niet meer herkende. Hoewel ze uren in haar kamer doorbracht, kon soms opeens de oude vertrouwde Fiona ook weer tevoorschijn komen. Dan bood ze aan om de afwas te doen of om Mark met zijn huiswerk voor wiskunde te helpen.

Het waren vreemde, moeilijke jaren. Ik draaide extra diensten en accepteerde nieuwe patiënten hoewel ik eigenlijk al vol zat. Ik publiceerde artikelen en ging me ook inzetten voor de kliniek waar gratis medische zorg werd verleend. Ik hield mijn lichaam en geest bezig, maar voelde me steeds wanhopiger. Amanda zag dat natuurlijk en zorgde ervoor dat ik weer de oude werd. Ze veróórzaakte niet alleen de wond, maar heelde die ook.

*

Ik open de deur en daar staan ze. Mijn twee kinderen. De jongen en het meisje. Ze zien er ouder en vermoeider uit, vooral de jongen. Ik sla mijn armen om hen heen en leg mijn kin op mijn dochters schouder.

'Waarom bellen jullie aan?' vraag ik. 'Dit is jullie ouderlijk huis! Jullie zijn hier altijd welkom. Dat weet je toch wel?'

Ze glimlachen allebei. Het lijkt bijna in scène gezet. Ze wekken de indruk opgelucht te zijn. 'We wilden je niet overvallen,' zegt mijn zoon, mijn knappe, knappe jongen. Nog voordat hij de baard in de keel kreeg, waren de meisjes al gek op hem.

'Nou, kom binnen!' zeg ik. 'Mijn vriendin en ik hebben koekjes gebakken.' De blonde vrouw komt achter me staan. Ze glimlacht naar de jonge man en vrouw.

We gaan aan de keukentafel zitten. De blonde vrouw biedt hen koffie, thee en koekjes aan. Ze slaan het allemaal af. De jongen wil alleen een glas water. De blonde vrouw gaat ook zitten. Er speelt van alles.

‘Hoe gaat het met je?’ vraagt de jongen.

‘Best goed,’ zeg ik.

De jongen kijkt de blonde vrouw aan. Ze schudt nauwelijks merkbaar het hoofd.

‘Weet je het zeker? Je lijkt een beetje… geagiteerd. Overspannen, zelfs.’

Dat vraagt het meisje, mijn dochter. De slang kronkelt zich teder om haar magere botten. Vreemd genoeg lijkt ze op James. Hoewel hij erg lang is, is hij niet fors. Hij is altijd vijf kilo te licht geweest. Zelf ziet hij dat natuurlijk anders. Altijd maar rennen en zwemmen. Altijd in de weer. Als het buiten regent, sneeuwt of te koud is, rent hij een uur lang de trap op en af om toch wat beweging te krijgen.

Ik denk na over haar vraag. Ik maak een afweging van de opties en neem een besluit.

‘Dit gesprek moeten we toch een keer voeren,’ zeg ik. ‘Ik stel het steeds maar uit. Maar nu jullie er toch allebei zijn, is dit wel een goed moment.’

Het meisje knikt. De jongen kijkt me aan. De blonde vrouw staart naar het tafelblad.

‘Jullie vader weet nog van niks. Begin er alsjeblieft niet over.’

‘Dat zullen we niet doen,’ zegt de jongen. ‘Daar kun je van op aan.’ Er verschijnt een ironisch glimlachje op zijn gezicht.

‘Het is een tijdje geleden begonnen. Maanden geleden, eigenlijk. Het viel me op dat ik dingen begon te vergeten. Dan wist ik bijvoorbeeld niet meer waar ik mijn sleutels of mijn portemonnee had gelaten. Of zocht ik het blik waarin ik de pasta bewaar, terwijl ik het net uit de voorraadkast had gepakt. Daarna ontstonden er gaten. Het ene moment zat ik nog in mijn kantoor en het andere stond ik bij het vriesvak in de supermarkt. Dan had ik geen idee hoe ik daar was gekomen. Vervolgens vergat ik woorden. Tijdens een operatie kon ik opeens niet meer op het woord "klem" komen. "Geef me dat glimmende ding, dat handvat met uitsteeksels, eens," zei ik dan maar. Op zulke momenten wisselden de artsen in opleiding veelbetekenende blikken uit. Vernederend.'

De jongen en het meisje schrikken niet van wat ik te zeggen heb. Dat is mooi. Het moeilijkste moet nog komen.

'Er moet me iets van het hart. Ik weet zelfs jullie namen niet meer. Mijn eigen kinderen. Jullie gezichten herken ik godzijdank nog wel. Soms kan ik het ene gezicht niet meer van het andere onderscheiden. Afgesloten kamers zonder deuren, zonder in- of uitgang. Met name het toilet is moeilijk te vinden.'

'Ik ben Fiona,' zegt het meisje. 'En dit is je zoon, Mark.'

'Dank je wel. Natuurlijk. Fiona en Mark. Nou, om een lang verhaal kort te maken, ik ben naar de dokter gegaan, naar Carl Tsien. Die kennen jullie vast nog wel. Hij heeft me wat vragen gesteld en me doorverwezen naar een specialist van de Universiteit van Chicago. Daar hebben ze een speciale kliniek. De geheugenpoli noemen ze het, en dat is niet eens grappig bedoeld.

Ze hebben wat onderzoeken gedaan. Misschien weten jullie wel dat alzheimer niet met zekerheid is vast te stellen. Het is vooral een kwestie van afvinken wat het niet is. Ze hebben bloedonderzoek gedaan. Uitgezocht of ik geen ontstekingen had. Hypothyreoïdie en een depressie uitgesloten. Ze hebben vooral heel veel vragen gesteld. Hun conclusie was weinig hoopvol.'

Mijn kinderen ogen kalm en knikken me toe. Ze huilen niet. Ze lijken niet van streek. De blonde vrouw komt echter naar me toe en legt haar hand op de mijne.

'Misschien moet ik duidelijker zijn,' zeg ik. 'Dit is een doodvonnis. De dood van het verstand. Ik heb mijn ontslag al ingediend en mijn pensioen aangekondigd. Ik hou een dagboek bij om nog enige continuïteit in mijn leven te hebben. Maar zelfstandig wonen gaat binnenkort niet meer. En ik wil jullie niet tot last zijn.'

Het meisje pakt mijn vrije hand. Het is niet geruststellend maar juist verontrustend dat deze twee vrouwen, van wie ik de namen niet ken, mijn handen vasthouden. Ik maak me los uit hun greep en leg mijn handen veilig op schoot.

'Dat moet een beangstigend vooruitzicht zijn,' zegt het meisje.

De jongen schenkt me een vaag glimlachje. 'Je bent een oude taaie,' zegt hij. 'Jij zult deze ziekte bestrijden en overwinnen voordat je eraan ten onder gaat.'

'Jullie lijken niet verrast.'

'Nee,' zegt het meisje.

'Was het jullie al opgevallen?'

'Het kon ons niet echt ontgaan!' zegt de jongen.

'Stil nou,' vermaant het meisje hem. 'Eigenlijk is dit precies waar we het vandaag met je over wilden hebben, mam.'

'We zijn helemaal niet verrast,' zegt de jongen. 'Je bent er feitelijk al zo slecht aan toe dat er actie moet worden ondernomen. We moeten het huis verkopen en voor jou naar een... geschiktere... woonsituatie uitkijken.'

'Waarom zou je het huis willen verkopen?' zeg ik. 'Dit is mijn huis. Dat zal het altijd zijn. Toen ik hier 29 jaar geleden voor het eerst voet over de drempel zette – zwanger van jou, overigens – zei ik al dat dit de plek was waar ik wilde sterven. Enkel omdat ik af en toe mijn sleutels niet kan terugvinden…'

'Het gaat niet alleen om je sleutels, mam,' zegt de jongen. 'Maar ook om die onrust in jou. De agressie. Het ronddwalen. De incontinentie en het gebrek aan hygiëne. Het weigeren van je medicijnen. Het wordt Magdalena te veel.'

'Wie is Magdalena?'

'Dit is Magdalena. Je herkent de vrouw die bij je woont en zo goed voor je zorgt niet eens meer. Je weet niet eens meer dat papa dood is.'

'Je vader is niet dood! Hij is aan het werk. Hij komt zo thuis. Hoe laat is het eigenlijk?'

De jongen richt zich tot het meisje: 'Wat heeft het voor zin? Laten we ons plan gewoon doorzetten. We hebben de benodigde papieren. Het is de juiste beslissing, dat weet je best. We hebben alle mogelijkheden afgewogen, zelfs dat jij bij haar intrekt en Magdalena gaat helpen. Dat was echt een belachelijk idee.'

Het meisje knikt langzaam.

'We kunnen ook een echte verpleegkundige inhuren en de sloten die we hebben laten zetten, gaan gebruiken. Maar dan raakt ze helemaal van streek. Dat doet meer kwaad dan goed. Bovendien gaat ze razendsnel achteruit. Ze is gewoon het beste af op een plek waar ze goed in de gaten wordt gehouden.'

Het meisje reageert niet. De blonde vrouw staat opeens op en loopt weg. Het meisje noch de jongen hebben het in de gaten.

Ik snap niet wat de jongen precies zegt, dus concentreer ik me op zijn gezichtsuitdrukking. Is hij mijn vriend of mijn vijand? Volgens mij is hij een vriend, maar ik weet het niet zeker. Ik voel me onbehaaglijk. Ik bespeur vijandigheid in zijn blik en zijn schouders zijn gespannen. Misschien zijn het overblijfselen van oud zeer en voorbije argwaan.

Ik zit aan een tafel met twee jonge mensen. Ze staan op om te vertrekken. Het meisje zat te mijmeren en was er niet bij met haar gedachten. Plotseling keert ze terug naar het nu.

'Mam, ik hoop dat je ons kunt vergeven.' Er staan tranen in haar ogen.

'Fiona, ze zal zich dit gesprek niet eens herinneren. Het is zinloos. Dat zei ik toch al?'

Het meisje friemelt aan haar trui en veegt haar tranen weg. 'En Magdalena dan? Die is in de afgelopen acht maanden veel voor ons gaan betekenen. Dat vind ik ook een moeilijke kwestie.'

De jongen haalt zijn schouders op. 'Ze werkt voor ons. Het is een zakelijke verhouding. Ze wordt ervoor betaald.'

'Eikel,' zegt het meisje. Even blijft het stil. 'Toch ben ik blij dat we zijn gegaan,' zegt ze dan. 'Het grappige is dat ik nooit heb geweten hoe ze zich voelde toen ze het ontdekte. Hoe ze erachter is gekomen. Dat was me altijd een raadsel.'

'Ze heeft nooit met haar emoties te koop gelopen.'

'Nee, maar ik voel me toch... vereerd.'

Ze is inmiddels naast mijn stoel neergehurkt.

'Mam, ik weet dat je er met je hoofd niet meer bij bent. Ik weet dat je je dit gesprek niet zult herinneren. Dat is ongelooflijk triest. Maar er zijn ook mooie momenten geweest. En dit was er een van. Daar ben ik je dankbaar voor. Wat er ook gebeurt, je mag nooit vergeten dat ik van je hou.'

Ik luister naar de melodie en de cadans van haar zachte stem. Wie zou ze zijn? Deze paradijsvogel in mijn keuken. Dit prachtige meisje met het engelengezichtje dat zich vooroverbuigt en voorzichtig een kus op mijn haar drukt.

De jongen kijkt geamuseerd toe. 'Wat ben je toch een sentimentele drol,' zegt hij.

'En jij bent altijd zo'n eikel.'

Ze geeft hem een duwtje en samen lopen ze naar de voordeur. 'Het eind van een tijdperk,' hoor ik de jongen zeggen als hij de deur achter zich sluit.

'Het einde,' herhaal ik. De woorden blijven hangen in het verlaten huis.

TWEE

De vrouw zonder nek zet het voor de zoveelste keer op een schreeuwen. In de verte klinkt een zoemer en vervolgens het gedempte geluid van schoenen met zachte zolen die zich langs mijn deur over de dikke vloerbedekking haasten.

Uit de andere kamers op de verdieping klinken andere geluiden. De kreten van gekooide dieren die overstuur zijn. Verstaanbare woorden als 'help' of 'hier komen', maar vooral een steeds meer aanzwellend en eensluidend geschreeuw.

Dit is al vaker gebeurd, deze afdaling van de ene kring van de hel naar de volgende. Hoe vaak al? Hier lijken de dagen tientallen jaren te duren. Wanneer heb ik voor het laatst de warmte van de zon gevoeld? Hoelang is het geleden dat er een vlieg of mug op mijn arm landde? Wanneer ben ik voor het laatst 's nachts naar de wc gegaan zonder dat er iemand naast me opdook? Om mijn nachthemd weer over mijn heupen te trekken, waarbij ik zo stevig wordt beetgepakt dat ik mezelf later op blauwe plekken inspecteer.

Het schreeuwen neemt af, maar stopt niet helemaal. Daarom kom ik uit bed. Ik kan hier een einde aan maken. Ik schrijf haar iets voor. Een benzodiazepine of misschien Nembutal. Iets wat de angst wegneemt. Dat het inmiddels overal opklinkende lawaai laat ophouden. Ik geef een rondje. Deze zijn voor mijn rekening! Ik wil alles doen om te voorkomen dat het hier een waar inferno wordt. Maar ik voel hoe er weinig zachtzinnig aan me wordt getrokken. Hoe ik voor ik in actie kan komen weer op mijn voeten wordt gezet.

'Waar wil je naartoe? Naar de wc? Zal ik je even helpen?' In het zwakke licht kan ik nauwelijks het gezicht van de spreker onderscheiden. Een vrouw, denk ik, maar ik heb steeds meer moeite om dat te bepalen. Witte, geslachtsloze uniformen en kortgeknipt of strak achter op het hoofd vastgebonden haar. Uitdrukkingsloze gezichten.

'Nee, niet naar de wc. Naar die arme vrouw. Ik wil haar helpen. Blijf van me af. Ik kan zelf wel uit bed komen.'

'Nee, dat is niet verantwoord. Door de nieuwe medicijnen sta je niet vast op je benen. Je kunt vallen.'

'Laat me dan vallen. Als je me toch als een kind wilt behandelen, behandel me dan ook echt als een kind. Laat me dan ook weer zelf overeind komen.'

'Jenny, je kunt jezelf bezeren. Dan heb ik een probleem. Dat wil je niet op je geweten hebben, toch?'

'Het is geen Jenny, maar dokter White. Zeker geen Jenny. En mij maakt het niets uit of je ontslagen wordt of niet. Dan komt er wel weer iemand anders voor je in de plaats. Jullie zijn inwisselbaar.'

Het is een komen en gaan van personeel. De een is licht van huid, de ander donker. De een spreekt goed Engels, de ander niet. Hun gezichten vloeien in elkaar over.

'Prima, dan is het dokter White.'

Ze laat mijn armen niet los. Met een greep krachtig genoeg om een man van ruim honderd kilo in bedwang te houden, trekt ze me overeind tot ik sta. Haar ene hand legt ze in mijn zij en met de andere pakt ze mijn elleboog.

'We gaan samen even kijken wat er aan de hand is,' zegt ze. 'Ik denk dat u Laura best kunt helpen! Dat heeft ze soms hard nodig!'

Ze blijft me stevig vasthouden en brengt me naar de zaal. Daar lopen, als na een brandoefening, allemaal mensen doelloos rond.

'Mooi. Ziet u dat? Het is alweer voorbij. Wilt u terug naar bed of in de eetzaal nog een beker warme melk drinken?'

'Koffie,' zeg ik. 'Zwart.'

'Prima!' Ze richt zich tot een meisje in een olijfgroene kiel. 'Neem Jenny even mee naar de keuken voor een beker warme melk. En zorg dat ze haar medicijnen slikt. Die weigerde ze bij het slapengaan. En je weet wat ons morgen te wachten staat als ze die niet neemt.'

'Geen melk. Koffie,' zeg ik, maar niemand luistert. Zo gaat het hier nu eenmaal. Ze zeggen en beloven van alles. Maar hun woorden moet je vergeten, zelfs op dagen dat je ze wel kunt onthouden. Je moet hun lichamen in de gaten houden. Vooral hun handen. Hun bewegingen liegen niet. Let op wat ze vasthouden en pakken. Als je hun handen niet meer ziet, moet je je zorgen gaan maken. Dan wordt het tijd om het op een schreeuwen te zetten.

Ik kijk aandachtig naar het gezicht van het meisje dat me naar de eetzaal begeleidt. Mijn prosopagnosie, mijn onvermogen om gezichten uit elkaar te houden, wordt steeds erger. Ik vind geen houvast bij bepaalde gelaatstrekken meer en daarom tuur ik steeds aandachtig naar het gezicht van wie er ook voor mij staat. Ik zou willen dat ik kon wat een baby van zes maanden al kan: het bekende van het onbekende scheiden.

Ze doet geen belletje bij me rinkelen. Ze heeft een pokdalig gezicht, een breed, klein hoofd en een overbeet. Haar rechtervoet staat wat naar binnen, waarschijnlijk door een vergroeiing van het scheenbeen. Specialisten zouden hun dure handen vol aan haar hebben. Ik echter niet, want op haar handen is niets aan te merken. Groot en vaardig. Geen zachte handen, maar dit is ook geen plek waar zachtheid gedijt. Een gevolg van de natuurlijke selectie hier, zowel onder de verzorgers als de degenen die verzorgd worden.

'Zorg' is hier een veelgebruikt woord. 'Hij heeft lang zorg nodig. Ze is niet geschikt voor thuiszorg. We huren meer zorgverleners in. Zorg voor haar. Ga daar zorgvuldig mee om.' Een paar dagen geleden heb ik het woord steeds voor mezelf herhaald, totdat het alle betekenis had verloren. 'Zorg. Zorg. Zorg.'

Ik vroeg een van de mannelijke zaalwachten om een woordenboek. De ongeschoren man met een beginnende baard. De man wiens gezicht ik kan onthouden door de wijnvlek op zijn linkerwang.

Hij kwam later terug met een papiertje. 'Laura heeft het online voor je opgezocht,' zei hij. Hij wilde het mij geven, maar ik schudde het hoofd. Het was geen leesdag. Dat is het bijna nooit meer. Hij hield het papiertje op en las de tekst hortend en stotend voor. Hij komt van de Filippijnen en gelooft in de Heilige Geest, de Heer en Levenbrenger. Hij slaat een kruis voor het beeldje van de vrouw met de halo op mijn ladekast. Hij heeft me al verschillende keren naar mijn Sint-Christoffel-medaillon gevraagd en is er duidelijk mee ingenomen dat ik hem draag.

'Zorg: een bezwaard gemoed, bijvoorbeeld voortkomend uit grote verantwoordelijkheden,' las hij. 'Oplettende aandacht. Hulp aan of het behandelen van behoeftigen.'

Hij zweeg, keek nadenkend en daarna lachte hij. 'Dat zijn nogal wat betekenissen voor zo'n kort woord! Het klinkt alsof ik bijzonder moeilijk werk doe!'

'Het ís ook moeilijk,' zei ik. 'Ik kan me geen moeilijker werk voorstellen.' Hem mag ik wel. Zijn gezicht staat me aan ondanks – of juist dankzij – zijn wijnvlek. Een gezicht dat ik kan onthouden. Een gezicht dat mijn ongenoegen over mijn prosopagnosie enigszins verdrijft.

'Nee hoor, dat is niet zo. Niet met patiënten als u!'

'Flirt niet zo!' zei ik, maar hij wist wel een glimlach op mijn gezicht te krijgen. Iets wat dit meisje met de prima handen niet gaat lukken.

In de eetzaal zet ze me op een stoel en vertrekt. Er komt iemand in haar plaats. En daarna weer iemand anders.

Hetzelfde geldt voor mijn patiënten in de kliniek waar ik op woensdagen vrijwilligerswerk doe: ik richt me helemaal op de symptomen en negeer het individu. Ik had vanmorgen nog zo'n geval. Zonder de opgezwollen handen en enkels had ik simpelweg de diagnose van een lichte depressie gesteld. Hij was snel geïrriteerd. Kon zich niet concentreren. Zijn vrouw klaagde steeds over hem, zei hij. Maar de ontsteking aan zijn handen en enkels wekte mijn achterdocht. Ik vroeg onderzoeken aan naar de aanwezigheid van endoymsium-antilichamen en antitransglutaminase antilichamen.

Als mijn vermoeden juist is, gaat hij een ellendig leven tegemoet. Geen granen meer. Geen melkproducten. Niet langer het onontbeerlijke brood. Sommige dramatisch ingestelde, van zelfmedelijden overlopende personen beschouwen de diagnose coeliakie als de doodstraf voor de pleziertjes van het leven. Als ze hadden geweten wat hen te wachten stond, wat hadden ze dan gedaan? Zich nog meer aan van alles te goed gedaan? Of zich eerder in acht genomen?

Mijn melk wordt voor me gezet, samen met een bakje pillen. Ik spuug in de melk en smijt de pillen weg waardoor ze in het rond vliegen.

'Jen!' zegt iemand. 'Dit is tegen de regels!'

Allerlei mensen bukken en kruipen op handen en voeten om de rode, blauwe en gele pillen op te rapen. Ik weersta de aandrang om degene die het dichtst bij me is een trap in de rug te geven en loop naar mijn kamer. Ja, ik wil elke regel overtreden, elke grens overschrijden. Ik maak mij op voor de strijd. Ondertussen arriveert de troepenversterking.

*

Er knaagt iets aan me. Net buiten mijn bereik. Iets wat me doet huiveren. Iets bloedigs wat niet buigt onder mijn druk. Een duistere schaamte. Zo'n desolate pijn dat hij onverdraaglijk is.

*

Het is een komen en gaan van bezoekers. Als ze naar de uitgang lopen, volg ik hen altijd. Ik voeg me stilletjes bij hen en probeer aansluiting te vinden. Als ze naar buiten gaan, loop ik mee. Zo eenvoudig gaat dat. Het kan me niets schelen dat ik altijd weer word tegengehouden. Op een dag gaat het me lukken. Niemand zal het merken. Pas rond etenstijd zal het opvallen maar dan ben ik al een hele tijd weg. Uiteindelijk zal het me lukken. Vast en zeker de volgende keer.

*

Eén vrouw hier heeft altijd mensen om zich heen. Bezoekers. Dag en nacht. Iedereen houdt van haar. Ze is een van de gelukkigen. Ze weet niet waar ze is, ze herkent haar man of kinderen lang niet altijd, draagt een luier en weet vaak de juiste woorden niet meer te vinden, maar ze is lief en rustig. Ze gaat waardig achteruit.

De Vietnamveteraan daarentegen is altijd alleen. Geen bezoekers. Hij herleeft voortdurend en luidruchtig zijn hoogtijdagen of juist zijn nachtmerries, afhankelijk van de dag en zelfs van het uur. Hij heeft wel of juist niet deelgenomen aan een beruchte massaslachting. Sommige details lijken waarheidsgetrouwer dan andere. Het in een put gooien van een geitenkadaver. De manier waarop bloed vernevelt bij een doorgesneden ader. Net als ik snapt hij dat hij zit opgesloten voor misdaden uit het verleden.

*

Vandaag is James teruggekeerd van een van zijn reizen. Deze keer moest hij naar Albany. Een saaie kwestie, zegt hij. Zijn agenda is even uitputtend als de mijne.

Ook hij is het met de jaren niet rustiger aan gaan doen. Hij is nog even gedreven, even betrokken als in zijn studententijd. Hoe kort zijn afwezigheid ook heeft geduurd, ik voel altijd weer de spanning van het nieuwe. Hij is knap, maar niet op de conventionele manier. Te scherpe gelaatstrekken, te hoekig naar de smaak van de meerderheid. En donker. Van hem heeft Mark zijn duistere trekken, zowel innerlijk als uiterlijk.

James wil gaan zitten, bedenkt zich en beent door de kamer. Hij hangt mijn Calder recht en komt daarna terug. Eindelijk gaat hij zitten, maar hij is gespannen. Hij zit op de rand van de stoel en tikt met zijn voet op de grond. Altijd in beweging. Mensen worden nerveus van hem, vragen zich af wat hij van plan is. Een buitengewoon nuttig wapen in de rechtszaal en daarbuiten. Waar anderen zich voorspelbaar gedragen, vereist James een soort kijkoperatie: snijden en zoeken. Als je speurt, zul je iets vinden. Soms iets kwaadaardigs, maar vaak ook iets wat verrukking schenkt. Vandaag is hij echter ongewoon zwijgzaam. Hij wacht even voordat hij begint te praten.

'Je ziet er verschrikkelijk uit,' zegt hij. 'Maar ik stel me voor dat dat de weerslag is van hoe je je voelt.'

'Jij windt ook nooit ergens doekjes om,' zeg ik. Omdat zijn gelaatstrekken vervagen in de eerste ochtendschemering vraag ik hem of hij het licht aan wil doen.

'Ik vind het prima zo,' zegt hij en zwijgt. Hij speelt met iets in zijn handen. Ik buig naar voren om er een blik op te werpen. Het lijkt op een gegraveerd medaillon aan een ketting. Ik voel dat het belangrijk is. Ik steek een geopende hand uit met de palm naar boven gekeerd: het universele gebaar van 'Geef mij eens even'. Hij negeert het.

'Je was hem vergeten,' zegt hij. Hij houdt de ketting aan één vinger in de lucht. Het medaillon slingert zachtjes heen en weer. 'Dit kan problemen geven,' zegt hij.

Ik probeer het me te herinneren. Ik moet een verband leggen, maar welk ontgaat me. Ik steek mijn hand opnieuw naar het medaillon uit, deze keer niet met de bedoeling dat hij het geeft maar om het zelf te pakken. Maar James trekt snel zijn hand terug en weigert het af te staan. Daarna is hij plotseling verdwenen. Ik voel de scherpe pijn van verlies, brandende tranen in mijn wimpers.

Mensen komen en gaan hier zo snel.

*

Ik zit samen met Mark in de grote zaal. Hij smeekt. 'Alsjeblieft, mam. Je weet dat ik er niet om zou vragen als het niet belangrijk was.'

Ik probeer het te begrijpen. Mensen kijken naar ons. Een scène! De tv staat uit. Ze hongeren naar drama. Dat krijgen ze, met Mark en ik als hoofdpersonen. Toch begrijp ik nog altijd niet wat hij wil.

'Het is maar tot aan het eind van het jaar, mam. Tot ik mijn bonus krijg.'

Hij moet naar de kapper. Is hij al getrouwd? Er was sprake van een meisje. Wat is er met haar gebeurd? Hij lijkt nog zo ontstellend jong. Iedereen is nog zo ontstellend jong. 'Ik heb het ook aan Fiona gevraagd, maar zij heeft nee gezegd. Begrijp je me, mam?' Mark als tienjarige. Mijn lieve jongetje. Fiona is nog jonger, maar beschermt hem al. Nadat ze hem hebben uitgedaagd, heeft hij met zijn honkbalknuppel het raam van de garage van de Millers ingeslagen. Het is Fiona die vervolgens bij de Millers aanklopt en hun bij wijze van schadevergoeding aanbiedt om zes weken lang hun gras te maaien.

'Dat had je niet moeten doen,' zeg ik. 'Je had je verantwoordelijker moeten gedragen.'

'Mam? Ben je er nog?'

'En gisterenavond kwam je dronken thuis. Ik betrapte Fiona erop dat ze je kots opdweilde van het kleed in de woonkamer. Fiona past goed op je.'

'Altijd weer Fiona. Daar word ik dus echt doodziek van.'

'Wat heb je gedaan dat zelfs je zusje er niet meer voor op wil draaien?'

'Mam, ik zweer dat dit de laatste keer is.' Hij wordt boos. 'Je hebt meer dan genoeg. Uiteindelijk geef je het toch aan mij en Fiona. Wat maakt een voorschotje dan uit?'

Steeds meer mensen blijven staan. Ze kijken naar ons. Zelfs de Vietnamveteraan trekt er een stoel bij. Amusement! In machteloze woede begint Mark steeds harder te schreeuwen.

'Je hoeft alleen maar tegen Fiona te zeggen dat je het goed vindt en dan geeft ze me dat geld. Waarom wil je dat niet voor me doen? Voor deze allerlaatste keer?'

Ik was een onwillige moeder en Mark geen makkelijk kind om van te houden. Ik herinner me dat ik hem wilde aanhalen toen hij als drie- of vierjarige in huilen was uitgebarsten om een of andere verwonding die hij tijdens het spelen had opgelopen. Ik was teleurgesteld in het ongemakkelijke van de hele situatie, in de scherpe ellebogen en knokige knieën. Toch blijft hij mijn jongen.

'Mam?' Hij heeft me aandachtig bekeken.

'Ja.'

'Wil je het doen?'

'Wat doen?'

'Mij het geld geven?'

'Is dat alles wat je wilt? Waarom heb je dat niet eerder gezegd? Natuurlijk wil ik dat. Ik ga mijn cheques even halen.'

Ik sta op om in mijn kamer mijn portemonnee te pakken, maar Mark houdt me tegen. Hij houdt me een notitieblok en een pen voor.

'Mam, je hebt geen cheques meer. Dat doet Fiona nu allemaal. Je hoeft alleen maar een briefje te schrijven waarin je zegt dat je me het geld leent. Alleen maar de woorden "Ik leen Mark 50.000 dollar." Nee, er moeten nog een paar nullen achter. Zo is het goed. Nu alleen nog ondertekenen. Geweldig! Fantastisch! Ik beloof je dat je er geen spijt van krijgt. Ik zal bewijzen dat ik dingen ook tot een goed einde kan brengen.'

Hij is al halverwege de deur wanneer hij weer tot zichzelf komt. Hij loopt terug en kust me op de wang. 'Ik hou van je, mam. Ik weet dat ik af en toe een eikel ben, maar het is echt zo. En dat zeg ik niet alleen vanwege het geld.'

Ik zeg tegen iedereen die zich rond ons heeft verzameld dat de show weer voorbij is. Ga naar jullie kamers. 'Kst.' Ze vliegen alle kanten op. Als kakkerlakken.

*

Liefde, overal is liefde. Iedereen vormt stelletjes, met zijn tweeën en soms met zijn drieën. Verbintenissen die hooguit een uur of een dag duren. Het zijn net seniele brugklassers.

De vrouw zonder nek is helemaal promiscue. Ze is intiem met iedereen. Hier staat dat gelijk aan handjes vasthouden. Ze zitten naast elkaar in de hal. Hooguit een hand op een bovenbeen. Er wordt weinig gezegd.

Als hun mannen of vrouwen op bezoek komen, krijgen die een wezenloze blik toegeworpen. Sommige huilen, iedereen is opgelucht. Een last valt van hun schouders. Maar dan die stelletjes. Eeuwig blijven ze zoeken. Ze laten zich verdwazen en keren terug naar de bespottelijkste fase van hun leven om daarin voorgoed opgesloten te blijven. God verhoede dat mij dat ooit opnieuw gebeurt.

Ik ben slechts twee keer zo dwaas geweest. Eerst James, daarna die ander. Het liep slecht af, vanzelfsprekend. Dat moest wel. Zijn jonge, gekrenkte gelaat. Zijn verongelijktheid.

Hij zal nu tegen de vijftig lopen. Vreemd om dat te beseffen. Tien jaar ouder dan ik toen was. Na onze breuk heb ik nooit moeite gedaan om te achterhalen hoe het met hem ging. Ik neem aan goed. Voor mooie mensen is het leven makkelijk.

Maar ik voelde me niet tot hem aangetrokken omdat hij zo knap was. Het was de vaardigheid waarmee hij het mes hanteerde die me in vuur en vlam zette. Hij hield het vast alsof hij de hand van zijn geliefde beetpakte. Hij had de hartstocht en de gedrevenheid, maar niet het talent. Ik had medelijden met hem. En dat medelijden ging over in iets anders. Ik heb dat nooit met 'liefde' aangeduid. Het leek in niets op wat ik voor James voelde, maar het leek evenmin op iets anders. En dat telt.

Wie terugkijkt op zijn leven, ziet allereerst de uitersten. De pieken en dalen. Hij was een van mijn hoogste pieken. In bepaalde opzichten belangrijker dan James. Als James de centrale berg in het landschap van mijn leven is, dan vormde hij een andersoortige top. Hoger, puntiger. Op zijn broze wanden viel niet te bouwen, maar het uitzicht was adembenemend.

*

Op de dikke vloerbedekking is tape in allerlei kleuren aangebracht. Het doet afbreuk aan de luxueuze uitstraling die ze met veel pijn en moeite aan deze plek meegeven, maar het heeft zijn nut. Dit is een rechtlijnige omgeving. Je loopt rechtdoor, gaat naar links of rechts.

Als ik de blauwe lijn volg, kom ik bij de wc uit. De rode leidt naar de eetzaal, de gele naar de hal. Bruin is voor de rondwandeling om de grote zaal heen. Keer op keer. Keer op keer.

Langs de slaapkamers, de eetzaal, de tv-kamer, het activiteitenvertrek, langs de dubbele deur die toegang geeft tot de buitenwereld en waarop in rode letters het verleidelijke UITGANG is geschilderd. Daar ga je weer, eeuwig in beweging.

*

Er knaagt iets aan me. Iets op een steriele, helverlichte plek waar schaduwen geen kans krijgen. Een plek van botten en bloed. Toch zijn er schaduwen. En geheimen.

*

Het is hier uitermate schoon. Ze zijn constant aan het schrobben, stofzuigen en afnemen. Een extra likje verf. Reparaties. Het is hier brandschoon en luxe. Een vijfsterrenhotel met overal leuningen. Een Ritz voor de geestelijk labielen. Chique, massieve leunstoelen in de grote zaal. Een enorme flatscreen-tv in de televisiekamer. Overal verse bloemen. De geur van geld.

Ook wij worden schoongehouden. We gaan regelmatig onder de douche en worden dan gewassen met sterke, antiseptische zeep. Ruwe handdoeken, vakkundig gehanteerd met bruuske bewegingen. De vernedering van het harde schrobben van de buik, de billen.

Waarom zo'n schrobbering? Laat de dode cellen zich opstapelen, laat ze me bedekken tot ik een mummie ben, me conserveren zoals ik nu ben. Geen verdere aftakeling. Niet langer achteruitgaan. Daar zou ik een lieve duit voor overhebben.

*

Ik zit naast een goedverzorgde vrouw met grijs, pluizig haar. We zijn in de eetzaal en hebben plaatsgenomen aan de lange, gemeenschappelijke tafel. Hij is zojuist gedekt voor een stuk of tien eters, maar wij zijn als enigen aangeschoven.

Voor me zie ik lange, dunne slierten van een of ander spul dat in een rode derrie ronddrijft. Zij heeft een stuk wittig vlees. We hebben allebei ook een bergje witte moes op ons bord met daaroverheen een bruine vloeistof. Door een soort waas herken ik in haar een vakgenote. Iemand die mijn respect zou kunnen verdienen.

'Wat is dat?' Ik wijs naar iets wat rechts van haar bord ligt.

'Dat is een mes.'

'Ik wil er ook een.'

'Dat heb je niet nodig. Jouw eten is zacht, makkelijk in hapjes op te delen. Het hoeft niet gesneden te worden.'

'Maar ik vind het mooi. Heel erg mooi.'

'Dat snap ik wel.'

'Hoelang zit je hier al?' vraag ik.

'Zo'n zes jaar.'

'Wat heb je op je kerfstok?'

'Wat bedoel je?'

'Waarom hebben ze je hierheen gestuurd? Wat heb je gedaan? Iedereen hier heeft een misdaad begaan. De een een wat zwaardere dan de ander.'

'Nee, ik werk hier. Ik ben Laura. Ik heb hier de leiding.' Ze glimlacht. Ze is groot en breedgeschouderd. Sterk en robuust. 'Welk misdrijf heb jij dan begaan?' vraagt ze.

'Dat wil ik niet kwijt.'

'Geeft niet. Je hoeft het niet te zeggen. Zo belangrijk is het niet.'

'Hoelang zit je hier al?'

'Zes jaar. Ik heet Laura.'

'Je hebt een mooie ketting om,' zeg ik. Er komt een woord in me op. 'Opaal?'

'Ja, heb ik van mijn man gekregen.'

'Mijn echtgenoot is de stad uit,' zeg ik. Dat ben ik me vaag bewust. 'Hij is naar een conferentie in San Francisco. Hij is vaak weg.'

'Je mist hem dus.'

'Soms,' zeg ik. Opeens vloeien de woorden mijn mond uit.

'Ik hou er af en toe van om me om te draaien in bed, om op een plek te gaan liggen waar de lakens nog koel zijn. Maar hij neemt veel ruimte in beslag.'

'Ik krijg het idee dat je bijzonder op hem gesteld bent. Je praat veel over hem.'

'Wat heb je daar vast?'

'Een mes.'

'Waar gebruik je dat voor?'

'Om te snijden.'

'Nu weet ik het weer. Mag ik er ook een?'

'Nee.'

'Waarom niet?'

'Dat is gevaarlijk.'

'Gevaarlijk voor wie?'

'Vooral voor jou.'

'Hoezo vooral voor mij?'

'We twijfelen of het veilig is.'

'Ben je bang dat ik anderen daarmee iets aandoe?'

'Ja, dat is het.'

'Maar ik ben arts,' zeg ik.

'En je hebt een plechtige eed afgelegd.'

Ik krijg een beeld voor ogen. Een ingelijste tekst aan een muur. Ik citeer de woorden die ik zie. 'Ik zweer bij Apollon, Asclepius, Hygieia en Panacea en neem alle goden en godinnen tot getuige...' Het beeld verdwijnt voordat ik alles heb opgezegd.

'Indrukwekkende woorden. Angstaanjagend, zelfs.'

'Dat vond ik altijd al,' zeg ik.

'En dan heb je ook nog die welbekende passage over niemand enig kwaad berokkenen,' zegt de grijsharige vrouw.

'Daar heb ik me altijd aan gehouden,' zeg ik. 'Dat denk ik althans.'

'Dat denk je?'

'Ja, maar er zit me wel iets dwars.'

'O?'

'Het heeft te maken met dat ding dat je vasthoudt.'

'Met het mes.'

'Ja, met dat mes.'

De vrouw buigt zich naar me toe. 'Komt het weer boven? Nee, ik moet dat anders zeggen. Als het weer bij je boven komt, hou het dan voor je. Vertel mij er niets over.'

'Ik snap niet wat je bedoelt.'

‘Nee, vandaag niet. Vandaag snap je niet zoveel. Maar misschien weet je het morgen weer. Of overmorgen. Het geheugen is iets merkwaardigs. Misschien kun je het beter laten rusten. Dat is wat ik eigenlijk wil zeggen.’

Met die woorden verlaat ze de eetzaal. Ze neemt het prachtige, glinsterende, scherpe voorwerp mee. ‘Mes.’

*

Er resteert één wezen dat mijn bevelen trillend in ontvangst neemt. Een hondje, een vuilnisbakkenras dat om de een of andere reden aan me gehecht is geraakt. Ik ben nooit dol op honden geweest. Integendeel zelfs. De kinderen konden smeken wat ze wilden, maar kregen er geen.

Eerst gaf ik het dier steeds een schop, maar het bleef aandringen. Van ’s ochtends vroeg tot ’s avonds laat viel hij me lastig. De andere bewoners proberen hem steeds bij me weg te lokken, maar na zijn traktatie verslonden te hebben of aan wat beverige aaibewegingen onderworpen te zijn, keert hij altijd naar me terug.

Het is mij niet duidelijk wie zijn baasje is. Hij loopt naar believen door alle zalen en is algemeen geliefd, maar ík ben degene die hij onophoudelijk achternaloopt. Ondanks dat hij een mand in de televisiekamer heeft en er bakjes met water en eten in de eetzaal staan, slaapt hij altijd bij mij. Zodra ik in bed lig, voel ik een duw, ritselt het beddengoed en merk ik hoe een klein warm lijf een plekje zoekt. Een tong raspt over mijn handen. De hondengeur waaraan ik altijd een hekel heb gehad. Langzaam maar zeker ben ik troost aan zijn aanwezigheid gaan ontlenen en van zijn adoratie gaan genieten.

De andere bewoners zijn jaloers. Ze willen Hond afpikken. Al een aantal keren ben ik uit een diepe slaap wakker geschrokken omdat er een donkere gestalte over mijn bed gebogen stond en het jankende, trillende lijf probeerde te grijpen. Ik laat dat altijd maar gebeuren, het diertje komt toch wel bij me terug. Mijn maatje. Geen oudje kan zonder.

Lopen is het enige wat helpt. Hier noemt iedereen het 'ronddwalen'. Ze hebben een soort route uitgezet. Een doolhof voor de zwakzinnigen.

Altijd zijn er wel twee of drie aan hun rondje bezig. Wie van de route afwijkt, wordt tegengehouden en met stevige hand weer op het rechte pad gebracht.

Ik herinner me het doolhof in de kathedraal van Chartres. De kinderen waren erdoor gefascineerd en volgden als gebiologeerd de paden van het labyrint tot in het middelpunt. Waar pelgrims dichter tot God hoopten te komen. Waar boetvaardige zondaars, die het stenen pad op hun knieën aflegden, bebloed en uitgeput eindelijk van hun penitentie waren verlost.

Hoe graag zou ik nog eens het gevoel van bevrijding ervaren dat volgt op straf, de opluchting die kinderen voelen nadat ze hun pekelzonden hebben toegegeven en daarvoor boete hebben gedaan. Maar ik... ik ben tot dwalen veroordeeld.

*

'We hebben bezoek, Jen. Ben je niet blij dat we in bad zijn geweest? Kijk eens hoe mooi je haar nu zit!'

Het is een gezicht dat ik eerder heb gezien. Dat is alles wat over is gebleven. Geen namen meer. Alleen trekken, als ze sprekend genoeg zijn, en de wetenschap of een gezicht me al dan niet bekend voorkomt.

Overigens staat niets absoluut vast. Het kan zijn dat ik naar een gezicht kijk waarvan ik besloten heb dat ik het niet ken en dat daarna de gelaatstrekken opeens veranderen, waardoor ik iemand zie die ik niet alleen ken, maar van wie ik zelfs hou.

Ik herkende vanmorgen zelfs mijn moeder niet omdat ze zich had vermomd. Vervolgens legde ze haar vermomming af. Ze huilde toen ze mijn hand vasthield. Ik troostte haar zo goed mogelijk.

Ik legde haar uit dat het inderdaad een zware bevalling was geweest, maar dat het goed ging met de baby en dat ik snel naar huis kon. Ik vroeg waar James was. 'Mam, papa kon vandaag niet komen.' Waarom noem je mij mam en hem papa? Opnieuw tranen.

Daarna was mijn moeder weer verdwenen.

En nu deze vrouw. Uit heel ander hout gesneden.

'Ik ben rechercheur Luton. We hebben elkaar al een aantal keer gesproken.'

'Wie heeft jouw thyroïdectomie uitgevoerd? Was dat dokter Gregory?'

'Mijn wat? O...' Ze brengt haar hand naar het litteken op haar keel. 'Ik weet eigenlijk zijn naam niet meer. Hoezo?'

'Hij kon altijd goed met de naald overweg. Je litteken is mooi geheeld.'

'Dat zeiden ze al.'

'Zijn de gehalten op de juiste manier vastgesteld?'

'Hè?'

'Wanneer zijn je T_3- en T_4-niveaus voor het laatst gecontroleerd?'

'O, ik denk ongeveer een jaar geleden. Maar daarom ben ik niet hier.'

'Ik weet dat het mijn specialisme niet is, maar je zou het eens aan je endocrinoloog moeten vragen. Ik heb ontdekt dat bij het overgrote deel van de mensen met chronische schildklieraandoeningen de hormonale niveaus niet goed in de gaten worden gehouden.'

‘Oké, bedankt. Maar ik ben hier eigenlijk voor iets anders. Ik weet dat je je dit niet meer kunt herinneren en daarom vertel ik het nog even snel. Ik werk bij de politie. Ik leid het nog altijd lopende onderzoek naar de dood van Amanda O’Toole.’

Ze zwijgt alsof ze verwacht dat ik iets ga zeggen.

‘Komt die naam je bekend voor?’

‘Er woont iemand in mijn straat die zo heet, maar ik ken haar niet goed. We zijn er nog maar net komen wonen. Ik heb onlangs een kind gekregen en heb een zeer drukke praktijk. Jammer dat het zo met haar afgelopen is, maar ze was slechts een kennis.’

‘Gelukkig maar. Haar familie en vrienden zijn totaal ondersteboven van haar dood. Omdat het zo plots gebeurde, maar ook door de manier waarop haar lichaam is toegetakeld.’

‘Vertel.’

‘Haar hoofd is met zo’n harde klap op de tafel gekomen dat het naar onze mening opzet was. Vervolgens zijn, enige tijd na haar overlijden, de vingers van haar rechterhand afgesneden. Nee. Niet afgesneden, maar met chirurgische precisie verwijderd.’

‘Een interessante modus operandi. Waarom vertel je me dit?

‘Omdat ik het liefst in je hoofd zou willen kruipen.’

‘Ik begrijp je niet helemaal.’

‘We denken dat jij er meer van weet, maar dat je je dat niet realiseert.’

‘Waar baseer je dat op?’

‘Dat idee heb ik. In mijn werk zie je wel vaker gekke dingen.’

'Ja, ik maak me zorgen. Over mijn geheugen. Dat is weleens beter geweest. Nog deze ochtend zei ik tegen James, mijn echtgenoot, dat we meer vis zouden moeten eten. Vanwege de omega-3-vetzuren, snap je. Hij reageerde niet enthousiast. Het valt niet mee om in Chicago verse vis van goede kwaliteit te kopen.'

'Mooi, dus je begrijpt wat ik bedoel. Ik hoop dat je wilt meewerken. Praat over je werk, vertel over Amanda O'Toole. Associeer erop los. Ik wil ontdekken of die indrukwekkende geest van jou me misschien meer kan vertellen.'

'Ik zeg mijn afspraken voor deze ochtend wel af.'

De vrouw knikt ernstig. 'Dat waardeer ik.'

Ze haalt haar telefoon tevoorschijn. 'Je vindt het toch niet erg dat ik opneem wat je vertelt? Mijn geheugen is ook niet al te best meer. Denk aan Amanda. Om je geheugen op te frissen heb ik hier een foto van haar. Nee? Oké, laat haar uiterlijk dan maar zitten. Wat komt er bij je naar boven bij de naam Amanda?'

'Ik denk aan een lange, rechtlijnige en halsstarrige vrouw. Een waardige verschijning.'

'Wat is voor een waardig persoon de beste manier om te sterven?'

'Wat een rare vraag. Een snelle dood is de enige zachte dood. Dat heeft niets met waardigheid te maken. Of je nu sterft door een hartaanval of door zware verwondingen aan het hoofd, dat maakt niet uit. De prettigste dood is er een zonder lijden, of hooguit een beetje.'

'Maar je weet dat er mensen zijn die waardig sterven. En dan bedoel ik geen soldaten. Je begrijpt wel wat ik bedoel.'

'Met pijnbestrijding. De meesten halen het dankzij pijnbestrijding. Zonder zouden familieleden nooit op een natuurlijkere dood wachten. De pijnbestrijding is net zo goed voor hen bedoeld.'

'Jij bent arts en wordt dus relatief vaak met de dood geconfronteerd. Maar in jouw specialisme komen sterfgevallen weinig voor. Of vergis ik me dan?'

'Nee, er overlijdt zelden iemand door verwondingen aan zijn hand.' Ik sta mezelf een glimlach toe.

'Maar amputaties komen wel voor?'

'Ja, regelmatig.'

'Om welke redenen wordt bijvoorbeeld een vinger geamputeerd?'

'Infectie, gangreen, bevriezing, vernauwing van de bloedvaten, botontsteking, kanker.'

'Komt het weleens voor dat alle vingers worden geamputeerd, maar dat de rest van de hand intact blijft?'

'Ja, in het geval van extreme bevriezing of meningitis bestaat het gevaar op gangreen. Dan kan het nodig zijn alle vingers te verwijderen.'

'Wat is gangreen eigenlijk precies?'

'Een gevolg van necrose, ofwel het afsterven van cellen. In feite sterft dan een deel van je lichaam, dat daarna begint te rotten. Uiteindelijk kan amputatie noodzakelijk zijn.'

'Heb je ooit een amputatie moeten uitvoeren ten gevolge van gangreen?'

'Ja, een paar keer. In dit klimaat bevriezen soms lichaamsdelen. Meestal niet zo erg dat er geamputeerd moet worden. Als dat wel zo is, dan is het meestal bij armen of daklozen.'

'Maar jij hebt toch geen daklozen als patiënt?'

'Ik werk ook pro Deo bij de New Hope Kliniek aan Chicago Avenue. Daar komt het weleens voor. Soms heb ik een patiënt met zogenaamd nat gangreen ten gevolge van een infectie. Dat is dan een ernstig geval. Als ik niet amputeer, kan de gangreen zich verspreiden en de patiënt uiteindelijk fataal worden.'

'Dus lichaamsdelen worden geamputeerd om te voorkomen dat de rotting zich verspreidt?'

'Ja, zo kun je het stellen. Bij ernstige gangreen.'

'Maar er is nooit reden om te amputeren nádat de patiënt overleden is.'

'Nee, natuurlijk niet.'

'Echt niet?'

'Absoluut niet.'

'Waarom zou iemand zoiets dan toch doen?'

'Ik ben geen psychiater en heb geen idee wat er omgaat in het hoofd van iemand die zo gestoord of crimineel is dat hij dat doet.'

'Nee, dat besef ik.'

'Maar het lijkt mij een symbolische daad.'

'Hoezo?'

'Nou, als het doel van een amputatie is om verdere rotting tegen te gaan, dan wil iemand daarmee misschien een boodschap overbrengen. Bijvoorbeeld dat het slachtoffer met zijn handen kwaad heeft begaan, dat die handen door smerige praktijken bezoedeld waren. Je kent de woorden van Christus bij het Laatste Avondmaal: "Doch zie, de hand van hem, die Mij verraadt, is met Mij aan de tafel."'

'Maar waarom dan alleen de vingers en niet de hele hand?'

'Dat is misschien ook symbolisch. Een hand zonder vingers kan nog maar moeilijk dingen pakken en vasthouden. Misschien werd ermee bedoeld dat die persoon hebzuchtig en geldbelust was. Of dat die persoon zich nooit emotioneel uitte. Zonder vingers is een hand per slot van rekening niet meer dan een soort lepel van met zacht weefsel overdekte botten. Daar kun je nog maar weinig mee.'

De vrouw knikt. Ze rekt zich uit, staat op en loopt door de kamer.

'Het valt me op dat je een paar religieuze voorwerpen bezit,' zegt ze, 'en dat je uit de Bijbel citeert. Ben je gelovig?'

Ik schud mijn hoofd. 'Ik ben katholiek opgevoed, maar tegenwoordig heb ik nog slechts een zwak voor de parafernalia. En als je bent afgestudeerd in de middeleeuwse geschiedenis, kan het niet anders dan dat je over enige Bijbelkennis beschikt.'

De vrouw blijft voor mijn beeldje staan.

'Ik zag dat je dit van huis hebt meegenomen. Wie is ze? De moeder van Christus?'

'Nee hoor, dat is de Heilige Rita van Cascia. Zie je de wond op haar voorhoofd? En de roos in haar handen?'

'Wie is ze?'

'De beschermheilige van de hopelozen.'

'Ik dacht dat dat de Heilige Judas Taddeüs was.'

'Ja, die twee heiligen hebben bijna dezelfde taak, maar de feministe in mij geeft de voorkeur aan Rita. Ze was geen passief lijdend wezen, zoals veel soortgelijke martelaressen, maar kwam in actie.'

'Ik begrijp wel waarom je een zwak voor haar hebt. Is dat medaillon dat je draagt ook van haar?'

'Deze? Nee, dat is van Sint-Christoffel.'

'Waarom draag je die?'

'Bij wijze van grap. Een ideetje van Amanda.'

'Hoezo is het een grap?'

'Sint-Christoffel is geen echte heilige.'

'Nee?'

'Hij is een oplichter. Nee, dat is niet waar. Hij is een ongeloofwaardige en onbewijsbare legende, een godsvruchtig verzinsel. Hij is al een tijdje geleden geschrapt uit de lijst van erkende heiligen, maar als kind was ik dol op hem. Hij bood bescherming tegen van alles. Onder andere tegen een plotselinge, gruwelijke dood. Hij is de patroonheilige van de reizigers. Er zijn nog altijd mensen die op het dashboard van hun auto een beeldje van Sint-Christoffel hebben staan.'

'Nog meer parafernalia.'

'Klopt.'

'Maar hoe zit dat precies met Amanda?'

'Ik heb het van haar gekregen toen ik vijftig werd. Dat was de afsluiting van een moeilijke tien jaar.'

'Hoezo moeilijk?'

'Op allerlei terreinen. Ik ben toen veel kwijtgeraakt. Het waren verliezen van persoonlijke, nogal narcistische aard: mijn schoonheid, mijn seksuele verlangens en mijn ambities.'

'Dat laatste verbaast me. Je was op je best toen je met pensioen ging.'

'Ja, maar ambitie is iets anders dan succes. Ambitie draait om het nastreven van doelen, niet om het realiseren ervan. Op mijn vijftigste had ik bereikt wat ik wilde bereiken. Ik wist niet wat ik verder nog moest. Sterker nog, ik wilde verder niets meer. Ik wilde geen bestuurder worden of zitting nemen in de directie. Daar lagen mijn ambities niet. Ik wilde geen studieboeken of handleidingen schrijven. Ik wilde niet nog meer verdienen. Dat had ik ook niet nodig.'

'En toen?'

'Amanda heeft mij op haar manier geholpen. Ze zei dat ik vrijwilligerswerk moest gaan doen bij de New Hope Kliniek aan Chicago Avenue om iets terug te doen voor de gemeenschap. Ze stond er zelfs op en wist dat ik haar zou gehoorzamen. Maar het bleek in allerlei opzichten een uitzonderlijk bevredigende bezigheid te zijn. Ik moest mij weer ontpoppen als generalist en verder kijken dan de elleboog. Dat viel niet mee.'

'En hoe zit dat met Sint-Christoffel? Die plotse dood?'

'Ja. "Als gij elke dag Sint-Christoffel ziet, voor een plotse dood gij bescherming geniet." In mijn geval een geestelijke dood. Bescherming tegen mijn angst, mijn wanhoop dat alles wat ertoe deed voorbij was. Door me het medaillon te geven, wilde Amanda zeggen dat ik niet in paniek moest raken omdat ik het even niet meer zag zitten. Dat er een uitweg was. Dat ik gemoedsrust zou vinden door boete te doen voor... zonden... uit het verleden. Dat de toekomst vrolijker was. Dat dacht ze.'

'Het medaillon staat dus voor het overwinnen van geestelijke problemen en heeft niets te maken met spanningen tussen jou en Amanda.'

'Zo zou ik het niet willen zeggen, nee. Er waren wel spanningen.'

Ze buigt zich naar me toe. 'Mag ik?' vraagt ze, en pakt het medaillon. Haar gezicht verstrakt. 'Er zit iets op,' zegt ze. 'Een vlek. Mag ik het misschien wat beter bekijken?'

Ik haal mijn schouders op, breng mijn handen naar mijn nek, trek de ketting over mijn hoofd en geef hem aan haar. Ze kijkt er aandachtig naar.

'Hij is smerig,' zegt ze. 'Ik neem hem mee en maak hem schoon. Ik beloof dat ik hem daarna weer terugbreng.'

Er valt een stilte. Ik wil weten of ze nog een vraag heeft omdat er patiënten op me wachten. Ik ben verbaasd dat mijn verpleegkundige ons nog niet onderbroken heeft. Zij moet ervoor zorgen dat ik op schema blijf.

'Sorry, ik heb veel tijd in beslag genomen. Is het goed als ik nog eens langskom?'

'Maak maar een afspraak bij de balie. Ik heb spreekuur op maandagen, dinsdagen en vrijdagen. Op woensdagen en donderdagen opereer ik. Laten we een vervolgafspraak voor over drie weken maken.'

'Prima, heel erg bedankt voor je hulp.'

Ze buigt voorover, drukt een knopje op haar telefoon in en bergt die op in haar aktetas.

'Ik ben ervan overtuigd dat we elkaar binnenkort weer spreken,' zegt ze.

*

Fiona, mijn meisje, is er. Haar groene ogen zijn roodomrand. Er hangen drie sikkelvormige oorbellen in haar rechteroor.

'Hoe laat?' vraag ik. Ik lig nog in bed en zie nergens een klok waarop ik de tijd kan lezen.

'Wat bedoel je?' vraagt ze. Ze is overduidelijk van streek, gaat op de stoel naast mijn bed zitten, staat op, gaat weer zitten, pakt mijn hand en streelt hem. Ik trek hem weg en kom moeizaam overeind.

'Volgens mij ben je geïrriteerd,' zeg ik.

'Nee. Of toch wel.' Ze staat weer op en begint door de kamer te ijsberen. 'Wordt het geen tijd om op te staan? Het is bijna negen uur.'

Ik druk mezelf omhoog tot ik zit, gooi het beddengoed van me af, til mijn benen op en zet mijn voeten op de vloer waarna ik even tot rust moet komen. Ze duwt haar stoel achteruit en staat op om me te helpen. Ik duw haar hand weg.

'Gaat het wel?' vraagt ze.

'Nieuwe medicijnen,' antwoord ik. 'Of beter gezegd, meer van hetzelfde. Ze hebben zowel de dosis Seroquel als Wellbutrin verhoogd. Ook geven ze me stiekem Xanax als ze denken dat ik het niet in de gaten heb.'

'Ja, dat weet ik. Dat hebben ze me verteld.'

Ik bekijk haar gezicht aandachtiger. Ook haar neus is wat rood. Het haar rond haar oren hangt slap neer omdat ze er zoveel aan trekt. Een symptoom van bezorgdheid. Ik ken mijn meisje.

'Vertel het maar,' zeg ik.

Ze bestudeert mijn gezicht en wekt een onzekere indruk. Dan neemt ze een beslissing.

'We hebben vandaag de verkoop gesloten,' zegt ze. 'Ik heb zojuist de papieren getekend.'

'Je hebt een huis gekocht?'

'Nee,' zegt ze. 'Ja, dat eigenlijk ook, maar niet vandaag. Vandaag heb ik er een verkocht.'

'Ik wist niet dat je een huis bezat. Ik dacht dat je een appartement had. In Hyde Park, op Ellis Avenue.'

'Ik ben ongeveer drie maanden geleden verhuisd,' zegt ze. 'Het appartement was ontzettend klein. Ik heb een huis vlak bij de campus gekocht. Bruin metselwerk, hardhouten vloeren, kale muren.'

De gekwelde blik verdwijnt even, alsof ze zich iets aangenaams herinnert, maar daarna betrekt haar gezicht weer. 'Nee, we hebben het huis in Lincoln Park, op Sheffield Avenue verkocht,' zegt ze.

'Daar woon ik ook. Ik hou van die buurt.'

'Ja mam, ik ook.'

Haar ogen beginnen te tranen. 'Mark ook. We zijn er allebei geboren. Het was ons ouderlijk huis. Het viel ons heel erg zwaar. We hebben er de laatste nacht in slaapzakken doorgebracht. We zijn de hele nacht wakker gebleven en hebben herinneringen opgehaald. Je moest eens weten hoelang het geleden is dat Mark en ik zo'n lange tijd met elkaar hebben doorgebracht zonder ruzie te krijgen. Toen ik de eerste keer belde, nam hij niet eens op. Maar ik ben het blijven proberen en uiteindelijk heeft hij zich laten overhalen.'

'Wacht eens even. Bedoel je dat je mijn huis hebt verkocht?'

'Ja.'

'Mijn huis?'

'Het spijt me.'

'Maar mijn spullen dan? Mijn boeken? Mijn kunst? De opnamen van mijn operaties?'

‘Mam, we hebben het huis maanden geleden al leeggehaald. Je hebt zelf alles ingepakt. Je hebt zelf beslist wat je mee wilde nemen en wat weg kon.’

‘Maar hoe moet dat als ik weer naar huis ga?’

‘Je woont nu hier.’

‘Dit is geen huis, alleen een kamer,’ zeg ik, terwijl woede zich van me meester maakt.

Ik gebaar naar de vier muren om me heen, wijs naar de badkamer met het roestvrijstalen sanitair waarin zich alleen een douche en geen bad bevindt. Naar de ramen waarvan de luiken gesloten zijn omdat ze uitkijken op een parkeerterrein.

‘Klopt, maar kijk eens om je heen. Al je spullen zijn hier. Je beeldje van de Heilige Rita. Je Renoir. Je Calder. En de Driehandige Theotokos die je het meest koestert van allemaal.’

‘Er was nog meer. Veel meer. Waar is dat gebleven?’

‘Op een veilige plek opgeslagen.’

‘Mijn meubels?’

‘Ik heb de kleine eiken secretaire genomen, Mark de Stickley-bank en -schommelstoel. De rest is verkocht.’

Ik zwaai mijn benen in het rond en stap uit het bed. Ik wring mijn handen.

‘Dit moet ik even verwerken,’ zeg ik.

‘Dat snap ik, mam. Het spijt me. Ik wilde je het eigenlijk niet vertellen.’

‘Waarom deed je het dan?’

‘Omdat ik er helemaal verdrietig van ben. Omdat je het toch vergeet. Omdat ik het verder aan niemand kan vertellen.’

‘Laat je traantjes maar lopen,’ zeg ik en ik trek mijn nachthemd over mijn hoofd. Ik heb nu alleen nog een onderbroek aan, maar dat doet me niets.

‘Mam, alsjeblieft, doe dat nou niet. Kleed je aan.’ Ze loopt naar de ladekast, pakt er kleren uit en geeft me een beha, een donkerblauw T-shirt en een spijkerbroek.

‘Wat mag ik niet doen?’ Ik laat de kleren vallen, leg mijn handen over mijn ogen en probeer de opkomende woede te onderdrukken. Nee, niet afgeven op mijn meisje. Blijf kalm.

‘Ga nou alsjeblieft niet huilen. We hebben het hier uitgebreid over gehad. Je wist dat het niet anders kon. De tijd begon te dringen. Alsjeblieft. Ik kan er niet tegen als je huilt. Moet je zien. Nu huil ik ook.’ Ze raapt de kleren op en legt ze op mijn schoot. ‘Hier, alsjeblieft. Kleed je aan. En hou alsjeblieft op met huilen.’

Ik haal mijn handen van mijn gezicht en laat haar mijn droge ogen zien. ‘Ik huil niet. Over dit soort dingen huil je niet. Je wordt kwaad. Je onderneemt actie.’

Fiona haalt haar vingers door haar haar en wrijft in haar ogen. ‘Ik snap niets van je, mam. Jij stort nooit in. Niet bij dit soort dingen, niet bij de dood van papa. Zelfs niet bij oma’s overlijden.’

‘Dat is niet waar,’ zeg ik.

‘Wat is niet waar? Dat van papa of oma?’

‘Wat je vader en ik hadden, was iets van onszelf. Ik heb op mijn eigen manier gerouwd.’

'En hoe zat dat met oma? Ik was pas negen, maar ik herinner me dat je weer thuiskwam uit Philadelphia. Vlak voor etenstijd. Ik zat aan de keukentafel mijn huiswerk te maken.'

'Wacht, dat lijk ik me zowaar te herinneren.'

'Je kwam binnen, verkleedde je, ging zitten en at bordenvol. Geroosterde kip met aardappelpuree, door Amanda klaargemaakt. Zij en Peter aten met ons mee. Papa was weg, had weer een van zijn zakenreisjes. Mark was naar de footballtraining. We zaten daar en praatten alleen over ditjes en datjes. Over je recentste operaties. Over Amanda's eigenzinnige leerlingen. Mijn wiskundecijfers. Terwijl je moeder net overleden was.'

'Daar kon ik toch niets aan doen?'

'Maar ze was je moeder! Je moeder! Dan hoor je toch in elk geval een beetje verdrietig te zijn?'

'Natuurlijk, tenzij je een onmens bent.'

'Maar dat was je niet.'

'Dat weet je niet,' zeg ik. 'Dat kun je gewoon niet weten.'

Ik schreeuw zo ongeveer. Een in het lavendelblauw geklede vrouw met een badge op haar hemd loopt aan mijn open deur voorbij, werpt een blik naar binnen, ziet Fiona, aarzelt en loopt verder.

'Ik was erbij, mam. Of had je het allemaal al verwerkt tijdens die twee uur durende vlucht tussen Philadelphia en O'Hare?'

'Maar dat was niet de dag dat ik mijn moeder verloor.'

Ik begin me aan te kleden. Daarbij heb ik al mijn aandacht nodig. Dit is de broek. Eerst de ene pijp, daarna de andere. Het shirt. Drie gaten. Het grootste voor mijn hoofd. Trek het over je heen tot je nek. Zo.

‘Een dag eerder dan.’

‘Nee, ik was haar al jaren daarvoor verloren.’

Ik vind mijn instappers. Ik ga staan en houd me vast aan het bed. Ik tast de vloer af, voel dat hij vastigheid biedt en ga recht staan. Volledig gekleed. ‘Waar is mijn koffer? En de transferverpleegkundige?’

‘Hier, doe je haar even.’ Ze geeft me een kam. ‘Je bedoelt…?’

‘Op het moment dat mijn moeder stierf, was ze allang verdwenen. Haar geest was weggerot. De laatste acht jaar van haar leven herkende ze helemaal niemand meer.’

Ik loop om het bed heen en zoek iets wat ik niet kan vinden.

‘O, nu begrijp ik het. Ik begrijp wat je wilt zeggen. Ik snap het.’

‘Nee, volgens mij snap je het niet. Volgens mij is dat onmogelijk. Tenzij je zoiets zelf ook hebt meegemaakt.’

Fiona glimlacht flauw. ‘Hoe heb jij het dan beleefd, mam?’

‘Alsof mijn gevoelens langzaam opgevreten werden door mieren. Eerst knaagden ze alleen aan de randen, daarna drongen ze steeds dieper door totdat er niets resteerde. Ze beroofden me van de kans om fatsoenlijk afscheid van haar te nemen. Je denkt steeds dat dat morgen of volgende week nog wel kan. Je denkt dat er nog tijd genoeg is.

Maar ondertussen knagen de mieren verder. Voordat je het beseft, is het niet langer mogelijk het verlies werkelijk en spontaan te ervaren. De meesten doen vanaf dat moment slechts alsof. Ik kan dat niet. Daarom ben ik niet naar de begrafenis gegaan. Daarom heb ik niet getreurd.’

‘Ik kan me daar niets bij voorstellen.’

‘Dat kan. Geloof me nou maar.’

‘Misschien bij jou, niet bij mij.’

‘Dat denk je, maar je weet het niet zeker.’

‘Ik weet het wel zeker. Het dringt allemaal nog erg goed tot me door. Daar weet je niets van.’

‘Goed, kennelijk niet dan. Hoe luidt die uitdrukking ook al weer? “Andermans leed is makkelijk te dragen.” Het spijt me. Het spijt me voor jou en je verdriet, maar ik heb nu genoeg van deze sombere praatjes. Ik wil naar huis. Laten we gaan.’

Ik ga weer op zoek naar mijn koffer. ‘Ik had hem hier neergelegd. Naast het bed.’

‘Nee, mama.’

‘Wat nou “nee”? Ik ben er klaar voor. Ik heb gisterenavond al gepakt.’

‘Mam, je pakt elke avond je koffer. En elke ochtend ruimen de verzorgsters hem weer uit.’

‘Waarom doen ze dat?’

‘Omdat je nu hier woont. Omdat dit je thuis is, begrijp je? Kijk naar je spullen. Kijk naar je foto’s! Hier heb ik er een waarop we allemaal staan, toen Mark zijn diploma van de middelbare school kreeg.’

‘Ja, ik mis mijn kinderen. Op een dag waren ze verdwenen.’

‘We gingen naar de universiteit, mam.’

‘Ik vond het leuker toen ze nog thuis woonden. Ik deed mijn best om me er niets van aan te trekken, maar het raakte me wel.’

'Nou, er is hier meer dan genoeg gezelschap. Ik zag in de eetzaal een hele groep aan het ontbijt zitten. Ze lachten en praatten met elkaar. Eigenlijk moet jij er ook heen. Even iets eten. Daarna voel je je beter.'

'Maar het is tijd om naar huis te gaan. Ik ontbijt thuis wel.'

'Nee, nog niet. En je wilt je gastheren toch niet beledigen?'

'Wat een stompzinnige vraag. Je houdt gasten toch niet tegen hun wil vast? Welke gastheer zou dat doen? Laten we gewoon gaan. Ze begrijpen het wel. Ik stuur later wel een kaartje om hen te bedanken. Soms moet je de etiquette even loslaten.'

'Mam, het spijt me.'

'Wat spijt je? Ik ben er klaar voor.'

'Mam, het kan niet. Je woont nu hier.'

'Niet waar.'

'Mam, je maakt me intens verdrietig.'

Ik laat de koffer maar zitten en loop naar de deur.

'Als jij me niet thuis wil brengen, neem ik wel een taxi.'

'Mam, ik moet ervandoor en jij blijft hier.'

De tranen lopen over haar wangen. Ze loopt naar de deuropening, zwaait, wenkt de vrouw die eerder voorbijliep. 'Ik heb hulp nodig.'

Plotseling zijn er anderen in de kamer. Ik ken niemand. Vreemde gezichten. Ze houden me vast, willen voorkomen dat ik Fiona achternaloop en zeggen dat ik rustig moet blijven. Waarom moet ik rustig zijn? Waarom moet ik die pil slikken? Ik klem mijn kaken op elkaar zodat ik hem niet hoef te slikken. Ik wil mijn armen los worstelen. De ene hebben ze op mijn rug gedraaid, de andere houden ze recht. Een prik en een pijnscheut in de holte van mijn arm.

Ik stribbel tegen, maar voel de kracht uit mijn lichaam vloeien. Ik sluit mijn ogen. De kamer draait. Ik word tegen een meeverende oppervlakte gedrukt, die bedekt is met iets warms en zachts.

'Die blijft wel een tijdje buiten bewustzijn.'

'Mooi! Wat is die sterk, zeg. Hoe kwam dat nou?'

'Geen idee. Haar dochter was op bezoek. Doorgaans vrolijkt dat haar op. In tegenstelling tot de bezoekjes van haar zoon.'

'Waarom zitten wij nog steeds met haar opgescheept?'

'Invloedrijke vrienden. Ze was een of andere hoge pief, een belangrijke arts.'

Ik wil me vastklampen aan hun woorden, maar ze verdampen. Het geklets van wezens die me vreemd zijn. Ik til mijn rechterarm op, laat hem daarna weer vallen. Nog een keer. En opnieuw. Dat stelt me gerust en hypnotiseert. Ik herhaal de beweging totdat mijn arm te zwaar is om nog op te tillen. Daarna een verrukkelijke slaap.

*

Ik open mijn ogen en zie James. Een ontzettend kwade James. Vreemd. Doorgaans laat hij zijn ongenoegen blijken door te weigeren van een van de zeldzame door mij klaargemaakte maaltijden te eten of door pas op het laatste moment binnen te vallen op een verjaardagsfeestje van Fiona of Mark. Een keer smeet hij mijn favoriete paar gymschoenen, die zo lekker ingelopen waren, in de tuin. Ik droeg ze altijd bij mijn langste en moeilijkste operaties. Toen ik ze weer terugvond, zaten ze onder de modder en vol oorwurmen.

'Wat is er? Wat is er gebeurd?' vraag ik.

Hij heeft geen aandacht voor me. Hij is niet kwaad op mij.

'Wie heeft haar binnengelaten?' vraagt hij. Hij heeft het tegen de andere vrouw in de kamer. Ze draagt een groen uniform en een naamplaatje. ANA.

'We wisten niet dat dat niet mocht,' zegt ze.

'Ik heb nadrukkelijk gezegd dat mijn moeder alleen bezocht mag worden door degenen die op de lijst staan. De lijst die ik aan Laura heb gegeven.'

'Laura houdt niet in de gaten wie er allemaal de afdeling op loopt.'

'Wie doet dat wel?'

'Niemand speciaal. Degene die dienst heeft. We hebben een heel beveiligingssysteem. Ze moeten hun naam noteren en een identiteitsbewijs laten zien. En ze kunnen alleen naar buiten als we de deur voor hen opendoen. Het is een gesloten afdeling, zoals u weet.'

'Wie had er dienst die dag?'

'Dat weet ik niet. Dat moet je Laura vragen.'

'Dat doe ik. Dat ga ik absoluut doen.'

'Meneer McLennan?' Een lange vrouw met grijze, strak naar achteren gekamde haren is de kamer binnengekomen. Ze draagt een jasje, even kastanjebruin als de vloerbedekking, en een zwarte rok tot op de knie. Praktische schoenen. Het soort kleding dat ik aanhad wanneer ik geen operatiekleding droeg.

'Laura,' zegt James.

'Ik begrijp dat u nogal boos bent omdat in uw ogen de beveiliging heeft gefaald.'

'Ja,' zegt hij, 'behoorlijk.'

'Het was een politiefunctionaris die met een onderzoek bezig is. Ze heeft haar identiteitsbewijs laten zien en bij binnenkomst en vertrek haar naam genoteerd. Het is volgens de regels gegaan.'

'Heeft ze mijn moeder haar rechten verteld?'

'Dat zou ik niet weten. Sorry.'

James' gezicht wordt rood. We staan op het punt iets bijzonders mee te maken: James die zijn kalmte verliest. Hij weet bijna altijd beheerst te blijven. Zelfs in de rechtszaal praat hij zo zacht mogelijk, wat een theatraal effect heeft. Iedereen moet zich naar hem toebuigen en zich inspannen om hem te verstaan. Geen jury die zo aandachtig luistert als wanneer James met genoegen de redenen mompelt waarom de verdachte vrijgesproken moet worden.

Maar voordat het tot een uitbarsting komt, merkt James dat ik wakker ben. 'Mam,' zegt hij en bukt voorover om me halfslachtig te omhelzen. Voor zijn doen draagt hij vreemde kleren. Niet zijn vrijetijdskloffie van spijkerbroek en T-shirt. Ook geen zakelijke kleding. Geen pak. Een huidkleurige katoenen broek, een wit overhemd en zwarte sneakers. Maar hij is jong, levenslustig en even knap als altijd.

'Waarom noem je me zo. Ik ben het, James. Jennifer. Wat ben ik blij je weer te zien!'

Zijn gezicht ontspant zich. Hij gaat op de rand van mijn bed zitten en pakt mijn hand. 'Hoe gaat het met je?'

'Goed. Uitstekend zelfs. Ik mis je. Je ziet er moe uit. Ze laten je te hard werken. Hoe was het in New York?'

'New York was prima,' zegt hij. 'Ik was daar helemaal in de wolken. Ben in de stad compleet uit mijn dak gegaan.' Hij streelt mijn hand.

'Je neemt me niet serieus,' zeg ik. 'Ik heb ook gevoelens. Praat niet tegen me alsof ik een of andere idioot ben. Wat was er ook alweer? De zaak-Lewis toch? Een twijfelachtige getuigenverklaring? Ging het goed?'

'Het spijt me, mam, je hebt helemaal gelijk. Ik nam je niet serieus. Dat overkomt je hier waarschijnlijk al genoeg.' Hij werpt een blik op de grijze vrouw achter hem. 'Ik kom straks nog even met u praten,' zegt hij.

Zijn stem heeft een onheilspellende toon. Zijn gezicht is ook anders dan normaal. Dat komt door het licht. Zijn gelaat vervaagt. De trekken herschikken zich en gaan over in die van een niet-James.

'James? Waarom noem je me zo?'

'Mam, ik weet dat Fiona met je meegaat als je in de war bent. Dat moet zij weten, maar dat is nu eenmaal niet mijn manier van doen. Ik ben Mark. Jij bent mijn moeder. James is mijn vader. James is dood.'

'Meneer McLennan…' De vrouw met de grijze haren onderbreekt hem. Ze staat nog steeds bij mijn bed.

'Ik heb al gezegd dat ik straks naar uw kantoor kom. Zodra ik hier klaar ben.'

'James!' roep ik. Mijn woede verdwijnt en maakt plaats voor iets anders. Het lijkt wel angst.

'Als ik u een advies mag geven, meneer McLennan…'

'Nee, ik kan dit zelf wel af. Dank u.'

'James!'

'Rustig, mama. Er is niets aan de hand.'

'Goed,' zegt de grijze vrouw. Ze kijkt allesbehalve blij. 'Als ze opgewonden raakt, drukt u dan op die rode knop?'

Ze sluit de deur achter zich.

'James, waar ging dat over?'

'Ik ben James niet, mam. Ik ben Mark, je zoon.'

'Mark is een tiener. Hij heeft onlangs zijn rijbewijs gehaald. Vorige week heeft hij zonder het te vragen de auto gepakt. Hij heeft een maand huisarrest gekregen.'

'Ja, dat is inderdaad gebeurd. Lang geleden.' Niet-James glimlacht. 'Maar het duurde geen maand. Zoals gewoonlijk bond papa weer in. Volgens mij hoefde ik maar drie dagen binnen te blijven. Jij was woest.'

'Hij wist dankzij zijn charme onder alles uit te komen. Net als jij.'

Niet-James zucht. 'Ja, net als ik. Zo vader zo zoon.'

'James?'

'Laat maar zitten,' zegt hij. Hij pakt mijn hand en houdt hem tegen zijn wang.

'Je handen,' zegt hij. 'Papa zei altijd: "Onze levens liggen in de handen van je moeder. Wees er voorzichtig mee." Ik snapte niet wat hij daarmee bedoelde. Ik weet het eigenlijk nog steeds niet goed. Het had iets te maken met dat je de kern van ons gezin was. Dat was je echt.'

Hij haalt mijn hand van zijn wang en klemt hem tussen zijn eigen handen.

'Hij was erg trots op je. Dat is een ding dat zeker is. Toen ik klein was, nam hij me mee naar je werkkamer als jij nog aan het werk was in het ziekenhuis. Dan wees hij me op je diploma's en onderscheidingen. “Dit zijn de getuigenissen van een echte vrouw,” zei hij. Hij joeg me de stuipen op het lijf. Het is dus niet zo vreemd dat ik ongetrouwd ben.’

‘Je wilt niet naar iemands pijpen dansen.’

‘Nee, wat ik verder ook wil, dat in elk geval niet.’

Hij vervaagt snel in de schaduw. Ik kan zijn gezicht al niet meer zien, maar zijn hand is warm en tastbaar. Ik pak hem en hou hem vast.

‘Wil je me een plezier doen?’ vraagt hij.

‘Wat wil je?’

‘Praat tegen me. Vertel me hoe je leven nu is.’

‘Wat is dit voor spelletje, James?’

‘Ja, noem het maar een spel. Vertel gewoon wat je meemaakt. Wat je op een alledaagse dag doet. Wat je gisteren of vandaag hebt gedaan, wat je morgen gaat doen. Inclusief alle saaie details.’

‘Dat is een raar spel.’

‘Doe het voor mij. Je weet hoe het gaat. Je denkt iemand te kennen en neemt alles voor lief, maar daarna verlies je elkaar. Praat gewoon tegen me.’

‘Maar wat valt er in hemelsnaam te vertellen? Je weet alles al.’

‘Doe maar alsof dat niet zo is. Dat ik een vreemde ben. Laten we bij het begin beginnen. Hoe oud ben je?’

‘Vijfenveertig? Zesenveertig? Als je zo oud bent als ik, hou je dat niet meer zo bij.’

'Getrouwd, vanzelfsprekend.'

'Met jou.'

'Oké. En hoe oud zijn de kinderen?'

'Ik heb je al over Mark verteld.'

'O ja, die charmante, intelligente, verrukkelijke knul.'

'Mijn dochter is echter heel anders. Ze was een sociaal en extravert kind, maar sluit zich nu voor me af. Zo schijnt het te gaan bij meisjes. En ook dat ze uiteindelijk weer bij je terugkomen. Maar nu zitten we midden in de moeilijke jaren.'

'Dat is typisch iets van moeders en dochters.'

'Dat vermoed ik ook.'

'Ik weet zeker dat alles weer op zijn pootjes terechtkomt.'

'Beschik jij over voorspellende gaven?'

'Zoiets ja.'

'Het is in elk geval iets waar ik naar uitkijk.'

'Je zegt dat op zo'n verdrietige toon, maar je hebt een rijk leven.'

'Vrouwen maken tussen hun veertigste en vijftigste een moeilijke tijd door. Ik ben de eerste om dat toe te geven. Ik verlies mijn haar, mijn botten worden broos, ik ben mijn vruchtbaarheid kwijt. De laatste ademsnik van een stervend wezen. Ik kan niet wachten totdat deze periode voorbij is. Op de wedergeboorte.'

'Het is nu net alsof ik Amanda hoor.'

'Ja hè? Nou, we hebben een hechte band. Je neemt dingen van elkaar over.'

'Jullie vormden een geweldig duo. Toen ik klein was, dacht ik dat alle vrouwen als jij en Amanda waren. Wee degenen die mij niet behandelden zoals je vond dat ik behandeld moest worden! Engelen der wrake.'

'Het is een bijzonder mens.'

'Dat was ze inderdaad.' Hij zwijgt even. 'Heeft de rechercheur nog vragen over haar gesteld?'

'Welke rechercheur?'

'Een vrouw die eerder deze week hier was. Heeft ze nog gevraagd naar Amanda's vijanden? Of er iemand was die haar iets wilde aandoen?'

'O, ik stel me zo voor dat dat er flink wat waren. Dat kon bijna niet anders. Ze is een moeilijk mens. Een engel der wrake, zoals je net al zei. Dat kon ze als de beste: het kadaver vinden voordat het begon te rotten. Een grotere aasgier dan de aasgieren zelf.'

'Een leuke manier om je beste vriendin te typeren.'

'Ze zou het volstrekt met me eens zijn. Zodra ze een zwakke plek heeft ontdekt, gaat ze op haar prooi af.'

'En als jij een zwakke plek zag, wilde je hem helen.'

'Dat is niet de reden waarom ik chirurg ben geworden. In het geheel niet.'

'Hebben jullie ooit ruzie gehad?'

'Een paar keer. Dat betekende bijna het einde van onze vriendschap, maar de vrede werd ook nagenoeg meteen weer getekend. Zonder wapenstilstand zouden de gevolgen verschrikkelijk zijn geweest.'

‘Wat had een eind van jullie vriendschap dan betekend?’

‘Eenzaamheid voor mij. Voor haar weet ik het niet.’

‘Het klinkt eerder als een alliantie dan als vriendschap. Jullie lijken wel twee regeringsleiders, elk met een grote legermacht, die een verdrag sluiten.’

‘Ja, daar lijkt het ook wel een beetje op. Jammer genoeg heeft ze geen kinderen gekregen. Dan hadden we huwelijken kunnen regelen tussen onze huizen.’

‘Een dynastie kunnen creëren.’

‘Precies.’

‘Ik had nog wat meer vragen, maar je ziet er moe uit.’

‘Dat kan zijn. Ik had vandaag een lange dag vol operaties. Er zat een heel moeilijke tussen. Niet in technisch opzicht. Een kind met meningokokkensepsis. We hebben beide handen vanaf de pols moeten amputeren.’

‘Ik heb nooit begrepen hoe je dat werk kon doen.’

‘De vader was radeloos. Hij vroeg keer op keer: “Hoe moet dat nou met zijn katje. Hij is gek op zijn katje.” Hij maakte zich geen zorgen over eten, schrijven of pianospelen, maar alleen over het feit dat zijn kind niet langer de zachte kattenvacht kon voelen. Ik wilde hem geruststellen door te zeggen dat de huid op andere plekken even gevoelig is voor de aanraking van een vacht, maar dat hielp niet. We moesten hem bijna dezelfde verdoving geven als zijn zoon.’

‘Soms uit verdriet zich in zoiets. In de details. Soms is dat de enige manier waarop iemand er uiting aan kan geven.’

‘Ik zou het niet weten.’

'Hoezo niet?'

'Ik heb altijd alleen maar klein, hanteerbaar verdriet gekend. Zo klein dat ik het niet hoefde op te delen om het te kunnen verwerken. Behalve bij het verlies van mijn ouders, vanzelfsprekend. Mijn dierbare vader. Mijn onuitstaanbare moeder. En toen lukte het me om mijn verdriet op te delen, waardoor ik gespaard bleef voor de grootste ontzetting.'

'Daarmee heb je geluk gehad.'

'Ik ben je naam vergeten.'

'Mark.'

'Je komt me bekend voor.'

'Dat hoor ik vaker. Ik heb kennelijk zo'n gezicht.'

'Ik denk dat ik inderdaad moe ben.'

'Dan ga ik maar.'

'Ja. Zou je de deur achter je dicht willen doen?'

De knappe vreemdeling knikt, buigt voorover om me een kus op de wang te geven en vertrekt. Hij was maar een vreemde. Waarom mis ik hem dan zo erg?

'Wacht! Kom terug!' roep ik op bevelende toon.

Maar er komt niemand.

*

Wanneer ik een heldere dag heb, wanneer de muren van mijn omgeving wijken waardoor ik enigszins vooruit en achteruit kan zien, dan beraam ik plannen. Ik ben er niet zo goed in. Als ik naar de overvalfilms kijk waar James zo gek op is, ben ik altijd onder de indruk van de kunstgrepen waarmee de scenaristen op de proppen zijn gekomen. Mijn plannen zitten veel eenvoudiger in elkaar. Loop naar de deur. Wacht tot niemand kijkt. Open de deur en ga naar buiten. Naar huis. Barricadeer de voordeur tegen iedereen die wil binnendringen.

*

Ik kijk naar de foto in mijn hand met het duidelijke opschrift *Amanda, 5 mei 2003*. Is dat mijn handschrift?

Op de foto gaat Amanda eenvoudig maar streng gekleed in een zwart jasje en een zwarte broek. Haar dikke, blonde haar is in een zakelijke knot op haar achterhoofd samengebonden. Ze is net teruggekeerd van een of andere officiële bijeenkomst. De uitdrukking op haar gezicht is een mengeling van triomf en verbijstering. Langzaam begint alles weer te dagen.

Een van mijn ziekenhuiscollega's, wiens zoon op de school van Amanda zat, had me een verhaal over haar verteld. Het was een van de vele verhalen over haar die in onze buurt de ronde deden.

Dit verhaal was echter erger dan andere. Het betrof een geschiedenisleraar, een gladde jongen. Hij was gedrongen, zelfs kleiner dan sommige leerlingen, maar wond hen om zijn vingers. Een dikke bos verwarde zwarte haren en donkere ogen. Verfijnde trekken en een lage, meeslepende stem waarmee hij verrukkelijke verhalen vertelde over opstanden tegen het gezag, het rechtzetten van onrechtvaardigheden en de wraak voor misdaden. Zelfs Fiona, hoe levensmoe ook op haar dertiende, was helemaal in zijn ban.

Ouders hielden hem zorgvuldig in de gaten, vooral als het hun dochters betrof, maar nooit wees ook maar iets op onfatsoenlijk gedrag van zijn kant. Als hij een gesprek had met een leerling liet hij altijd de deur open en buiten schooltijd legde hij nooit ofte nimmer contact met zijn leerlingen. Hij raakte hen nooit aan. Zelfs geen onopzettelijke hand op de arm.

Waarom had Amanda zo'n hekel aan hem? Misschien omdat hij als leraar voor de makkelijke weg had gekozen. Hij gaf de voorkeur aan populariteit onder de leerlingen boven haar strengere en veel minder op prijs gestelde pedagogische methoden. In elk geval viel na een anonieme tip de politie zijn lokaal binnen waarbij op zijn computer pornografisch materiaal werd aangetroffen. Het leidde tot een enorm schandaal, maar omdat het een schoolcomputer was die meestal onbewaakt in een niet-afgesloten ruimte stond, aarzelde justitie om tot vervolging over te gaan. Hij nam niettemin ontslag. Ik denk omdat hij het niet kon verdragen dat zijn leerlingen hem niet langer als een held zagen. Al snel na zijn vertrek staken de eerste geruchten de kop op. Dat hij erin geluisd was, dat het allemaal opzet was geweest. Dat een machtig persoon hem eruit wilde werken. Niemand noemde daarbij daadwerkelijk Amanda's naam.

Ik vroeg haar ernaar. Ik herinner me de dag dat de foto is genomen. Ze was even langsgekomen om gedag te zeggen en stond in de vestibule op mij te wachten.

'Heb jij misschien iets te maken met het vertrek van meneer Steven?' vroeg ik.

Tot mijn verbazing was ze meteen van slag. Heel erg zelfs. Ze zweeg even voordat ze antwoordde.

'Denk je dat ik tot zoiets in staat ben?' vroeg ze uiteindelijk.

'Dat is geen antwoord op mijn vraag.'

Ze zweeg opnieuw.

'Ik ben niet van plan je er een te geven,' zei ze. 'Per slot van rekening kan iedereen die dat pornografische materiaal op de computer heeft gezet, daarvoor worden vervolgd. Ik beroep me op mijn zwijgrecht.'

Ze glimlachte even. 'Wat doe je?' vroeg ze.

'Ik pak mijn fototoestel.'

'Waarom?'

'Om de uitdrukking op je gezicht vast te leggen.'

'Maar waarom dan?'

'Het is een bijzondere. Ik heb hem nog nooit eerder gezien. Hier. Klaar.'

'Ik geloof niet dat ik dit leuk vind.'

'Ik geloof niet dat me dat veel kan schelen,' zei ik. 'En nu ga ik, als je het niet erg vindt, mijn administratie doen.'

Ik deed de deur dicht in haar gezicht, iets wat ik niet eerder had durven doen. Als ik het me goed herinner, hebben we het hierbij gelaten. Zoals gewoonlijk hebben we nooit meer naar de kwestie verwezen, maar ik vond deze confrontatie veelbetekenend genoeg om de foto af te laten drukken en in mijn album te plakken. 'Hoe Amanda kijkt als ze wordt beschuldigd.' Ik had er nog bij kunnen zetten: 'Eindelijk eens een kleine overwinning voor Jennifer.'

*

Dubuffet, Gorky, Rauschenberg. Onze brede kunstsmaak was een bron van vermaak voor onze omgeving. Maar James en ik waren het altijd volledig met elkaar eens. Als we een bepaalde afdruk of litho zagen, wisten we zonder dat we elkaar daarvoor hoefden aan te kijken, dat we die beiden wilden hebben.

Het was een obsessie die toenam naarmate we meer geld hadden en die uitgroeide tot een verslaving. Soms kwamen we in de pijnlijke situatie terecht dat we ons iets echt niet konden veroorloven. In een Parijse galerie zagen we een keer een Chagall hangen: *L'événement*. Liefde en dood, liefde en geloof. Onze favoriete thema's. We hebben het er jaren over gehad. Ik droomde er zelfs over, werd de bruid in de buik van de kip, liet me verleiden door de muziek die de zwevende violist speelde, dwaalde door een prachtige, diepblauw en warmrood gekleurde wereld. Het werk ging onze middelen ver te boven, maar als verwende kinderen bleven we ernaar verlangen.

*

Peter en Amanda hebben, vanzelfsprekend, geprobeerd een kind te verwekken. Ik denk dat haar eitjes onvoldoende doorzettingsvermogen hadden om zich te nestelen in haar ondoordringbare baarmoeder. Ze was een en al pantser. 'Een taaie ouwe tang,' hoorde ik een buurman tijdens een feestje zeggen. 'Een kreng uit duizenden,' was de reactie. Maar zo was ze niet altijd. Nee. Zoals ze bijvoorbeeld met Fiona omging. Ze nam haar taak als Fiona's peetmoeder serieus, ook al was dat begonnen als grap.

Fiona is nooit gedoopt. Heidens als we waren, hadden we ook geen enkele intentie om zoiets te doen. De dag nadat ik met Fiona was thuisgekomen, kwamen Amanda en Peter op bezoek met een fles champagne. Bij die gelegenheid deelde ik mee dat ik Amanda als Fiona's peetmoeder wilde.

'Zo'n petemoei als uit een spookje?' vroeg Peter plagend.

Ik dompelde mijn vingers in mijn champagneglas en sprenkelde wat bubbels over Fiona's kleine, gerimpelde, rode voorhoofd. Ze werd wakker en liet een klagerig huiltje horen.

Amanda was helemaal ontdaan van mijn mededeling.

'Maar wat als mijn doopwens uiteindelijk een vervloeking blijkt?' Ze zette een andere stem op. 'Op de dag dat jij vijftien jaren oud wordt, zul je je prikken aan...'

We lachten. 'Nee, spreek een echte zegen uit,' drong James bij haar aan.

'Goed dan,' zei Amanda en ze schraapte haar keel. Tot onze verbazing werd ze opeens plechtig. Ze was vaak ernstig, maar nooit plechtig.

'Fiona Sarah White McLennan. Jij zult de vele sterke kanten van je beide moeders erven,' zei ze. 'Zowel van je echte moeder,' – ze hief het glas op mij – 'als van je peetmoeder.' Ze bracht een toost op zichzelf uit en nam een slokje. 'En wat er ook gebeurt, je mag rekenen op de liefde en steun van ons beiden. Alleen de dood kan of zal ons van jou scheiden. Vergeet dat nooit.'

Tot besluit sprenkelde ook Amanda wat champagne op Fiona's voorhoofd.

Ik heb een van die momenten. Zo'n moment waarop ik dingen opeens van een andere kant zie, even wat duizeligheid en daarna een inzicht. Opeens zie ik wat Fiona doormaakt. Amanda is al verdwenen. Ik glijd langzaam weg. Elke dag brengt een beetje dood. Een drie dagen oude Fiona kreeg te horen dat ze nooit van ons kan scheiden, dat ze nooit zal vergeten. Het is inderdaad een vervloeking gebleken.

*

Tegenover me zit een roodharige vrouw. Ze kent me, zegt ze. Haar gezicht komt me bekend voor, maar haar naam weet ik niet. Ze zegt hem me, maar hij lost op.

'Hoe gaat het met je?' vraagt ze.

'Nou, ik vertel dit lang niet iedereen,' zeg ik, 'maar mijn geheugen is naar zijn mallemoer.'

'Echt? Wat akelig.'

'Inderdaad,' zeg ik.

'Ik ben benieuwd,' zegt de vrouw, 'of je je mij nog herinnert.'

Ik kijk haar aan. Ik heb het idee dat ik haar moet kennen, maar iets klopt er niet.

'Ik ben Magdalena,' zegt ze. 'Ik heb mijn haar geverfd. Daar had ik gewoon zin in. Maar ik ben het nog wel.' Ze plukt aan haar haar. 'Weet je het weer?'

Ik probeer me haar te herinneren en tuur naar haar gezicht. Ze heeft bruine ogen en is nog jong. Aan de jonge kant. Ze is te oud om nog kinderen te krijgen, maar jonger dan ik. Een melancholiek gezicht. Ik schud het hoofd.

'Mooi,' zegt ze.

Dat is een aangename verrassing. De meesten zijn verdrietig of boos als ik dat zeg. Gekwetst.

'Ik heb een luisterend oor nodig,' zegt de vrouw. 'Ik wil mijn verhaal kwijt zonder dat het blijft hangen. Het is een soort biecht, maar ik wil niet dat die wordt onthouden, al zou iemand me nog zo plechtig beloven om het geheim te houden. En ik wil het niet op de traditionele manier opbiechten en vervolgens boete doen, want dat heb ik allang gedaan. Ik heb er al genoeg onder geleden. Het mooie is dat ik je zelfs niet hoef te vragen om het niet door te vertellen.'

Ik heb geen bezwaren. Het is een lome dag. De kinderen zijn naar school. Er staan geen operaties op het programma. Ik knik ten teken dat ze door mag gaan.

Ze haalt diep adem. 'Ik heb drugs verkocht. Aan kinderen. Ik nam mijn kleinkinderen mee naar de speelplaats van de school. Ik verkocht van alles. Wiet, natuurlijk. Maar ook xtc, speed, zelfs lsd.'

Ze zwijgt en kijkt me aan. 'Je schrikt er niet van,' zegt ze. 'Dat begint al goed.'

Ze vervolgt: 'Op een dag vindt een van mijn kleinkinderen mijn voorraad en slikt wat lsd. Ze was nog maar drie jaar! Drie! Ik had geen idee wat ik moest doen. Ik kon haar moeilijk naar het ziekenhuis brengen. Ik ben met haar in een verduisterde kamer gaan zitten en heb haar hand vastgehouden terwijl ze het uitgilde. Ze gilde en gilde maar. Urenlang.'

De roodharige vrouw slaat haar handen voor haar ogen. Ik blijf geduldig. Ik laat haar haar verhaal doen.

'Ze was enigszins gekalmeerd toen mijn dochter haar kwam ophalen, maar nog niet voldoende. Mijn dochter had eerder al zo haar vermoedens. Ze wist dat ik gebruikte. Ze wist dat ik nog steeds contacten had. Dit was het definitieve einde. Ze heeft me niet aangegeven. Ze twijfelde, maar heeft het niet gedaan. Ze zei dat ik hulp moest zoeken, van mijn verslaving af moest. Als ik dat deed, ging ze me niet aangeven. Maar ze wilde me ook nooit meer zien. Dus toen ben ik naar een afkickkliniek gegaan. Maar toch ben ik mijn familie kwijtgeraakt.'

Ik zeg niets. In de kliniek wemelt het van de doorgedraaide tieners. Af en toe zit er een kind bij. Vooral kinderen die in de onderste laden van hun ouders, achter de sokken en het ondergoed, iets hadden gevonden. Soms ook eentje die het spul opzettelijk kreeg toegediend. Ik behandel iedereen en laat de justitiële en morele aspecten aan de staf over. Die gaan mij niet aan.

'Maar waarom vertel je me dit?' vraag ik.

'Ik wilde mijn verhaal kwijt. Aan iemand die niet verontwaardigd zou reageren of voor mij zou terugdeinzen. Jij houdt er praktische en tolerante opvattingen op na. Je vergeeft iemand zijn of haar zonden.'

'Nee,' zeg ik, 'ik zou dat geen vergevingsgezindheid willen noemen.'

'Nee? Maar vergevingsgezindheid staat toch gelijk aan het accepteren van wat iemand gedaan heeft zonder het die persoon nog langer kwalijk te nemen?'

'Om te kunnen vergeven, moet iets je persoonlijk raken. Dit raakt mij niet. Daarom geloof ik niet meer in God. Wie kan er iemand aanbidden die zo narcistisch is dat hij alles wat iemand doet, als een persoonlijke belediging ziet?'

'Dat meen je niet echt. Dat weet ik wel zeker.' Ze gebaart naar het beeldje van de Heilige Rita. 'Je gelooft nog wel. Dat heb ik gemerkt.'

'Hoe heet je?'

'Magdalena. Herinner je je nog iets van wat ik je heb verteld?'

Ik doe alsof ik nadenk hoewel ik het antwoord al weet. 'Nee,' zeg ik ten slotte. Ik wacht op de verontwaardigde uitroepen, de geheugensteuntjes met een beschuldigende ondertoon. Maar die blijven uit. In plaats daarvan opluchting. Nee, iets groters. Bevrijding.

'Dank je wel,' zegt ze, en loopt de kamer uit.

*

Er is een man in mijn kamer. Hyperactief. Opgefokt over iets. Grote pupillen, nerveus, te snelle bewegingen door mijn kamer. Hij raakt mijn spullen aan, pakt ze op en zet ze vervolgens weer terug. Mijn kam. De foto van een man, een vrouw, een jongen en een meisje. Hij grijnst ernaar en zet hem weer neer.

Hij draagt een zwarte broek, een gestreken wit met blauw overhemd en een stropdas. Hij lijkt niet helemaal op zijn gemak.

We zitten kennelijk midden in een gesprek, maar ik ben de draad kwijt.

'Dus toen heb ik haar gezegd dat het tijd is voor een wapenstilstand. Geen bekvechterij meer. Per slot van rekening waren we altijd zo hecht. Ze was het daarmee eens, maar had duidelijk nog haar bedenkingen. Altijd op haar hoede. Altijd het zekere voor het onzekere nemend.'

'Waar heb je het over?' vraag ik. Tot mijn ontsteltenis zie ik dat hij zijn vinger langs de rand van mijn Renoir laat gaan. Zijn vingers komen gevaarlijk dicht in de buurt van de rode hoed van de vrouw.

'Laat maar zitten. Ik klets maar wat, wil het gesprek een beetje op gang houden. Maar nu is het jouw beurt. Vertel eens iets.' Hij opent en sluit de bovenste lade van mijn bureau, schuift hem open en dicht, open en dicht.

'Zoals?' Ik word duizelig van al zijn bewegingen. Hij is alweer in actie gekomen, vliegt van het ene voorwerp naar het andere, bekijkt alles bijzonder aandachtig.

Hij lijkt vooral gefascineerd door mijn schilderijen. Hij loopt van de Renoir naar de Calder, van de linkerkant van de kamer naar de rechter en dan naar het midden, waar mijn Driehandige Theotokos boven de deur haar gloed verspreidt.

Er is een verband. Er is iets met deze man en dit voorwerp. Een geschiedenis.

'Vertel eens wat je vandaag hebt gedaan.' Hij gaat even op de stoel naast mijn bed zitten, staat weer snel op en gaat verder met ijsberen.

'Het valt me makkelijker je te vertellen wat er vijftig jaar geleden is gebeurd,' zeg ik. Ik kom moeizaam het bed uit waarbij ik steun zoek aan de leuning. Ik wikkel mijn nachthemd om me heen om een schijn van zedigheid te wekken. Ik ga in de stoel zitten die hij zojuist heeft verlaten.

'Vertel maar dan. Iets wat ik nog niet weet.'

'Wie ben jij ook alweer?'

'Mark, je zoon. Je lievelingszoon.'

'Mijn lievelingszoon?'

‘Dat was een grapje. Ik heb weinig concurrentie op dat punt.’

‘Je doet me denken aan iemand die ik ken.’

‘Ik ben blij dat te horen.’

‘Een jongen die in het studentenhuis van Northwestern woonde. Even donker en rusteloos als jij.’

De man staakt zijn bewegingen. Ik heb zijn aandacht. ‘Vertel eens wat meer over hem,’ zegt hij.

‘Er valt eigenlijk niet zoveel te vertellen. Het was een beetje een versierder. Een nogal lastig persoon. Hij klopte steeds weer aan mijn deur en probeerde me dan over te halen om mijn boeken te laten liggen en samen op pad te gaan.’

‘Waar je vast en zeker niet op inging. Gebeurde dit toen je geneeskunde studeerde?’

‘Nee, eerder. Toen ik nog historicus wilde worden.’ Ik glimlach om de onwaarschijnlijkheid van mijn woorden.

‘Waardoor ben je van gedachten veranderd?’ De man is tegen de deurpost op de grond gaan zitten en trommelt met zijn vingers op zijn borst.

‘Door mijn proefschrift. Over het conflict binnen de middeleeuwse medische stand over het toepassen van traditionele volksgeneeswijzen of het volgen van de voorschriften zoals die door Avicenna in zijn *Canon der geneeskunst* waren neergelegd.’

‘Zo zeg. Ben ik even blij dat ik je daarnaar vroeg.’

‘Ik was zowel afgestudeerd in geschiedenis als in biologie. In mijn proefschrift wilde ik mijn beide voorliefdes met elkaar combineren, maar ik werd verliefd op de *Canon*. Ik bezocht steeds vaker de medische faculteit om docenten en studenten te interviewen en om te observeren. Ik was vooral gefascineerd door ontledingen. Ik moest en zou ook een scalpel in handen krijgen. Een van de studenten merkte dat op. Hij stond toe dat ik steeds met hem meeliep, nam me 's avonds mee naar de snijzaal, liet zien welke operatiemethoden hij leerde, legde het mes in mijn hand en begeleidde me bij mijn eerste incisies.'

'Dokter Tsien?'

'Ja, Carl.'

'Hebben jullie elkaar zo leren kennen? Dat wist ik niet.'

Mijn eerste leermeester.

'Ik ben altijd benieuwd geweest of jullie iets hadden. Een romance, bedoel ik.'

'Nee, nooit. Hij zag in mij een even grote fanaticus als hijzelf was. Hij was de eerste aan wie ik vertelde dat ik mijn proefschrift niet wilde afmaken, maar geneeskunde wilde studeren. Hij was mijn grootste steun toen ik voor orthopedie koos. De gevestigde medische orde kon zich bepaald niet vinden in het idee van een vrouw als orthopedisch chirurg.'

'En hoe zit dat met die gozer, dat feestbeest in jullie studentenhuis?' De man glimlacht spottend.

'O ja, hij. Nog zo'n ongepland uitstapje. Mijn leven was toen vol verrassingen. Verrassingen die ik zelf creëerde. Zoveel omwentelingen, zoveel doordachte plannen die op de schop gingen.'

'Jij en papa spraken nooit veel over jullie eerste jaren samen. Ik kreeg de indruk dat jullie in die periode in een soort roes verkeerden. De rechtenstudent en de dokter in spe. Uit alles blijkt dat jullie stapelgek op elkaar waren. Dokter Tsien vertelde er weleens over, waarbij naar mijn mening altijd wat jaloezie doorklonk.'

'Ja, zo was het inderdaad.'

'Volgens mij heb je niet zoveel zin om erover te praten. Dat had pap ook nooit.'

'Ik praat er liever niet over.'

'Omdat...?'

'Omdat niet alles uitgeplozen hoeft te worden. Sommige mysteries worden overgeleverd en niet opgelost. We hebben elkaar gevonden en dat, in tegenstelling tot vele anderen, nooit betreurd.'

De jongeman pakt zijn zachte leren tas op, buigt zich over me heen en strijkt met zijn lippen over mijn wang.

'Dag mam. Tot volgende week. Als het werk het toelaat waarschijnlijk dinsdag.'

Ja, zijn gezicht komt me absoluut bekend voor. Het vindt op allerlei niveaus aansluiting in mijn geheugen. Later, tijdens het eten, kan ik eindelijk een naam aan het gezicht verbinden. 'James!' roep ik. De Vietnamveteraan schrikt daar zo erg van dat hij water over zijn broodpudding morst.

*

Ze maken me iets duidelijk, wijzen naar hun hoofd. Wijzen naar mijn hoofd, trekken aan mijn haar. Ik duw hun handen weg.

'De kapper. De kapper is er. Je bent aan de beurt.'

'Wat is een kapper?' vraag ik.

'Kom nou maar mee. Je zult ervan opknappen, zowel uiterlijk als innerlijk!'

Ik sta toe dat ze me op mijn voeten neerzetten en laat me stap voor stap door de zaal leiden, langs de leunstoelen met de dikke kussens, die strategisch in groepjes opgesteld zijn en met elkaar in gesprek lijken. Langs tafels vol verse bloemen. Wat is dit voor oord?

We komen een grote ruimte binnen met een glimmende tegelvloer. Langs een muur staan grote kasten vol plastic bakken gevuld met garen, gekleurd papier, stiften. Langs de tegenoverliggende muur een lang aanrecht met een spoelbak in het midden. Tafels en stoelen zijn allemaal aan de kant geschoven en op het midden van de vloer is een zeil van doorzichtig plastic neergelegd. Daarop staat een stoel van gegoten plastic. Een in het wit geklede vrouw staat ernaast.

'Wilt u eerst uw haren gewassen hebben voordat u wordt geknipt?' vraagt ze. 'Ja, volgens mij is dat een goed idee,' vervolgt ze, zonder het antwoord af te wachten.

Ze draait me om, duwt me licht maar beslist naar de spoelbak en buigt mijn hoofd. Mijn haar en nek worden op een beschamende manier gewassen en uitgespoeld, nogmaals gewassen en uitgespoeld. Daarna leidt ze me terug en zet me in de stoel, waarop ze een kam door mijn haar haalt.

'Wat zullen we vandaag eens doen.' De stem van een andere vrouw klinkt op. 'Kort, denk ik. Zo kort mogelijk. We hebben wat verzorgingsproblemen.'

De vrouw in het wit stemt daar opgewekt mee in. 'Uitstekend! Kort dus!'

Ik wil protesteren. Ik krijg regelmatig complimenten over mijn haar. Over de dikte en de kleur. Als James in een goede bui is, noemt hij me vaak liefkozend 'rooie'. 'Nee,' zeg ik, maar ik krijg geen reactie. Ik voel het kille staal tegen mijn hoofdhuid, hoor het knip-knip-knip van de schaar. Ik word geschoren als een schaap.

Er verzamelt zich een groepje kijkers. 'Ze lijkt wel een man,' zegt een vrouw luid, waarna ze tot stilte wordt gemaand. Ik denk na over haar woorden. Man. Vrouw. Man. Vrouw. Die woorden zijn betekenisloos. Wat ben ik nu werkelijk?

Ik kijk naar mijn lichaam. Het is mager, tenger, geslachtloos. Ingevallen borst, kippenpoten. Ik zie mijn dijbenen en knieschijven door mijn broek heen. Zo zonder sokken lijken mijn enkels doorschijnend en breekbaar. Het is alsof ze elk moment kunnen breken als er te veel gewicht op komt te rusten.

'U ziet er prachtig uit,' zegt de kapster. 'Net Jeanne d'Arc.' Ze houdt me een handspiegel voor. 'Ziet u wel. Dat is veel beter.'

Ik herken het gezicht niet meer. Vel over been, te geprononceerde jukbeenderen en te grote, te verdwaasde ogen. Wijde pupillen. Alsof de ogen voortdurende visioenen zien. Vervolgens een steelse, tevreden glimlach. Als om ze te verwelkomen.

*

Iets bij mijn enkels zit me dwars. Iets harigs. Hond. Het is Hond. Hoe gaat die grap ook alweer? Die ene over die dyslectische atheïst die aan slapeloosheid leed. Inmiddels ben ik zelf die grap geworden.

*

Het is me gelukt om vanochtend mijn pillen niet te slikken, dus ik ben waakzaam. Ik leef. Voordat ik ze onder mijn matras verstop, bestudeer ik ze. Tweehonderd milligram Wellbutrin. Honderdvijftig milligram Seroquel. Hydrochloorthiazide, een diureticum. En eentje die me niet bekend voorkomt. Langwerpig en vaalbruin. Die wil ik beslist tussen mijn vingers fijnknijpen zodat ik de restanten in het kleed kan laten verdwijnen.

Ik loop drie rondjes door de grote zaal waarbij ik expres de bruine lijn negeer. Ik loop eroverheen, eromheen en stap er geen enkele keer op. 'Met één been op de stoep en één been in de goot, en als ik dat niet doe, dan ben ik morgen dood.' Rondje na rondje. Ik tel de deuren. Een. Twee. Drie. Vier. Slechts twintig in totaal. Vier staan er leeg.

Op mijn derde ronde blijf ik even bij de zware metalen deuren aan het uiteinde van de lange gang staan. Ik voel hoe door de spleet de warme lucht naar binnen drijft, zie door de kleine, dikke ruiten hoe de meedogenloze zon buiten op het betonnen trottoir brandt. Ik herinner me de zware, drukkende en afstompende zomers in Chicago, die je evenzeer als de bitterkoude winters dwongen binnenshuis of op kantoor te blijven.

James en ik spraken er weleens over om hieraan te ontsnappen als we beiden gepensioneerd waren. We fantaseerden over een mediterraan klimaat. Gematigde temperaturen, vlak bij de zee. Noord-Californië, San Francisco. Of zuidelijker langs de kust. Santa Cruz, San Luis Obispo. Lotusland. Of misschien echt naar het Middellandse Zeegebied. Nadat Fiona naar de universiteit was vertrokken, hebben James en ik een maand op Mallorca doorgebracht. Om ons voor te bereiden op het legenestsyndroom dat nooit zou komen.

Daarna hebben we wat gefantaseerd over een achttiende-eeuwse boerderij in Midden-Amerikaanse stijl met een grote tuin waar we onze eigen tomaten, pepers en bonen zouden verbouwen. Waar we in ons eigen voedsel zouden voorzien met zonnepanelen op het dak en een eigen put. Ver weg van iedereen. Ons onbewoonde eiland. Wie hielden we hiermee nou precies voor de gek? We wilden in elk geval, ieder op zijn eigen manier, uit beeld verdwijnen.

Een hand raakt me aan bij de elleboog.

'Zeg jongedame!' Een mannenstem. Hij heeft een prettige glimlach, maar zijn gezicht wordt ontsierd door een auberginekleurig, inoperabel hemangioom op zijn linkerwang.

*

Ik ben bijna klaar met lunchen als er iemand de stoel naast mij onder de tafel vandaan trekt en neerploft. Ik herken het gezicht, maar vandaag ben ik in een koppige stemming. Ik vraag niets. Echt niet. De vrouw lijkt er begrip voor te hebben.

'Ik ben rechercheur Luton,' zegt ze. 'Ik kom eventjes langs.'

Ik ga het haar niet makkelijk maken. Daarom pak ik het servet van mijn schoot, vouw het op en leg het dwars over mijn lege bord. Ik duw mijn stoel naar achteren om op te staan.

'Nee, wacht. Ik ben zo weer weg. Blijf toch even zitten.' Een jongeman in uniform loopt op ons af met de koffiepot in de hand. Ze knikt. Hij zet een kopje voor haar neer en schenkt in. Ze brengt het naar haar lippen en neemt er, alsof het een glas water is, keurige slokjes van.

'Ik was ergens naar onderweg. Mijn jaarlijkse bedevaartstocht. En ineens ontdekte ik dat ik hierheen reed. Dat is weer eens zo'n opwelling van me. Ik had ze vroeger veel vaker. Toen was ik veel spontaner.' Ze glimlacht. 'Een van de nadelen van het ouder worden.'

Ik knik. Ik snap niet wat ze zegt, maar mijn ongeduld vloeit weg. Deze persoon lijdt. Het is een toestand die ik herken.

'Maar hoe gaat het nu met je?' vraagt de vrouw.

'Dit is volgens mij een stap terug,' zeg ik. 'We zijn van de interessante kwesties terug bij de door het fatsoen voorgeschreven, betekenisloze vragen.'

In plaats van dat mijn onbeleefde woorden haar van slag brengen, lijkt de vrouw ermee ingenomen te zijn.

'Je bent in vorm, merk ik. Dat doet me deugd.'

'Wat kom je doen?' vraag ik.

'Zoals ik al zei, ben ik op bedevaart. Dit is er in zekere zin onderdeel van.'

'In welke zin?'

'Ik was onderweg naar de begraafplaats.'

'Iemand die ik ken?'

'Nee, totaal niet. In dat opzicht hebben we geen banden met elkaar. Onze omgang betreft een... professionele.' Ze gebaart dat ze nog meer koffie wil. 'Voornamelijk althans.'

'Ben je mijn arts?'

'Nee hoor, ik werk bij de politie. Ik ben rechercheur.'

Ze staart naar haar handen die ze strak om haar koffiekopje geklemd houdt. De seconden tikken weg. Ik ontdek dat ik inmiddels vooral nieuwsgierig ben geworden in plaats van geïrriteerd of ongeduldig. Ik wacht op wat er komt.

Eindelijk begint ze langzaam te praten.

'Mijn partner leed aan alzheimer. Dat begon al vroeg. Ze was stukken jonger dan jij. Nog maar vijfenveertig.'

Ik heb moeite om haar te volgen, maar ik merk dat ze emotioneel is en knik.

'Iedereen denkt dat het niets meer voorstelt dan dat je bent vergeten waar je sleutels liggen,' zegt ze. 'Of sommige woorden niet meer weet. Maar je hele persoonlijkheid verandert. De stemmingswisselingen. De vijandigheid, soms met geweld. Hoe lief en aardig die persoon normaal ook was. Je raakt degene van wie je hield kwijt en houdt slechts een omhulsel over.'

Ze zwijgt even. 'Snap je wat ik bedoel?'

Ik knik. 'Mijn moeder.'

De vrouw knikt ook. 'En je hoort van diegene te blijven houden, ook al is hij of zij in feite verdwenen. Je dient loyaal te blijven. Het is niet zozeer dat anderen dat van je verwachten, maar vooral dat je het van jezelf verwacht. Ondertussen verlang je naar een spoedig einde.'

Ze pakt mijn pols en tilt mijn arm behoedzaam de lucht in. Het is een zielig gezicht. Geen spierkracht. Een arm zo dun en dor als een kippenpoot. We kijken er allebei even naar. Daarna brengt ze hem even behoedzaam omlaag totdat hij weer in mijn schoot ligt.

'Ik was er helemaal kapot van,' zegt ze. 'En op de een of andere manier heb ik bij jou hetzelfde.' Ze zwijgt opnieuw.

Daarna is ze even plotseling weer verdwenen als ze was gekomen.

*

Een donkere nacht. Gestalten doemen op uit de schaduwen, verspreiden zich totdat ze zich net buiten mijn gezichtsveld bevinden. Het is een pikdonkere nacht en ik moet mijn bed uit, in beweging komen, maar word tegengehouden. Mijn armen en benen zijn strak aan het bed vastgebonden.

Ik daal af in mezelf. Ik gebruik al mijn wilskracht om het hier en nu te verruilen voor een ander oord. In mijn hoofd draait een tellertje. Ik hou mijn adem in en wacht af wat er gebeurt. De genoegens en gevaren van het tijdreizen.

Ik vind mezelf terug, terwijl ik mijn huis binnenga, waar ik word verwelkomd door de pijnkreten van een klein kind. Ik herken meteen de plek en het moment. Ik ben voor de tweede keer moeder geworden. Ik ben eenenveertig en ze is een maand oud. Haar halve leven heeft ze niets anders gedaan dan huilen. Elke dag van drie uur 's middags tot middernacht. Kolieken. Het redeloze krijsen van een baby. De Chinezen hebben het over 'honderd dagen huilen'. Ik heb nog vijfentachtig dagen te gaan.

Volgens de kinderarts is dit een bijzonder zwaar geval. Na een lange dag van opereren is het lawaai elke avond weer een aanslag op mijn zenuwen. Wanneer ik thuiskom, geeft Ana, de nanny, mij het kind en holt dan letterlijk weg. James en Mark verbergen zich achter gesloten deuren.

Ik zet kruisjes in mijn agenda zoals ik ook deed voordat de eerste werd geboren. We hebben de nieuwste medicijnen en alle theorieën van de moderne geneeskunde al toegepast. Ik eet geen melkproducten en granen meer, doe kattenkruid en gemberthee in haar flesje, los homeopathische koliektabletten op in mijn afgekolfde moedermelk. Maar niets werkt. Niets verzacht haar en onze pijn.

Om mijn gezin te sparen, zet ik de baby elke avond in de auto en ga rijden. Ik stop onderweg om te tanken of ergens een kop koffie te kopen. Zodra ik de winkel of de kroeg van het benzinestation binnenloop met het jammerende hoopje kleding verstommen alle gesprekken en laat iedereen me snel voorgaan.

Dit is ook zo'n avond. Ik neem een thermoskan koffie mee, zet de baby in de auto en ga op weg. Ik rij het liefst over de snelwegen, die lange linten van beton die, met uitzondering van het oosten, alle richtingen opgaan waardoor Chicago op een enorme spin lijkt.

Ik ga bij Fullerton Avenue de Kennedy-snelweg op, rij voorbij Diversey, Irving Park en het knooppunt met de Edens-snelweg naar het noorden tot aan O'Hare. De baby krijst de hele tijd zonder hoorbare pauzes om adem te halen.

Wat een afschuwelijke herrie. Soms stop ik even bij O'Hare om me met haar in de drukte te begeven, waarbij we in ons eigen vacuüm voortbewegen. Iedereen spoedt zich naar zijn onbekende bestemming en krijgt vanwege ons nog meer haast.

Deze avond rij ik voorbij O'Hare eerst verder naar het noorden, daarna noordwest door Arlington Heights en Rolling Meadows en nog verder totdat we buiten de stad zijn, op de lelijke, afstompende vlakten van Illinois waarvan de aanblik me altijd weer tegenstaat.

Het kind gaat door met kermen. Het is nog maar halftien 's avonds. Nog tweeënhalf uur te gaan. Al haar lichaamsvocht heeft door haar traanbuisjes haar lijfje allang verlaten. Inmiddels zijn het nog slechts droge snikken. Haar kleine lijf draait op volle toeren. Het stopt pas als de klok twaalf uur slaat, wanneer de wereld zich weer van zijn goede kant laat zien.

Dan zie ik voor mij zwaailichten en een groep mensen. Een ongeluk. Het ziet er ernstig uit. Ik stop, doe de baby in een draagzak die ik in mijn nek en bij de heup vastknoop en ga op onderzoek uit.

De mensen wijken uiteen op mijn nadering omdat Fiona's huilen net zo oorverdovend is als een willekeurige sirene. Boven haar lawaai en dat van de snelweg uit roep ik: 'Ik ben arts! Welke hulp kan ik verlenen?' Er ligt een motorrijder op de grond. Hij heeft een gecompliceerde beenbreuk. Het bot steekt eruit. Zijn gezicht is even bleek als het bot en hij knijpt zijn ogen dicht van de pijn.

Ik buig over hem heen. Door het gewicht van de baby verlies ik enigszins mijn evenwicht. Iedereen wijkt achteruit, zelfs het ambulancepersoneel. Ik onderzoek de jongeman, die intussen nog nauwelijks bij bewustzijn is. Een open dijbeenbreuk. Hij moet antibiotica hebben en heeft een wondspoeling en een intramedullaire spalk nodig.

Ik onderzoek de andere ledematen: zijn armen en het andere been. Daar is niets mee aan de hand, maar hij trekt steeds witter weg. Zijn ademhaling versnelt. Hij heeft overduidelijk veel pijn en is bijna in shock. Ik wend me tot de ambulancebroeders en zeg dat ze hem naar de dichtstbijzijnde eerste hulp moeten brengen en dat ze hem tegen de pijn eerst tien milligram morfinesulfaat moeten geven.

De baby gaat de hele tijd door met jammeren. Iedereen deinst steeds verder achteruit, met uitzondering van de op de grond liggende motorrijder. Het lukt hem iets te gebaren.

Een van de ambulancebroeders lijkt te begrijpen wat hij bedoelt en schreeuwt iets naar me. Ik versta hem niet omdat juist op dat moment de baby een enorm harde pijnkreet uitstoot. De broeder probeert het opnieuw, zet zijn handen als een toeter aan zijn mond en brult wat hij zeggen wil.

'Bedankt voor al uw hulp,' zegt hij, terwijl hij eerst een stap in mijn richting zet, maar dan weer terugdeinst. 'Maar wilt u ons nu allemaal een plezier doen?' 'Natuurlijk!' schreeuw ik terug. 'Wat moet ik doen?' Hij weifelt. 'We waarderen het bijzonder wat u hebt gedaan!' gilt hij. Hij haalt diep adem. 'Maar wilt u nu alstublieft weggaan?'

Ik draai me om om te vertrekken maar kan me niet bewegen. Opeens lig ik weer in mijn zachte bed met de banden die om mijn armen en benen knellen. Ik voel nog steeds een klein warm lijf tegen me aan, maar het maakt geen geluid, is harig en stinkt. Hond. Ik verwelkom de stilte, maar vraag me af hoelang het nog duurt. Hoelang duurt het nog voordat de cirkel rond is en ik verval tot die staat van onuitspreekbare woede en pijn waarin Fiona haar leven begon? Niet lang. Niet lang meer. Ik open mijn mond en begin.

*

Ik hou van tastbare voorwerpen. Het houtsnijwerk van een prachtig gevlamde kandelaar. Ik denk dat hij van mahonie is. Een ketting van gebedskralen met de amulet van het Turkse boze oog als hanger. Een porseleinen theekopje, versierd met koningsblauwe tierelantijnen.

En de das. Een eenvoudige, roomkleurige, wollen das. Hij is lang. Lang genoeg om van het hoofdeind tot aan het voeteneind van mijn bed te reiken. Als ik hem rond mijn hoofd en de onderste helft van mijn gezicht wikkel, is hij bij uitstek geschikt om me te beschermen tegen de winters van Chicago.

Ik herinner me de winters. Eén keer zaten we een week zonder verwarming waardoor het water in de wc-pot bevroor. We moesten elders onderdak vinden. James wilde per se naar het Ambassador East-hotel. Een onzinnige keuze, aangezien de kinderen nog jong waren en alle luxe niet aan ons was besteed. We sliepen met zijn allen in één bed. Fiona kroop over ons heen en haar adem kriebelde onze wangen. Het was fantastisch! James schoor Mark. Hij smeerde scheerzeep met menthol over zijn zesjarige gezicht en trok het mes voorzichtig over zijn donzige wangen. Ik lakte de nagels van de baby felroze. We aten elke avond in de Pump Room, het befaamde restaurant van het hotel. De keuken bereidde elke avond macaroni met kaas voor de kinderen, James en ik aten kreeftrisotto en kalfskoteletten, en 's morgens eieren Benedict. De pittige halfzachte dooiers, de romige hollandaisesaus en de asperges die nog dagenlang nageurden in onze urine. Na het ontbijt nam Ana het over, zodat James en ik naar ons werk konden. Ik trok dikke lagen kleding aan, wikkelde die Ierse wollen das om en vertrok naar het ziekenhuis.

Dit simpele winterse kledingstuk roept al die herinneringen op. Ik heb hem niet langer nodig want de winter bestaat hier niet. Er bestaan hier helemaal geen seizoenen. Geen hitte. Geen koude. Zelfs het duister is verbannen. Ze zeiden: 'Er zij licht.' En zie: er was licht, voor eeuwig. Een gematigd klimaat voor onmatige mensen.

*

Een jongeman heeft belangstelling voor me. Hij is verliefd op de lerares. Samen met de andere vrouwen moet ik er hartelijk om lachen. Voor mannen is zoiets echter totaal niet lachwekkend. Ze kunnen er niets aan doen. Ze vallen als een blok. Voor hen is het een serieuze zaak, voor ons slechts vermaak.

Maar dan deze. De manier waarop hij naar me kijkt. Hij is knap. Maakt dat iets uit? Ja. Onder allerlei voorwendselen bezoekt hij me op mijn kamer. De ene keer doet hij alsof hij helemaal niets van peestranspositie begrijpt en de andere keer vraagt hij naar huidtransplantaties, de allersimpelste procedure.

Een keer legt hij me een raadsel voor, waarop ik gewoon antwoord geef omdat ik niet besef dat het een grap is. 'Wat zeg je wanneer iemand tegen je zegt: "Dokter, als ik hier druk doet het daar pijn"?' Ik antwoord gedachteloos: 'Zeg dan dat ze niet moeten drukken.' Hij lacht en voor het eerst kijk ik hem goed aan.

Je voelt je er jong door. Je voelt je er oud door. Het geeft je macht. Je wordt kwetsbaar.

Niets van dat alles. Ik had geen schuldgevoel, geen last van schaamte. Dat kwam niet alleen door James' gedrag. Ik wilde gewoon zien waar het toe leidde, het ergens laten stranden. Dit was compleet nieuw voor me.

Vaak laat je alle mogelijkheden open. Je verbrandt geen schepen achter je. Je laat de hopeloze gevallen schieten. Je zorgt ervoor dat je weet hoe je er weer van af kunt komen. In dit geval wist ik dat niet.

*

'Dag, mijn oude vriendin.'

Een kalende man van Aziatische afkomst met een accent dat verraadt dat hij in de Bronx is opgegroeid, komt naast me staan. Hij glimlacht vertrouwelijk naar me, alsof hij verwacht dat ik hem herken. Maar dat is niet zo.

'Ken ik jou?'

Ik spreek op een gereserveerde toon. Ik wil niet meer doen alsof. Niet meer glimlachen naar onbekenden.

'Ik ben Carl. Carl Tsien. We waren collega's. Bij het Quicken St. Matthews Ziekenhuis. Ik zat bij Interne Geneeskunde en jij bij Orthopedie.'

'Dat zou best kunnen,' zeg ik.

'Aha, je bent op je hoede en laat niet het achterste van je tong zien.' Hij gaat zitten en glimlacht alsof hij iets heel grappigs heeft gezegd.

'Waren we collega's?' vraag ik.

'Ja.'

'Waarom nu niet meer?'

Ik stel hem op de proef, niet alleen zijn kennis maar ook zijn oprechtheid. Zijn betrouwbaarheid. Hij aarzelt even, maar zegt dan: 'Je bent met pensioen gegaan.'

'Dat is lekker eufemistisch uitgedrukt.'

'Zeg dat wel.' Hij kijkt er bedroefd bij en dat vind ik wel sympathiek. 'Zo noemde je het zelf destijds. Besef je dat je ziek bent?'

'Op een goede dag, zoals vandaag, wel. Dan heb ik goed in de gaten dat ik diep ben gezonken.'

'Komt mijn gezicht je dan helemaal niet bekend voor?'

'Nee. Je hebt geen idee hoe vervelend het is als dat je de hele tijd wordt gevraagd.'

'Dan zal ik dat niet meer doen, mijn beste.'

'Daar ben ik blij om, vreemdeling. Wat kom je doen?'

Hij kijkt ongemakkelijk en wiebelt nerveus op zijn stoel.

'Ik kom namens Mark.' Als ik hem vragend aankijk, voegt hij eraan toe: 'Je zoon.'

'Ik heb geen zoon.'

'Ik weet dat je kwaad op hem bent. Daarom wil ik even een goed woordje voor hem doen.'

'Je snapt het niet. Ik kan me echt niet herinneren dat ik een zoon heb. En ik wil het spelletje niet meer meespelen. Dat deed ik vroeger wel. Dan knikte ik en deed ik alsof ik het begreep. Dat moet maar eens afgelopen zijn.'

Hij zwijgt.

'Laten we het dan als een hypothetisch geval bespreken. Stel dat je een zoon hebt. Stel dat hij in de problemen zat. Fouten had gemaakt. Had geprobeerd om misbruik van je te maken.'

'Op welke manier?

'Meermalen geld had geleend. Maar telkens meer wilde. Je vrienden had lastiggevallen. En zelfs, laten we zeggen, je icoon had gestolen. En daar een lieve duit voor had gekregen.'

'Dan zou hij wat mij betreft kunnen oprotten.'

'Maar stel dat hij zijn leven had gebeterd? En het nu weer wil goedmaken?'

'Ik zou niet weten waarom.'

'Omdat jij zijn moeder bent. Is dat niet reden genoeg?'

'Aangezien ik hem niet ken, heb ik geen idee hoe hij daarover denkt.'

'Het gaat gewoon om het idee. Hij kan je niet meer bereiken. Je bent ofwel woedend op hem of je herkent hem niet meer. Maar hij is zijn moeder hoe dan ook kwijt.'

'Hoe oud is hij?'

'Rond de dertig.'

'Dan is hij oud genoeg om het zonder zijn moeder te kunnen stellen.'

'Dat zeg je omdat je niet meer weet dat je een zoon hebt.'

'Het is dus mijn verstand dat spreekt. Het is me opgevallen dat mensen met kinderen vaak irrationeel handelen. Ze doen alles om hun kroost te beschermen.'

'Dat heb jij ook gedaan.'

'Hoe bedoel je?'

'Jij hebt je kroost soms ook in bescherming genomen, zelfs op manieren die het verstand te boven gingen.'

'Hoe weet jij dat?'

'Jennifer, we kennen elkaar al bijna veertig jaar, langer dan menig huwelijk standhoudt. Ik weet vrijwel alles over jou. Wat je hebt gedaan. Waartoe je in staat bent.'

'Dat klinkt saai. Als een middelmatig huwelijk. Als je iemand eenmaal door en door kent, is het meestal tijd om eens om je heen te gaan kijken.'

'Maar dan is er altijd nog genegenheid.'

'Misschien.'

'En iets irrationelers wat nog veel sterker is: liefde. Mensen doen uit liefde soms vreemde dingen.'

‘Waarover gaat dit nu weer? We dwalen wel een beetje af.’

‘Goed, terug naar het oorspronkelijke onderwerp. Kun jij Mark, je hypothetische zoon, vergeven? Onder de omstandigheden die ik net heb beschreven?’

Ik denk erover na. Eigenlijk vind ik het vooral grappig dat me wordt gevraagd te vergeven en te vergeten, terwijl ik het allang vergeten ben.

‘Nee,’ zeg ik uiteindelijk. ‘Vraag het me nog maar een keer als ik weet over wie dit gaat.’

‘Dat gaat misschien niet meer gebeuren. Je zei zelf al dat je nu een goede dag hebt.’

‘Misschien niet.’

‘Kun je dan in elk geval beloven dat je zijn lijden niet vergroot?’

‘Heb ik dan zoveel macht over hem?’

‘Ja, meer dan je beseft.’

‘Ik zal me dit gesprek waarschijnlijk niet eens herinneren, dus wat heeft het voor zin?’

‘Soms beklijft er toch iets. Beloof je het?’

‘Ik wil best beloven dat ik het lijden van deze hypothetische persoon die ik me niet herinner niet zal vergroten. “Het lijden verlichten.” Als jij echt arts bent, heb je die eed ook afgelegd. Dat kan ik dus makkelijk beloven.’

*

Een visioen. Mijn jonge moeder met een Peter Pan-kapsel. Terwijl ze juist een mooie bos donker haar had. Overdag droeg ze het in een paardenstaart en 's avonds altijd los, ook tijdens haar ellenlange aftakeling.

Ze heeft haar handen om iets gevouwen wat ze koestert. Ze draagt geen trouwring. Misschien is ze zelfs nog te jong om getrouwd te zijn, hoewel ze mijn vader al op haar achttiende heeft ontmoet en kort daarna met hem trouwde. Hij was zevenentwintig. Hun beide ouders waren erop tegen, maar konden het niet verhinderen.

Dit beeld is echter veel levensechter dan mijn huidige bestaan. De heldere kleuren, mijn moeders dikke, kastanjebruine haar, haar roomwitte teint en de blanke, zachte armen en schouders. De aanblik geeft me een sereen gevoel. Hoopvol. Alsof ze mijn toekomst in die meisjeshanden houdt en haar glimlach de bevestiging vormt van een lang, gelukkig leven.

*

Ik heb me nooit ergens schuldig over gevoeld. Me nooit ergens voor geschaamd. Totdat ik op deze plek belandde. Opgebonden als een kip. Niet langer in beslotenheid je behoefte mogen doen. Een van mijn medebewoners noemde dit 'het vagevuur'. Maar dat is het niet. Dat zou impliceren dat de hemel op je wacht als je voor je zonden hebt geboet. Volgens mij is dit slechts een station dat je aandoet tijdens een enkele reis naar de hel.

*

Op mijn vijftiende zat ik onder de jeugdpuistjes en was ik smoorverliefd op Randy Busch. Als jonge moeder was ik nooit alleen, aangezien Mark zich tot zijn tiende tot vervelens toe aan mij vastklampte. Vervolgens werd ik op late leeftijd nog zwanger en werd ik onderworpen aan allerlei onderzoeken die moesten uitsluiten dat ik een gedrocht in mijn baarmoeder had zitten. Ik heb Fiona met weinig enthousiasme gedragen. Ik heb haar eruit gedrukt en ben meteen gaan slapen. Ze moesten me wakker schudden voor de borstvoeding. Dat eerste halfjaar heb ik lijdzaam ondergaan. De krampjes, de slapeloze nachten, de maanden die voor de hechting zo belangrijk zijn.

Binnen twee weken stond ik alweer in de ok. Maar hoewel ik afstand bewaarde, raakte Fiona toch aan me gehecht. Ze had een gruwelijke hekel aan de nanny, Ana, die bij Mark en ons juist zo geliefd was. Ze had alleen maar behoefte aan mij. Ze huilde als ik wegging en als ik thuiskwam. En ondanks alles sloot ik haar toch in mijn hart.

*

Vanochtend heeft er iemand foto's gebracht. Prachtige kleurenfoto's. Ik bestudeer ze in de gemeenschappelijke ruimte.

Een vrouw komt een kijkje nemen en zet het op een gillen. De anderen wagen zich ook naar mijn tafel, maar gaan er snel weer vandoor. Mijn prachtige foto's. Op de ene is te zien hoe een tumor uit het *fossa olecrani* wordt weggesneden. Op een andere wordt een hand weer aangezet. Mijn spieren trekken samen, alsof ze zich iets herinneren. In tegenstelling tot wat men denkt, voelt het mes niet koud en het bloed op de latex handschoenen niet warm aan. De handschoenen houden de warmte van een menselijk lichaam op afstand.

Toen ik in de snijzaal de arm van een stoffelijk overschot opensneed en de pezen en zenuwen, het bindweefsel en de handwortelbeentjes bij de pols zag, was ik verkocht. Voor mij geen hart, longen of slokdarm. Daar mochten anderen zich mee vermaken. Ik wilde de handen en de vingers, de lichaamsdelen die ons met de buitenwereld in contact brengen.

*

De banden zitten te strak om mijn benen. Ik kan mijn armen maar een klein beetje bewegen. Mijn hoofd kan ik enkel draaien. Er zit een infuus in mijn arm. Ik proef een metalige smaak in mijn mond.

Er zit iemand aan mijn bed. Het is donker. Het licht dat tussen de jaloezieën door naar binnen valt, beschijnt de onderkant van haar gezicht. Ze heeft zo'n grote mond en zulke dunne lippen dat ze wel iets van een demon wegheeft. Ze zou de hele wereld in één keer kunnen opslokken. Wat gebeurt er nu? Ze pakt mijn hand. Nee, ze tilt hem op. Nee toch. Help me. Ze zal in een ader bijten en het laatste restje leven uit me zuigen.

'Hou alsjeblieft op. Anders zullen ze komen,' zegt de demon.

Ze legt iets in mijn hand en ik omsluit het met mijn vingers.

Wat zou het zijn? Een reliek. Hebben ze dit aan jou gegeven? Waaraan heb ik deze eer te danken?

Het is een plastic zakje met een metalen schijfje waarin iets staat gegraveerd. Ik voel de uitstulpingen. Aan een lange ketting. Het zakje ligt koel in mijn handpalm. Ik schud mijn hoofd. Ik blijf ermee doorgaan, omdat het me een prettig gevoel geeft.

'Weet je hoe je heet?'

Ik probeer me te ontworstelen aan de banden waarmee ik ben vastgesnoerd. Ik geef geen antwoord.

'Dokter White. Jennifer. Weet je waar je bent?'

Ja, maar alleen in beelden. Ik heb geen woorden. Ik zit op een veranda, op de bovenste traptrede. Een kille ochtend, eind oktober. De bladeren aan de bomen zijn goudkleurig. Op de veranda staan pompoenen op een rijtje. Met een verschrikte uitdrukking staren ze voor zich uit. Een vaderpompoen, een moederpompoen en een kindjepompoen. Geschokt door een vreselijke aanblik. Het was mijn idee.

Ik ben zestien jaar oud. Een jongeman is onderweg. Ik ben er klaar voor. Ik draag een kort jurkje met een vierkant decolleté en een bonte print van blauwe en rode geometrische vormen. Mijn laarzen reiken bijna tot mijn knieën. Mijn blote dijen schuren over de traptrede. *These boots are made for walking*. Hij kan elk moment hier zijn. Ik tril van opwinding.

'Dokter White?'

De jongeman is onderweg. Ik word bemind.

'Dokter White, dit is belangrijk. Het medaillon. We hebben er bloed op aangetroffen. Het blijkt bloedgroep AB te zijn, dezelfde bloedgroep als Amanda O'Toole had.

Je wordt aangeklaagd voor moord met voorbedachten rade. Je zult een psychologisch onderzoek moeten ondergaan en een verklaring moeten afleggen dat je ontoerekeningsvatbaar bent. En daarmee is de kous af. Maar ik ben niet tevreden, want ik begrijp het niet. En ik wil altijd alles graag snappen.'

'Amanda.'

'Amanda, ja. Waarom moest ze dood?'

'Amanda wist het.'

'Wat wist ze?'

'Ze verfde haar haar niet en droeg nooit make-up. En toch was ze verwaand.'

'Verwaand. In welk opzicht?'

'Een verleidster. Het ging niet om seks. Maar om geheimen. Ze wist alles. Ik begreep het nooit. Een gevaarlijke vrouw.'

'Dat kan ik me goed voorstellen. Wil je een glaasje water? Laat mij het maar inschenken. Hier is een rietje. Goed zo. Ik hou het wel vast.'

'Ik ben...'

'Ja?'

‘Bang.’

‘Ja.’

‘Wat gebeurt er nu?’

‘Je zult onderzocht worden. Dan zal blijken dat je een rechtszaak geestelijk niet aankunt. De rechter zal de zaak niet-ontvankelijk verklaren, omdat je bent opgenomen in een instelling, waar je hoogstwaarschijnlijk je dagen zult slijten.’

‘Wat zijn de alternatieven?’

Haar gezicht is nu beter te zien. Ze lijkt helemaal niet op een demon. Een alledaags, grof gezicht. Een hondstrouw gezicht.

‘Wil je me losmaken?’

‘Ja, ik denk dat dat nu wel kan. Volgens mij ben je nu weer wat gekalmeerd. Kijk eens aan.’ Ik voel hoe de druk op mijn armen en benen verslapt. Ik kom overeind, ga rechtop in bed zitten en drink nog wat water. Mijn bloed begint weer te stromen.

‘Ik ben er slecht aan toe.’

‘En het zal nog erger worden.’

De vrouw valt even stil. ‘Ik wil weten waarom Amanda dood moest,’ zegt ze dan.

‘Ik dacht dat ik het kon. Iemand doden. Dat dat in me zat.’

‘Ja, dat hebben veel mensen. Ik droom regelmatig dat ik mijn zus heb vermoord. Dan schaam ik me dood. En ben ik bang. Niet voor de gevolgen. Maar dat mensen zullen ontdekken hoe ik werkelijk ben. Daarom ben ik volgens mij ook bij de politie gegaan. Alsof ik door goed werk te doen, die nachtmerrie op afstand kon houden.’

Ik zeg niets, in de hoop dat de brok in mijn keel verdwijnt. Praten valt me zwaar.

Het voelde altijd goed om een mes in handen te hebben. De eerste incisie, een lichaam openmaken, die speeltuin onder de huid. Maar die richtlijnen. Weten wat wel en niet mag. De grenzen niet overschrijden.

De vrouw staat op, rekt zich uit en gaat weer zitten.

'Jennifer, je moet me helpen.'

'Hoe dan?'

'Je weet iets. Ik wil dat je je best doet.' Ze pakt het plastic zakje en houdt het op ooghoogte. 'Herken je dit? Een medaillon van de heilige Christoffel. Jouw initialen staan op de achterkant gegraveerd. Weet jij hoe Amanda's bloed op dit medaillon is terechtgekomen?'

'Nee.'

'Droeg je het weleens?'

'Soms. Als geheugensteuntje. Als talisman.'

'Heb je enig idee wie Amanda heeft vermoord?'

'Daar heb ik wel ideeën over.'

De vrouw gaat op het puntje van haar stoel zitten.

'Neem je iemand in bescherming? Jennifer, kijk me aan.'

'Nee, het is beter zo.'

De vrouw opent haar mond om iets te zeggen, maar kijkt me dan doordringend aan. Wat ze ook meent te zien, het zorgt ervoor dat ze er het zwijgen toe doet. Ze legt nog even haar hand op de mijne voordat ze vertrekt.

*

Ik zit in de gemeenschappelijke ruimte. Hoewel er medebewoners in de buurt zijn, zit ik er in mijn eentje. Ik wil met rust gelaten worden. Ik heb te veel aan mijn hoofd. Ik moet plannen maken.

De deur die toegang tot de buitenwereld geeft, zoemt. Er komt een lange vrouw binnen. Haar bruine haar is in een pittige bob geknipt. Ze heeft een tas van zacht leer bij zich. Ze loopt meteen op me af en steekt haar hand naar me uit. 'Jennifer,' zegt ze.

'Moet ik jou kennen?' vraag ik.

'Ik ben je advocaat,' zegt ze.

'Gaat dit om ons testament?' vraag ik. 'James en ik hebben dat onlangs gewijzigd. Het zit in de kluis.'

'Nee,' zegt ze. 'Het gaat niet om je testament. Kunnen we hier even gaan zitten? Mooi. Ik zal je helpen. Veel beter.'

Hond komt aansjokken en gaat bij mijn voeten liggen.

'Wat schattig. Hij is echt gek op je.' Ze gaat zitten, legt het koffertje op haar schoot en doet het open. 'Ik kom niet voor de gezelligheid, ben ik bang. Je speelt een belangrijke rol in een politieonderzoek. Ik heb slecht nieuws. Het Openbaar Ministerie heeft besloten om je aan te klagen. Eigenlijk is dat slechts een formaliteit, want ze zullen je toch ontoerekeningsvatbaar verklaren.'

Ik snap er niets van, maar haar blik is zo ernstig dat ik ook serieus probeer te kijken.

'Het slechte nieuws is dat je hier niet langer mag blijven. Je zult in een psychiatrische instelling worden opgenomen. Ik doe mijn best om je hier in de stad in het Eglin Centrum voor Geestelijke Gezondheidszorg te krijgen. Maar de officier van justitie heeft een voorkeur voor een instelling in het zuiden van de staat waar meer restricties gelden.'

Ze zwijgt en kijkt me aan. 'Volgens mij dringt het allemaal amper tot je door.'

Ze zucht en zegt: 'Ik had gehoopt dat je een goede dag zou hebben, zodat je het zou begrijpen. Je staat bij je zoon onder curatele, dus juridisch gezien heeft hij het voor het zeggen. Maar ik heb liever dat mijn cliënten zelf ook tekenen. Hier is een pen.'

Ze legt een voorwerp in mijn hand, leidt die naar een vel papier en laat me er iets op krabbelen.

'Je dient een verzoek tot vrijlating in omdat je ontoerekeningsvatbaar bent. De officier van justitie zal dat niet aanvechten. Zoals ik al zei, zijn we het alleen oneens over de plek waar je naartoe moet. Het spijt me.'

Ze heeft een expressief gezicht. De make-up is vakkundig aangebracht. Ik heb me altijd afgevraagd hoe anderen dat doen. Mij lukte het nooit. Het raakte altijd uitgesmeerd, gaf vlekken op mijn mondkapje en bevuilde mijn bril tijdens operaties.

De vrouw praat verder, maar ik snap er niets van. Ze zucht en aait Hond afwezig. 'Het spijt me,' zegt ze nogmaals.

Ze lijkt ergens op te wachten, misschien op een reactie van mij. Ze verkeert in elk geval in de veronderstelling dat ze slecht nieuws brengt, maar ik wil me er niet door laten raken.

Zo blijven we nog een tijdje zitten. Dan legt ze de papieren weer in haar koffertje en klapt het dicht. 'Het was een genoegen om voor je te mogen werken,' zegt ze, waarna ze vertrekt. Ik probeer me te herinneren wat ze me heeft verteld. Ik speel een belangrijke rol. Maar dat is toch vanzelfsprekend? Dat lijkt me wel.

*

Ik ben gehaaid. Ik ontdoe me van Hond. Ik geef hem een schop in het bijzijn van een verzorger. Dan raap ik hem op en doe ik alsof ik hem tegen de muur wil smijten. Er volgt geschreeuw. Hond wordt van me afgepakt. Hij mag 's nachts niet meer op de afdeling komen en wordt de toegang tot mijn kamer ontzegd. Ik mis hem. Maar hij zou mijn plannen in de war sturen.

*

'Mam?'

Ik draai me om en sta oog in oog met mijn knappe zoon. Hij is ouder geworden, maar ik herken hem nog wel. Vanochtend kwam er een vrouw langs die ik niet herkende. Toen ze dat merkte, ging ze er meteen weer vandoor. Omdat ik het spelletje niet wilde meespelen. Een ongeduldige, onredelijke vrouw.

'Hoe gingen de tentamens?' vraag ik.

'Wat? O ja, die gingen best goed. Prima zelfs.'

'Ik ben je docent niet. Je hoeft niet bang te zijn dat ik je zal laten zakken.'

'Ik ben altijd een beetje... nerveus als ik bij je op bezoek kom. Ik weet nooit hoe je me zult begroeten.'

'Je bent mijn zoon.'

'Mark.'

'Ja.'

'Herinner je je mijn laatste bezoek nog?'

'Je hebt me hier nog nooit opgezocht. Niemand doet dat.'

'Mam, dat is niet waar. Fiona komt een paar keer per week langs. Ik op zijn minst eens per week. Maar de vorige keer heb je gezegd dat je me nooit meer wilde zien.'

'Zoiets zou ik nooit zeggen. Nooit. Wat je ook gedaan zou hebben. Wat heb je op je kerfstok?'

'Dat doet er nu niet toe. Ik ben blij dat je het vergeten bent. Je leefde niet echt met me mee. Maar het is al goed.'

'Vertel op.'

'Nee, laat maar zitten. Ik ben blij dat je vandaag zo goed te spreken bent. Ik wilde vragen of je je iets van vroeger kunt herinneren.'

'Wat dan?'

'Iets wat rond mijn zeventiende gebeurde, denk ik. Ik was in elk geval ouder dan zestien, want ik mocht al rijden. Ik had je auto geleend om met mijn vriendinnetje naar de film te gaan. Herinner je je Deborah nog? Je hebt haar nooit gemogen. Mijn vriendinnetjes van de middelbare school konden je geen van allen bekoren, maar aan Deborah had je echt de pest. Hoe dan ook, in de auto lagen een paar dozen met spullen. Deborah snuffelde erin rond. Misschien was ze alleen maar nieuwsgierig, maar toen ze daadwerkelijk iets vond, was ze helemaal in haar nopjes. Een met bloemen bedrukt, plastic tasje waarin volgens Deborah peperdure make-up zat.'

'Make-up? Tussen mijn spullen. Dat lijkt me onwaarschijnlijk,' zeg ik.

'Tja, ik weet niet hoe die dingen allemaal heten, maar er zaten in elk geval mascara, lipstick en een poederdoos tussen. En verschillende borsteltjes. Volgens Deborah werd het allemaal gebruikt. Ze liet me een knalroze lippenstift zien die al half op was. Ik raakte bijna van de weg. Ik had je nooit make-up zien dragen en opeens was daar die knalroze lippenstift.'

'Knalroze is voor mensen zonder smaak. Ik moet toen een jaar of vijftig zijn geweest. Ik geloof er geen snars van,' zeg ik.

'Ik vond het ook vreemd. Ik was echt van slag, alsof ik pap in een van jouw jurken had betrapt. Ik besefte dat je geheimen had. Dat je een kant had waarvan wij niets afwisten. Dat je mascara en knalroze lippenstift droeg omdat je op die manier wilde behagen – iets wat we nooit achter jou zouden hebben gezocht.'

'O ja.'

'Herinner je je het nu weer?'

'Ja,' zeg ik, en ik doe er het zwijgen toe. Ik heb slechts één keer iemand op die manier proberen te behagen.

'Hoe zit het dan?'

'Hoe oud was je toen?'

'Dat zei ik al. Zeventien, vermoed ik.'

'Ja, rond die tijd kreeg ik een nieuw kantoor in de nieuwbouw aan Racine Avenue. Ik heb mijn archiefkasten en bureauladen uitgemest, alles in dozen gestopt en in de auto gezet. Er zaten allemaal aandenkens aan vorige levens in.'

'Is dat alles wat je erover te zeggen hebt?'

'Ja, volgens mij wel. Het is verleden tijd. Voltooid verleden tijd, wat jou aangaat. Er valt niets over te zeggen. Nu wil ik ook iets weten. Mijn beurt. Ik wil ook terug naar die tijd. Toen je zeventien was. Hetzelfde vriendinnetje. Deborah. De dochter van de uitdrager.'

'Och ja, zo noemde jij haar. Omdat haar vader een distributiebedrijf voor kookspullen had. Ik weet al wat je nu gaat zeggen.'

'Vast niet.'

'Je hebt ons op heterdaad betrapt.'

'Dat was ook niet zo moeilijk! Midden in de woonkamer, tussen de rondslingerende kledingstukken en dan dat lawaai! Maar daar ging het me niet om. Wat mij interesseert, is dat je je omdraaide toen je mijn voetstappen hoorde, bijna alsof je me al verwachtte. Je had een triomfantelijke blik op je gezicht die snel plaatsmaakte voor teleurstelling en daarna de te verwachten gêne.'

'Wat is nu je punt?'

'Je hoopte op een andere ooggetuige. Je vader, gok ik.'

'Maar waarom dan?'

'Geen idee. Rond die tijd is er iets tussen jullie voorgevallen. Nadat je op je zestiende stage bij hem had gelopen, vlak voor je eindexamenjaar. Tot die tijd waren jullie zo hecht. Maar toen zijn de problemen begonnen. Op een zomeravond kwamen jullie thuis van het werk zonder nog iets tegen elkaar te zeggen. Dat heeft jaren geduurd.'

'Ik wil er liever niet over praten.'

'Zelfs nu niet?'

'Nee.'

'Als het met een vrouw te maken had, kun je me dat gerust vertellen. Ik weet er alles van. Dat heeft nooit voor problemen tussen je vader en mij gezorgd.'

'Misschien ging het niet alleen jou aan.'

'Wat bedoel je daarmee? Wie ging het dan nog meer aan?'

'Je gezin telde nog twee leden. Twee mensen die ook werden verraden.'

'Toe nou, waarom zou het jou iets uitmaken? Hij bleef je vader. Hij heeft jou niet verraden.'

'O jawel.'

'Doe niet zo geheimzinnig.'

'Toe nou, mam. Zelfs jij moet toegeven dat de dochter van de uitdrager een lekker ding was. Denk je dat dat pap niet is opgevallen? En wat deed hij vervolgens?'

'Goed, hij heeft geprobeerd je vriendinnetje te versieren. Hij was nu eenmaal een vrouwengek.'

'Laat maar zitten.'

'Is het hem ook gelukt? Is dat het probleem?'

'Laat maar zitten, zei ik toch. Ik moet met jou ook helemaal geen gesprek willen voeren. Het is jammer dat je dit niet zult onthouden. Dat had ik graag gewild.'

'Wat ben je toch kwaad. Het leek alsof je in een verzoenende bui was. En nu ben je je eigen glazen alweer aan het ingooien.'

'En dan lijm ik de scherven weer aan elkaar. Zo zal het altijd gaan.'

'Wees voorzichtig.'

'Hoezo? Omdat je je dit gesprek misschien wél zult herinneren? Volgens mij doe je dat ook, tot op zekere hoogte.'

Hij staat op en veegt iets van zijn broek. Er verschijnt een slinkse uitdrukking op zijn gezicht. Zijn stem klinkt zachter en afgemetener.

'Volgens mij herinner je je het wel. Fiona denkt dat ook. Hetzelfde geldt voor wat er met Amanda is gebeurd.'

Ik zwijg.

'Je weet toch wel dat ze dood is?'

Ik knik.

Hij praat nog zachter en komt heel dicht bij me staan. Hij raakt me bijna aan.

'Weet je nog meer? Wat kun je je herinneren?'

'Donder op,' zeg ik.

'Vertel op,' zegt hij. Hij is zo dichtbij dat ik de warmte van zijn lichaam kan voelen.

'Donder op, zei ik.'

'Pas als je het vertelt.'

Ik reik naar de rode knop boven mijn bed. Hij ziet het en grijpt razendsnel mijn pols.

'Nee,' zegt hij. 'Voor de dag ermee.'

Ik probeer los te komen, maar zijn greep is te sterk. Toch weet ik mijn hand los te rukken, en ik ram op de knop. Hij schreeuwt van woede, grijpt mijn pols opnieuw en houdt hem strak tegen zijn heup. Het doet pijn.

'Je weet zelf ook wel dat je schuldig bent, toch? Je weet dat er geen uitweg is. Bij een bekentenis is nu niemand meer gebaat.'

Er komen mensen aanrennen. Hij laat mijn pols los en neemt afstand.

'Wegwezen,' zeg ik.

'Tot ziens dan maar,' zegt hij, en hij loopt weg.

*

Hoewel mijn deur dichtzit, ben ik niet alleen. In het schemerduister ontwaar ik een gestalte die door de kamer drentelt. Ze lijkt zelfs te dansen. Als mijn ogen aan het duister zijn gewend, zie ik dat het een meisje is. Ze heeft kastanjebruin stekeltjeshaar, schudt haar lichaam wild heen en weer en weet het meubilair ternauwernood te ontwijken. Ze heeft haar armen in de lucht gestoken en wiebelt met haar vingers. Ze is overduidelijk uitgelaten. Opgewonden zelfs. Maar niet op een gezonde manier. Ze lijkt compleet hyper.

'Hallo?' vraag ik.

Ze staakt haar wervelingen en komt meteen aan mijn bed staan. Ze pakt mijn hand. Hoewel er een stoel staat, gaat ze niet zitten.

'Mam! Je bent wakker!' Ze zwijgt en kijkt naar mijn gezicht. 'Mam, het is Fiona. Je... Ach, laat ook maar. Ik kwam zomaar even langs.' Ze struikelt bijna over haar woorden en is zo opgewonden dat ze moeite heeft om stil te blijven staan. Tijdens het praten maakt ze ongecontroleerde gebaren. 'Het spijt me dat ik deze week niet op bezoek ben geweest. Ik zat midden in de tentamenperiode. Maar nu heb ik vrij. Ik ga er even tussenuit. Het is maar een weekje, dan beginnen de colleges weer. Vanmiddag stap ik al op het vliegtuig. Vijf dagen in het paradijs! Maak je geen zorgen, ik hou contact. Ik weet dat je niet meer telefoneert, maar ik zal Laura twee keer per dag bellen. Bovendien heeft dokter Tsien beloofd tijdens mijn afwezigheid een oogje in het zeil te houden.'

Ze probeert er ernstig bij te kijken, maar haar mondhoeken krullen omhoog. Haar koortsachtige opwinding lijkt me niet gezond.

‘Volgens mij heb je een consult nodig,’ zeg ik. ‘Ik maak me zorgen, maar dit is niet mijn vakgebied.’

De jonge vrouw barst in lachen uit, maar het is een hysterische lach.

‘Die mama toch,’ zegt ze. ‘Eens een dokter, altijd een dokter.’

Dan slaakt ze een zucht, laat haar armen zakken, strijkt haar jurk glad en gaat naast me zitten.

‘Het spijt me,’ zegt ze. ‘Het is een mengeling van opwinding en opluchting. Je weet dat ik mezelf zelden vakantie gun, maar nu neem ik het er even van. Ik heb er hard genoeg voor gewerkt. Gisteren dacht ik opeens: waarom niet? Ik heb een reisje naar de Bahama's geboekt. We zijn met jou en pap een paar keer naar New Providence geweest, weet je nog? Maar daar ga ik niet naartoe. Ik ben de laatste tijd iets te vaak met het verleden geconfronteerd. En de toekomst belooft ook weinig goeds. Jij. Mark die op instorten staat. Ik wil er gewoon even niet meer aan denken. Ik knijp er vijf dagen tussenuit. Dat zou jij toch moeten snappen.’

Ik heb moeite om haar woorden te begrijpen. Haar gezicht wordt ook steeds waziger.

‘Ga maar weer lekker slapen. Het is nog vroeg. Ik wilde je niet wakker maken, maar kwam alleen even afscheid nemen. Het is maar voor een paar dagen. Volgende week woensdag vlieg ik terug. Dan kom ik donderdag weer langs. Ze weten hoe ze me kunnen bereiken.’

Ze staat op, nog altijd bruisend van de energie.

‘Dag mam. Voor je het weet ben ik alweer terug.’ Ze lacht schamper om haar eigen opmerking. Dan slaat ze de deur dicht en ben ik weer alleen.

*

Ik moet naar het ziekenhuis. Ik ben opgepiept. Waar zijn mijn kleren? Mijn schoenen? Ik kan nog net even wat water in mijn gezicht gooien. Onderweg haal ik wel koffie, bij Tip Top aan Fullerton Avenue. Eens kijken. Mijn tas en mijn autosleutels.

'Jennifer? Waarom ben je wakker? Het is midden in de nacht. Jeetje, wat heb jij je vreemd aangekleed. Waar ga je naartoe?'

'Geen tijd om te kletsen. Ik heb een spoedgeval.'

Een jonge vrouw in een lichtgroen uniform spreekt op kalmerende toon. 'Je hoeft je niet te haasten. We hebben alles onder controle. Het spoedgeval wordt al door anderen afgehandeld.' Ik vertrouw het niet helemaal. Op haar naamplaatsje staat slechts ERICA. Geen achternaam en geen titel. Ze ziet er wat slonzig uit en wrijft de slaap uit haar ogen. Slapen op het werk. Het zal toch niet? Toch voel ik me niet meer zo gehaast. Ik vraag me af waarom ik een rode rok over mijn nachthemd heb aangetrokken en een wollen sjaal om mijn hoofd en nek heb gewikkeld.

'Ik hoorde een geluid,' zeg ik.

'O ja? Het enige wat ik hoorde was jouw gestommel.'

'Nee, ik hoorde iemand beneden een autodeur dichtslaan.'

'Maar je zit hier op de begane grond, lieverd.'

'Dokter White.'

'Neem me niet kwalijk?'

'Ik heet dokter White.'

'Het spijt me. Ik bedoel er verder niets mee. Je bent gewoon een lieve vrouw, daarom zei ik het.'

'Ik vermoed dat het Mark was. Hij komt om de haverklap langs. Dan vraagt hij om geld. Ik weet niet waarom hij midden in de nacht wil langskomen. Hij vertrekt toch weer zonder iets te zeggen. Ik probeerde James wakker te maken, maar die ligt zo lekker te slapen. Toen ik uit het raam keek, zag ik alleen een gestalte in rap tempo de straat uit lopen.'

'Dokter White, u had een droom.'

'Nee. Ik hoorde een deur dichtslaan. Voetstappen. Een gestalte.'

'Ik weet het. En nu is het tijd om weer te gaan slapen.'

'Dat zal nu niet meer lukken.'

'Dokter White, u kunt nergens heen.'

'Ik moet even de benen strekken. Anders ga ik gillen. Daar zul je spijt van krijgen.'

'Goed, dat is nou ook weer niet nodig. Maar gedraag je wel, anders krijg ik problemen.'

'Ik wil alleen maar een eindje lopen. Zie je wel? Alleen maar lopen.'

Zo begin ik aan mijn nachtelijke rondjes. Ik loop tot mijn enkels me niet langer kunnen dragen.

*

Ik zit in de gemeenschappelijke ruimte, terwijl de tranen me over de wangen lopen. Hond probeert ze weg te likken, maar ik duw hem weg. Dit weet ik me te herinneren: mijn zoon Mark op de operatietafel. Zijn borstkas ligt open. Geen hartslag. Er is niemand meer in de ok en het licht is gedoofd. Hoewel ik amper iets kan onderscheiden, weet ik dat hij het is. Een bypassoperatie die verkeerd is afgelopen. Een eenvoudige ingreep waartoe ik echter niet bevoegd ben. Dit was geen droom. Ik sliep niet. Het staat vast dat ik een afschuwelijke fout heb gemaakt. Op de galerij zitten mensen die ik niet ken. Blikken van afkeuring. Zij weten dingen die ik me niet kan herinneren.

*

Mijn pillen liggen onaangeroerd op het nachtkastje. Ik ga ze niet slikken. Vandaag niet. Ik wil het hoofd koel houden. Ik heb een plan. Toen ik vanochtend wakker werd, was het al vastomlijnd. In de loop van de dag werd het alleen maar helderder.

Bij het ontbijt worden we eraan herinnerd dat er vandaag meisjes van de scouting langskomen. We gaan reukzakjes met lavendel maken. 'Wat zal jullie kleding straks lekker ruiken!' zegt de vrouw met het grijze haar enthousiast. Ik herinner het me vandaag weer. Ik herinner me weer de frisse gezichtjes en de geforceerde glimlachjes van de scoutingmeisjes. Hun duidelijke manier van spreken. Op die leeftijd zijn meisjes het wreedst. Ze bellen Fiona niet. Nodigen haar niet uit voor hun feestjes. Ze hebben geen idee hoezeer ik hen haat. Ik zin op wraak.

Even later arriveren de schilders. Ze komen niet voor een klein klusje. Alle muren in de gemeenschappelijke ruimte moeten opnieuw worden geschilderd, uiteraard in dezelfde groene kleur. De deur gaat steeds weer open en dicht, terwijl materialen, verfemmers en afdekzeil naar binnen worden gebracht. Met lint wordt een afscheiding gecreëerd. Er hangen bordjes aan waarop NAT staat.

Toch biedt dat geen garantie tegen incidenten. Een nieuwkomer maakt een kommetje van zijn handen, steekt ze in een verfemmer en drinkt ervan alsof het water is. Luid schreeuwend stormen enkele verzorgers op hem af. Er wordt om een dokter geroepen, de man wordt vastgegrepen en naar de receptie afgevoerd. Ik ruik mijn kans.

Ik ga naar mijn kamer en trek mijn makkelijkste schoenen aan. Is het zomer of winter? Warm of koud? Ik heb geen idee, dus voor de zekerheid trek ik nog een extra shirt aan. Als het winter is, zal het zwaar worden, maar het gaat me lukken. Ik ga naar huis. Mijn vader en moeder maken zich vast zorgen. Dat doen ze altijd.

Ik mocht mijn rijbewijs niet halen. Maar toen ik studeerde, heb ik stiekem toch leren autorijden. Hoewel ik nog thuis woonde, leerde mijn vriendje me het op een parkeerplaats, waarna ik rijexamen deed. Toen mijn moeder op een dag mijn tas doorzocht om te zien of er voorbehoedsmiddelen in zaten, vond ze het rijbewijs. Deze onverwachte daad van rebellie zagen ze als een nog groter verraad. 'Eer uw vader en uw moeder.' Dat heb ik altijd gedaan. Ik moet naar ze toe. Ik haast me terug naar de gemeenschappelijke ruimte, waar grote verwarring onder de schilders heerst. Ze spreken geen Engels. Ze wachten af totdat er iemand komt. Ik sluip naar de deur en gebruik de schilders als dekmantel. Er wordt op de deur gebonsd. Een verzorger rent ernaartoe en tikt de code in, waarna de deur openzwaait en een man naar binnen komt. Hij is net als de anderen in het wit gekleed, maar zit niet onder de verfspatten.

Vlak voordat de deur weer dichtvalt, zet ik mijn voet ertussen. Ik kijk achterom. De man met de schone kleding praat en gebaart tegen de vrouw met het grijze haar. Ze worden omringd door oude mensen die door de verzorgers worden aangesproken. Ik doe de deur nog een stukje verder open en voel een vlaag warme lucht. Ik hoef me dus geen zorgen te maken over bevriezing. Nog één stap en ik sta buiten. Ik hoor hoe de deur achter me met een klik in het slot valt.

DRIE

Het zonlicht is oogverblindend. Het voelt als een eeuwigheid geleden dat je voor het laatst aan zulk fel licht bent blootgesteld. De overrompelende hitte, de benauwde lucht en de stank van uitlaatgassen en het gesmolten asfalt onder je voeten. Het geeft mee als je erop loopt en maakt bij elke stap die je zet een onheilspellend, zompend geluid. Het voelt alsof je op een maan van teer loopt.

Voorzichtig wandel je over het plakkerige, zwarte oppervlak. Er parelen zweetdruppels in je nek en je bh is ook al kletsnat van het zweet. Je blijft staan om je trui uit te trekken, maar weet vervolgens niet waar je hem moet laten. Je drapeert hem over de antenne van een kleine, blauwe auto die vlakbij geparkeerd staat, en wandelt verder. Er is haast geboden, je hebt het voorgevoel dat er samenzweringen in de maak zijn en je vooral niet te lang op dezelfde plek moet blijven staan.

Je staat op een parkeerterrein met auto's in allerlei modellen en kleuren. Welke is van jou? Ben je hier vaker geweest? En waar is James? Hij heeft de sleutels. En je handtas? Die zul je wel in het ziekenhuis hebben laten liggen. Je telefoon. Eigenlijk zou je die aan je huid moeten laten vastnaaien, want je kunt gewoon niet meer zonder.

Fiona gooide ooit je semafoon in het toilet en spoelde hem door. Mark, die maar half zo grondig te werk gaat als zij, begroef hem eens in de achtertuin. Tijdens het avondeten hoorde je hem piepen. Je hebt ze geen van beiden bestraft, omdat je begreep dat ze uit darwinistische noodzaak handelden. Wie heeft het recht van de sterkste? In elk geval geen telg van jou.

Je hebt de straat bijna bereikt. Overal hangen bordjes. OVERTREDERS WORDEN WEGGESLEEPT. Een slagboom, de beheerder draait een bordje op heuphoogte om: PARKEERPLAATS VOL. Hij knikt je toe.

Op het trottoir krioelt het van de mensen. Het zijn vooral schaars geklede jongelui. Meisjes in korte zomerjurkjes met spaghettibandjes, waarvan de dunne stof hun kleine borsten bedekt. Jongemannen in groot uitgevallen korte broeken die tot over de knie vallen en van hun magere heupen glijden. De terrassen van de cafés bestrijken hier en daar de hele stoep, waardoor mensen worden gedwongen om naar de straat uit te wijken. Toeterende auto's. Bloembakken, gevuld met onnatuurlijk felle, volmaakte bloemen. Een vrouw plukt er een en steekt hem in haar haar. Obers die hun dienblad hoog boven hun hoofd houden. Rode, roze en blauwe cocktails in grote, V-vormige glazen. Mensen die kleine slokjes uit witte kopjes nemen. Enorme maaltijdsalades.

Alles is zoals het hoort. Alles is in orde. Maar waar hoor jij? Waar is jouw thuis?

Je beseft dat je de doorgang belemmert. Mensen lopen beleefd om je heen, maar je staat in de weg. Een man botst in het voorbijgaan tegen je elleboog en blijft even staan om sorry te zeggen. Je knikt, zegt dat het niet uitmaakt en vervolgt je weg.

Zomer in de stad. Opwindend, nu je van je ouders zelf op pad mag, weg van de rijtjeshuizen van Germantown, de betonnen schoolpleinen, de ongezellige winkels, de werkplaatsen van de glazenmakers en de drukkerijen. Weg van de roetkleurige huizen waarvan de achtertuinen aan het spoor grenzen. Je moeder en haar zigeunerachtige charme. Van gemengde Ierse afkomst, vol toverij.

In je puberteit kon je haar alleen het hoofd bieden door keihard te zijn. Je nam jezelf heilig voor om anderen nooit met list en bedrog aan je te binden. Daar kon je je ook makkelijk aan houden, omdat je daarvoor het type niet was. Je was weinig charmant. Bepaald geen schoonheid.

Jouw aantrekkingskracht was van een killere soort. 'Dat zenuwuiteinden beroert/ en thermische ijspegels.' Van wie was dat ook alweer? Het doet er ook niet toe. Er bleken toch mannen te zijn die er gevoelig voor waren. Best veel, eigenlijk.

*

Je loopt vele kilometers. Urenlang. Gezien de stand van de zon, die rechts van je ondergaat, ga je in zuidelijke richting. Eén straat vol vertier waar geen eind aan lijkt te komen. Een eeuwigdurende kermis, zover het oog reikt. En nergens een plek om even te zitten.

Je beseft dat je honger hebt. Het is allang etenstijd geweest en je moeder maakt zich vast zorgen. Plotseling heb je genoeg van alle joligheid. Het liefst zou je nu in een rustige keuken zitten, waar je uitgedroogd stoofvlees, goudgele aardappeltjes en gekookte worteltjes krijgt voorgeschoteld. Je merkt dat je rammelt van de honger. Wat aarzel je dan nog? Je bent omringd door overvloed!

Enigszins bevreesd loop je op het dichtstbijzijnde restaurant af. Boven een met bloemen begroeid prieel staat een onuitspreekbare Italiaanse naam in sierlijke neonletters geschreven. Buiten zijn een tiental tafeltjes gedekt met witte tafelkleedjes. Ze zijn allemaal bezet.

Het is er een hels kabaal. Je kunt niet naar binnen kijken, omdat het zo donker is en er bij de ingang allemaal mensen staan te praten en te lachen. Zo'n vijftien mannen en vrouwen staan tegen de reling van het terras en toosten met hun glazen rode of witte wijn. Je probeert dichterbij te komen en een blik naar binnen te werpen.

'Een tafeltje voor één, mevrouw?' vraagt een man in een spijkerbroek en een wit overhemd. Heeft hij het tegen jou? Je kijkt om je heen, maar ziet verder niemand.

'Mijn echtgenoot moet nog even parkeren,' zeg je. Dat moet waar zijn. Je gaat immers nooit in je eentje uit eten.

'U zult minstens vijftig minuten op een tafeltje moeten wachten. Moet ik u op de lijst zetten? U mag eventueel ook aan de bar eten.'

Hij lijkt op een reactie te wachten, dus knik je. Dat lijkt gepast. Hij wenkt en je volgt hem, terwijl hij zich een weg door de menigte baant. Bij een hoge kruk geeft hij je een menukaart en hij legt er ook een bij de lege kruk aan je rechterzijde.

'Ik zal uw man hiernaartoe brengen,' zegt hij. Je knikt nogmaals. Met gebaren lijk je al een heel eind te komen. Dat is een opluchting, omdat woorden ongrijpbaar en onbetrouwbaar lijken. Je hebt het gevoel dat je in geen maanden onder de mensen bent geweest. Als een geestverschijning heb je onzichtbaar en onhoorbaar door de straten van de vertierzoekers gedwaald.

Je opent de menukaart, maar begrijpt er niets van. *Penne all'arrabiata, linguine alle vongole, farfalle con salmone.* Toch zijn de woorden zinnenprikkelend. Ze doen je het water in de mond lopen. Wanneer heb je voor het laatst iets gegeten? Dat moet dagen geleden zijn.

Mensen zitten dicht op elkaar. Sommige hebben een bord met eten voor zich staan. Er wordt gedronken uit glazen van verschillende vormen en formaten, gevuld met gekleurde vloeistof. Tussen de planken vol flessen die tot aan het plafond reiken is een tv aan de muur gemonteerd. Enkele gasten kijken ernaar.

Op het scherm wijzen mooie meisjes in avondjurken naar huishoudelijke apparatuur: koelkasten en combimagnetrons. Het biedt een mooie, zelfs betoverende aanblik: de meisjes in hun felgekleurde jurken die door het beeld wervelen, het licht dat in de flessen wordt weerkaatst.

Het lawaai is niet onaangenaam. Het voelt alsof je je in de buik van een levend wezen bevindt. De kameraadschap van werkzame bacteriën die leven mogelijk maken.

De barman komt op je af. Het is een forse man met een bril met een groot, zwart montuur. Hoewel hij nog jong is, loopt hij zichtbaar risico op een hartkwaal. Zijn blozende teint heeft hij niet te danken aan de zon of aan veel lichaamsbeweging. Om zijn dikke buik is een besmeurde, witte schort gebonden.

'Hoe kan ik u van dienst zijn?' vraagt hij met een gekunstelde Italiaanse tongval. Je wijst op de menukaart naar het gerecht met de kortste naam.

'Aha, de *pasta pomidoro*. Een specialiteit van het huis! En wat wilt u drinken?' Je hebt dorst, maar kan niet op het juiste woord komen. Iets vloeibaars. Je wijst naar de fles die hij vasthoudt. Je stelt je stem op de proef.

'Dat,' zeg je, blij dat je slechts een beetje schor klinkt.

'Jack Daniel's?' Nu spreekt hij zonder accent en begint spontaan te lachen. 'Het is een dag vol verrassingen! Zonder ijs?' Je knikt en hij lacht opnieuw. 'Goed, een whisky zonder ijs. Wilt u dan ook een biertje?'

Uit zijn gezichtsuitdrukking probeer je af te leiden wat het juiste antwoord is. Je knikt nogmaals. 'Wat zal het zijn?' vraagt hij. 'We hebben Coors, Miller Lite en Sierra Nevada op de tap.'

'Ja,' zeg je. Nu kijkt hij anders. Een blik die je zorgen baart. Hij is op zijn hoede. Dat heb je vaker meegemaakt. Je hebt er altijd moeite mee gehad om anderen voor de gek te houden. Je werd altijd doorzien. Daarom ben je altijd op het rechte pad gebleven. Niet vanwege je zuivere geweten, maar door het besef dat je een slechte leugenaar bent en er van bedrog altijd ellende komt.

Hij haalt zijn schouders op en draait zich om. Hij bedient een soort machine met handvaten en zet een hoog, koud glas voor je neer. Er zit een schuimige, gele vloeistof in. Wat is dit? Waar ben ik? Plotseling krijg je een openbaring. Je bent Jennifer White. Je woont aan Walnut Lane 544 in Germantown, Philadelphia, bij je ouders. Je bent achttien jaar en bent net begonnen aan de Universiteit van Pennsylvania. Je studeert biologie. Je hebt je hele leven nog voor je. Er lijkt je geen enkel obstakel in de weg te staan. Voor je staat een koud biertje. Het eerste dat je zelf in een restaurant hebt besteld. Je hebt alle reden om opgewekt te zijn. Opeens ben je dat ook.

Ter hoogte van je elleboog staat nog een glas. Dit is kleiner, niet zo koud en gevuld met een stroperige, amberkleurige vloeistof. Je neemt een slok. Het brandt in je keel, maar smaakt best lekker. Je neemt nog een slok en dan is het glas alweer leeg.

'Wil je er nog een?' vraagt de man. Je schrikt ervan. Je had niet in de gaten dat hij er nog steeds stond. Je knikt en probeert je stem nog eens uit.

'Zeker,' zeg je.

Hij lacht even en werpt je weer die ene blik toe. Hij zet nog een glas op de bar, schenkt het vol en schuift het naar je toe. Je laat het staan, pakt het hoge, koude glas en neemt een slok. Dit drinkt makkelijker weg. Bier. Ja.

Als je vader een flesje openmaakt, schenkt hij altijd een beetje voor jou in een theekopje. In tegenstelling tot dat andere goedje lest dit de dorst wel. Je neemt nog een flinke slok. Je begint te ontspannen en merkt nu pas hoe opgefokt je was. Maar dat gevoel verdwijnt nu. Een trage, aangename warmte. Een zwaar gevoel in je benen. Kleuren worden feller en het lawaai klinkt nu meer op de achtergrond. Je bevindt je op een afgeschermd plekje in het organisme. Het is een prettige plek en je bent van plan elke avond terug te komen. Dan neem je je ouders mee, zodat zij ook dikke maatjes zullen worden met deze geweldige mensen, jouw vrienden.

De barman legt een servet en bestek voor je neer. Je pakt het mes. Het heeft iets. Het komt je bekend voor, maar oogt tegelijkertijd vreemd. Opeens ben je verwachtingsvol gestemd. Je drukt de scherpe kant ervan in de houten bar en trekt het naar je toe. Een witte lijn verschijnt, recht en waarachtig.

Als je nog harder zou drukken en de donkere materie kon opensplijten, wat zou er dan tevoorschijn komen? Wat zou er worden blootgelegd? Och, de opwinding van een ontdekkingstocht! Je pakt het bierglas en neemt nog een slok. Mooi zo. Nu pas voel je hoe gespannen je schouders en nek waren.

'Wacht u op iemand?'

Het meisje aan je linkerzijde stelt deze vraag. Je schat dat ze van jouw leeftijd is. Misschien iets ouder. Twintig, hooguit tweeëntwintig jaar. Erg knap. Haar haar is piekerig geknipt en aan de ene kant van haar gezicht langer dan aan de andere. Het staat haar leuk. Ze heeft een vriendelijke lach en draagt blauwe oogschaduw en mascara om de nadruk te leggen op haar grote, stralende ogen.

Is dat zo? Je denkt er even over na. Je wilt wel antwoord geven, maar twijfelt of je de juiste toon zult aanslaan. Je waagt het erop.

'Nee,' zeg je. 'Ik ben alleen.'

Tot je opluchting lijkt ze dat niet vreemd te vinden. 'Ik had honger,' vervolg je. 'En dit leek me een leuke tent.'

'Het is een geweldig restaurant. We komen hier graag.' Ze wijst naar de jongeman die naast haar zit en tv-kijkt. 'En Ron zorgt altijd goed voor iedereen.' Ze glimlacht naar de man achter de bar. Hij leunt over de bar heen en begint op vertrouwelijke toon tegen je te praten. 'Zeg het me als deze jongedame voor problemen zorgt. Dan weet ik wel raad met haar,' zegt hij. Het mooie meisje begint te lachen.

Een bord pasta, bedekt met een dikke rode saus, wordt voor je neergezet. Het ruikt heerlijk. Je bent uitgehongerd, pakt de vork en begint meteen te eten.

'Laat me raden. U doceert aan de universiteit,' zegt de jongeman naast het meisje. Hij heeft geen oog meer voor de mooie dames op tv en lijkt zich nu tot jou te richten.

'Neem me niet kwalijk?' Je veegt je mond af. De maaltijd is net zo lekker als hij eruitziet. De pasta is al dente en de saus is goed gevuld en rijk aan kruiden. Veel lekkerder dan je het zelf zou kunnen maken. James is de kok in huis. De gezichtjes van de kinderen betrekken altijd als ze zien dat jij in de keuken staat.

Het meisje neemt het woord. 'O, dat is een spelletje dat we altijd in de kroeg spelen. Raden wie mensen zijn en wat ze doen. Hij denkt dat u een universitair docent bent. Daar kan ik wel inkomen. Maar ik wil er nog eens goed over nadenken. Er staat heel wat op het spel! Als je het goed raadt, word je op een drankje getrakteerd.' Ze legt haar hoofd in haar hand en doet alsof ze hard nadenkt. 'In elk geval iemand met een baan,' zegt ze. 'U bent niet zomaar een huisvrouwtje.'

De jongeman geeft haar speels een tik op haar arm.

'Ik weet dat ik dat niet moet zeggen. Maar u ziet er gewoon uit als een vrouw van de wereld.'

De jongeman geeft haar nog een pets.

'O, heb ik weer iets verkeerds gezegd?'

'Nee,' zeg je. De woorden stromen nu uit je mond. Je zegt wat je wilt zeggen. Opluchting. Er zitten geen stoorzenders meer in de verbinding tussen je brein en je mond.

'Het klopt. Ik ben zeker geen huisvrouw,' zeg je tegen het meisje.

Je beseft dat er minachting doorklinkt in je stem. James waarschuwt je daar altijd voor. Je wikkelt een streng pasta om je vork en neemt nog een hap. Je kunt je niet herinneren wanneer je voor het laatst zo'n honger had. 'Ik had slechts vijf vrouwelijke jaargenoten,' zeg je.

'Welke studie zal dat zijn geweest? Laat me raden,' roept de jongeman enthousiast. 'Ik ben hier echt goed in, let maar op. Ik gok... Engelse letterkunde. Middeleeuwse poëzie.'

Het meisje rolt met haar ogen. 'Wat ongelooflijk seksistisch. Het is een vrouw, dus dan zal ze wel Engelse poëzie hebben gestudeerd.'

'Wat zou jij dan gissen, Einstein?'

De man achter de bar valt hen in de rede. 'Gezien de manier waarop ze haar whisky achteroverslaat, denk ik aan iets stoerders. Bouwkunde. Heb je misschien bruggen gebouwd?'

'Welnee.' Je moet erom lachen. Het is lang geleden dat je zoveel lol had. Deze ongedwongen jongelui zijn niet bang voor je. Plotseling dringt het tot je door dat je mensen hebt afgeschrikt. Het is angst wat je in hun ogen ziet. Maar wat hebben ze dan van jou te vrezen?

'Wat denk jij, Annette?' De jonge vrouw doet alsof ze haar hersens pijnigt. 'Ik waag een gok en zeg advocaat,' zegt ze. 'Wedden dat u de arme, weerloze mensen verdedigt tegen onterechte vervolging.'

'Welnee,' zeg je. 'Zeker geen advocaat. Ik ben niet zo goed met woorden. Mijn man is de advocaat.'

'Zie je wel. Ik had het bijna goed.'

'Maar ik zou hem nu niet bepaald een steun voor de kansarmen noemen,' zeg je. Bij de gedachte alleen al moet je glimlachen.

'Wat dan wel?' vraagt het meisje.

'Een laatste toevlucht voor de machtige rijken. Hij is erg goed in zijn vak. Hij weet iedereen vrij te krijgen. Hij is niet goedkoop, maar levert waar voor zijn geld.'

Het gezicht van het meisje betrekt. 'En u?' vraagt ze.

Je beseft dat je een vergissing hebt gemaakt. Dat je bent vergeten hoe gevoelig jonge mensen nog zijn. Fiona en Mark werden al vroeg gehard met cynische grapjes aan de eettafel. Toen Mark aan het puberen was, begon hij elke maaltijd met vreselijke grapjes over advocaten. Zo hoopte hij James te raken, maar dat lukte niet. Die begon dan zelf van de weeromstuit ook zulke grapjes te maken.

'Wat is het verschil tussen een dood stinkdier en een dode advocaat?' vroeg hij dan. Na een korte stilte kwam hij met de clou: 'De aasgieren hoeven van het stinkdier niet te kokhalzen.'

Het meisje wacht nog steeds op antwoord.

'Ik ben arts,' zeg je. 'Orthopedisch chirurg.'

'Dan doe je iets met botten, toch?' vraagt de jongeman.

'Niet alleen botten. Je houdt je ook bezig met letsel, degeneratieve ziektes en aangeboren afwijkingen. Ik ben gespecialiseerd in handen.'

'Annette werkt ook met handen.'

Het meisje begint te lachen. 'Hij bedoelt dat ik aan handlezen doe. Ik heb een cursus paranormale vaardigheden gevolgd. De deelnemers stonden er allemaal nogal cynisch tegenover, maar ik heb toch wel het een en ander geleerd.'

'Chiromantie, bedoel je. Je zou er versteld van staan hoeveel mensen daarin geloven. Er zijn heel wat onderzoeken over handlijnen en vingerafdrukken in wetenschappelijke tijdschriften verschenen.'

'Echt waar?' Het meisje leunt naar voren, draait zich half om en geeft de jongeman op haar beurt een tik. 'Zie je wel! Ik zei het toch?' Ze wendt zich weer tot jou. 'Waar gingen die over?'

'Wetenschappers vragen zich al langere tijd af of genetische afwijkingen aan fenotypische kenmerken te herkennen zijn.'

'Zeg dat nog eens, maar dan in gewonemensentaal.'

'Uiteraard. Artsen zijn erin geïnteresseerd of je ziektes kunt vaststellen op basis van handlijnen, vingerlengte of zelfs vingerafdrukken.'

'Wat voor ziektes?'

'Vooral erfelijke aandoeningen. Mensen die lijden aan het *cri-du-chat*-syndroom schijnen bijvoorbeeld slechts één handlijn en afwijkende vingerafdrukken te hebben.'

'Cri du chat? Het gejank van een kat?' vraagt de jongeman.

'Ja, het gehuil van baby's met dat syndroom klink namelijk als kattengejank. Vaak zijn ze geestelijk gehandicapt. En dan is er nog het syndroom van Jacobsen. Ook te diagnosticeren door de handen te bestuderen. Dat geldt ook voor het syndroom van Down.'

'Zijn het allemaal van die nare diagnoses? Annette vertelt mensen graag dat ze nog een lang leven voor de boeg hebben en op een dag rijk zullen worden.'

'Helaas wijzen afwijkingen in de handpalm vaak op ernstige problemen. Hoewel één onderzoeker juist beweert dat er een duidelijk verband bestaat tussen de vingerlengte en muzikale aanleg.' Je zwijgt even. 'Maar dat zijn natuurlijk maar statistieken. Kijk,' zeg je, terwijl je je rechterhand uitsteekt. 'Mijn wijsvinger is net zo lang als mijn middelvinger. Dat schijnt abnormaal te zijn. Toch heb ik, voor zover ik weet, geen aangeboren afwijking.'

'Laat me uw hand eens zien,' zegt het meisje opeens. Je aarzelt, maar besluit hem toch te tonen. Ze bestudeert je handpalm en fronst haar wenkbrauwen.

'Hoe ziet mijn levenslijn eruit?'

'O, daar wordt niet meer zoveel waarde aan gehecht. Dat is maar goed ook. Uw levenslijn duidt erop dat u jong zult sterven. Eigenlijk bent u al praktisch dood. Verder hebt u een goed verstand en bent u niet materialistisch ingesteld. U bent in staat om anderen te manipuleren, maar verkiest dat niet te doen. U hebt weinig geluk gekend in uw leven.'

'Gebruik je de voltooide tijd om aan te geven dat ik al praktisch dood ben?'

'Hè?'

'Je zegt dat ik weinig geluk heb gekend in plaats van "zal kennen".'

Het meisje bloost. 'Neem me niet kwalijk. Ik bedoelde niet dat u uw leven al achter de rug hebt. U gedraagt zich ook helemaal niet als een oude vrouw.'

Je bent stomverbaasd. 'Waarom zou ik?' vraag je.

'U hebt gelijk. Ik vul het zomaar voor u in. Geef het bier maar de schuld.'

'Hoe oud denk je dan dat ik ben?' vraag je.

'O, daar ben ik zo slecht in. Dat moet u me niet vragen.'

'Volgens mij zijn we ongeveer even oud. Misschien ben ik iets jonger.'

Het meisje glimlacht. 'Dat heb ik verdiend. Ik heb op internet die test gedaan waarmee je je echte leeftijd kunt ontdekken. Ik blijk zestien te zijn. Mijn vrienden scoorden allemaal een veel hogere leeftijd, dertig of tweeëndertig. Jim hier is een oude ziel. Volgens de test is hij eigenlijk vijfendertig. Maar in werkelijkheid is hij natuurlijk nog maar vierentwintig.'

'Ik ben achttien,' zeg je.

'Goed zo, je bent zo oud als je je voelt.'

'En als je écht bent,' zeg je.

'Als ik echt vijfendertig zou zijn, zou ik mijn polsen doorsnijden,' zegt de jongeman.

Het meisje rolt met haar ogen. 'Daar gaan we weer,' zegt ze.

'Waarom in hemelsnaam?' vraag je.

'Als mijn leven er op mijn vijfendertigste nog steeds zo uitziet, bedoel ik. Stomme baan. Niet hogerop gekomen. Geen roman gepubliceerd. Dat soort dingen.'

'Ben je met een roman bezig?' vraag je. Voor je gevoel is dat nu typisch zoiets wat mensen vertellen als ze in de kroeg zitten of op een onderzoekstafel liggen.

'Nee, maar daar gaat het wel om. Ik ben nog geen dertig, dus ik heb een excuus. Maar als je vijfendertig bent, kun je je nergens meer achter verschuilen.'

'Daar zou je nog weleens ongelijk in kunnen hebben,' zeg je. 'Mark zal vast genoeg smoesjes hebben als hij eenmaal zo oud is. Wacht maar af.'

'Wie is Mark?'

Je bent een beetje in de war. Wie is dat eigenlijk?

'Zomaar iemand,' zeg je. 'Mijn neefje, misschien.'

'Misschien?' Het meisje begint te lachen, maar houdt ermee op als ze ziet hoe je kijkt.

Er verschijnt een beeld op je netvlies. Een radeloos gezicht. Smalle, bevende schouders. Iemand met veel verdriet. Ze heeft een bekend gezicht.

'Fiona,' zeg je langzaam. 'Fiona is ook iemand die ik ken, iemand voor wie ik veel bewondering heb. Ze lijkt problemen te hebben. Mark daarentegen...' Je zwijgt en denkt even na. 'Mark zoekt problemen juist altijd op.'

'Fiona?' zegt het meisje verbijsterd.

'Fiona weet altijd precies wat ze wil en hoe ze dat voor elkaar moet krijgen,' zeg je langzaam. 'Maar soms is dat niet de beste manier. Nee.'

'Ik heb nooit veel op met zulke mensen,' zegt het meisje.

'O, je zou Fiona wel aardig vinden.'

Het meisje knikt beleefd. Ze heeft er geen behoefte aan om over mensen te praten die ze niet kent. Ze fluistert iets tegen de man naast haar en hij glimlacht naar haar. Hij heeft zijn aandacht weer op de tv gericht. Het journaal is begonnen. Allemaal slecht nieuws. Natuurrampen en door mensen veroorzaakte catastrofes. Miljoenenverliezen, een toename van overstromingen en onopgeloste moordzaken.

Je bord is leeg en zowel in het grote als in het kleine glas zit geen vloeistof meer. De dikke man aan de andere kant van de bar is nu in gesprek met een man in een pak.

'Weet jij waar het toilet is?' vraag je. Het meisje wijst. 'Daar, naast de ingang.'

Je glijdt van de kruk en struikelt bijna. Je wankelt door het drukke restaurant en gebruikt stoelen en soms mensen als steun. Je staat onvast op je benen en moet ontzettend nodig plassen.

De deur waarop TOILET staat, zit op slot. Terwijl je wacht, wiebel je als een klein kind van je ene op je andere been. Je hoort dat het toilet wordt doorgespoeld, het water in de wasbak stroomt en de deur uiteindelijk met een klik opengaat. Er komt een vrouw tevoorschijn.

Je passeert haar onhandig en bent nog maar net op tijd. Toch zit er een natte plek op je broekspijp. Je probeert het met een papieren handdoekje schoon te maken, maar je maakt het alleen maar erger. Gelukkig valt het niet zo op als bloed. Je denkt terug aan alle keren dat je te laat een tampon verwisselde en je jezelf moest opsluiten in een openbaar toilet om de bloedvlekken uit je broek te boenen. Voor een arts had je opmerkelijk weinig kennis van je eigen lichaam. Overal verstopte je tampons: in je tas, het handschoenenkastje van de auto en je bureaula. Toch kon je er nooit eentje vinden als je hem nodig had. Je lichaam liet je telkens weer in de steek.

Naarmate je ouder werd, ging het van kwaad tot erger. Rond je vijftigste weerhielden kortstondige, hevige bloedingen je er soms bijna van om operaties in te plannen. Nog nooit had je lichaam je zo verraden. Je droeg twee tampons en maandverband. In de ok droeg je luiers voor volwassenen, waardoor je een beetje ging waggelen. Maar als het bloed eenmaal vloeide, was er geen houden meer aan. Je leerde leven met de vernedering. Bloed in de ok. Zowel op je werk als in je auto bewaarde je reservekleding. Die periode duurde twee jaar. Je had verwacht dat je misschien verdrietig zou zijn om het verlies van je vruchtbaarheid, maar door alle ellende die aan de menopauze voorafging, verwelkomde je die juist.

Terwijl je je handen wast, kijk je in de spiegel. Je schrikt van wat je ziet. Het korte, krullende, witte haar. Je gezicht vol rode vlekken, de levervlekken op je voorhoofd en de slappe huid om de kaak. Te veel zon.

Je hebt nooit naar de dermatologen geluisterd omdat je hun waarschuwingen als oudewijvenpraat beschouwde. Nu ben je zelf een oud wijf. Je leven hoort echt in de voltooide tijd te worden besproken. Plotseling ben je moe. Het is tijd om naar huis te gaan. Je verlaat het toilet, maar blijft verward staan.

Waar ben je? Een druk restaurant. De bedwelmende geur van sauzen met veel knoflook. Je krijgt hoofdpijn van het kabaal. In het gedrang word je teruggeslingerd naar de toiletruimte, waarvan de deur nog openstaat. Dan zie je verderop een deur waarop UITGANG staat. Je baant je een weg ernaartoe.

Achter je hoor je geschreeuw. 'Hé dame!' Een man die menukaarten vasthoudt, opent de deur. 'Hou haar tegen!' De man wenst je op zangerige toon een fijne avond toe. 'Avond?' vraag je nog, maar dan sta je al buiten. Een zwoel windje strijkt langs je gezicht.

Hoe kan het dat het al avond is? Dat de hitte voor deze heerlijke temperatuur heeft plaatsgemaakt? De straatlantaarns branden al en in winkels en restaurants branden uitnodigende lichtjes. Tussen het gebladerte en de bloesems van de bomen brandt fel licht. Overal lopen mensen, hand in hand en arm in arm. Lichamen die zich in harmonie aan elkaar warmen. Het is een feest. Een sprookjesland. Je stort je in het nachtleven.

*

Je hebt pas echt geleefd als je hebt gezien hoe vissen de maan proberen te raken. Met tientallen tegelijk schieten ze uit het water. Hun zilveren lijven schitteren tijdens hun sprong en vormen een glinsterende boog. De neerwaartse gang is om lyrisch van te worden: een volmaakte duik terug in de blauwgrijze diepte.

Hoewel de avondlucht zwoel en bijna tropisch warm is, is het water in het meer ijskoud. Het verdooft je voeten en enkels. Toch ben je niet de enige die zich erin waagt. Je ziet hoofden die net boven het water uitsteken en maaiende armen die het doorklieven. Een lange rij hoofden, verbonden aan schouders en armen. De voeten, motortjes die water opspatten.

In het park is het bijna net zo licht als overdag. De straatlantaarns zijn niet aangegaan. Vanuit de dierentuin klinkt gejoel, alsof de dieren in feeststemming zijn. De bankjes zijn allemaal bezet en op de paden is het druk. Het wemelt van de honden die in het rond rennen, door het gras rollen, ballen en frisbees achternazitten en in de lichte deining spelen. De vissen springen nog steeds op uit het water.

'Mevrouw?' Een jongeman rent naar je toe. Hij houdt iets vast.

'U bent uw schoenen vergeten!' Buiten adem blijft hij staan en reikt je een paar spiksplinternieuwe, witte gympen aan. Het lijkt erop dat hij een bedankje verwacht, dus je probeert warmte in je stem te laten doorklinken.

'Bedankt hoor,' zeg je. Hij steekt de schoenen nog steeds naar je uit, dus je neemt ze aan. Zodra hij zich heeft omgekeerd, laat je ze echter in het gras vallen. Wie heeft er op een avond als deze schoenen nodig? Het zijn obstakels die ervoor zorgen dat je huid deze zalige aarde niet kan voelen.

Rechts van je staat een jong stel op van een bankje. Je gaat zitten, niet omdat je moe bent, maar omdat je naar de optocht wilt kijken.

Het is een fantastische optocht! Muzikanten: drummers, trompettisten en trombonespelers. Maar de krekels tjirpen zo luid dat je hen amper kunt horen. Dan komen de artiesten: acrobaten, mannen op eenwielers en vrouwen op stelten, allemaal in buitenissige kostuums.

Sommigen zijn naakt. Je lacht om de mannen met hun stijve penissen die door de nachtlucht en de nabijheid van zoveel schoonheid zijn geprikkeld. Je zou er bijna zelf opgewonden van worden.

Je denkt aan je vriendje. Hij is aan de late kant. Dat is hij altijd. Je moet altijd op hem wachten. Je vader zegt dat een wachtende vrouw zich in toom moet houden en nergens naar mag talen. Je meende dat het een citaat was, maar hebt nooit kunnen ontdekken van wie het afkomstig was. Hij verbaast je telkens weer, die vader van je. Hij heeft amper de basisschool afgemaakt, maar kijkt toch je werkstukken Engels na.

Maar jouw vriendje, je knappe vriendje. Hij draagt groene kleding, omdat dat zijn ogen goed doet uitkomen. Hij is niet dom, maar ook niet zo slim dat hij zijn ijdelheid weet te verbergen. In zijn kluisje heb je foundation gevonden, maar het kwam geen moment in je op dat hij zou vreemdgaan. Niet dat hij daar niet toe in staat zou zijn. Hij heeft het alleen veel te druk met zichzelf.

En jij? Als je aan de leugendetector werd gelegd, zou je elke vraag verkeerd beantwoorden. Hield je van hem? Ja. Nee. Uit elk antwoord zou blijken dat je een leugenaar bent. Soms. Misschien. Je zou alleen slagen als je aan een machine werd gelegd die ambivalentie moest detecteren.

Na de artiesten kwamen de dieren. Wat een schepsels! Geen door God geschapen dieren, maar fabelachtige wezens met leeuwenkoppen en kindergezichtjes. Een kudde katten, in paradepas in het maanlicht.

Je moet denken aan de prachtige maar tegelijkertijd afschuwelijke boeken uit je jeugd. Eentje waarin een jongen het innerlijk van mensen kon raden door hun handen te voelen. De handen van koningen en hovelingen voelden aan als de hoeven van monsters en die van eerlijke, harde werkers waren zacht als van een vorst.

Het was beangstigend om niet te weten wie je nu eigenlijk voor je had. In bed hield je je eigen hand vast in een poging te achterhalen wat je was. Mens of monster.

Aan de overzijde van het pad ligt een lage stenen muur die het gazon afscheidt van een smal zandstrand. Er staat iets op geschreven. Een heilig schrift. Dikke halen in zwarte verf die met rood zijn omrand. Onderbroken door een grijnzend gezicht. Het houdt een boodschap in. Maar welke?

De optocht is alweer voorbij. Mensen gaan op zoek naar ander vertier. De honden zijn verdwenen en de kinderen worden op schouders getild en naar huis gebracht. Stilte daalt neer. Je sluit je ogen en geniet.

*

Je schrikt wakker. Er ligt een hand op je arm. Hij glijdt omlaag. Tot je verbijstering is het nog steeds nacht, maar toch is het zo licht dat je zou kunnen lezen. De hand is van een vreemde. Een nog tamelijk jonge, morsige man die een vissershoedje en een legerjas draagt. Als hij ziet dat je wakker bent, trekt hij zijn hand weg.

'Ik vroeg me af of ik misschien wat geld van je kan lenen,' zegt hij.

Normaal gesproken zou je weigeren. Je doneert je tijd en geld al aan de gratis kliniek. Maar vanavond is alles anders. Het gevoel van welbehagen. De schoonheid waarmee je wordt omringd. Je vraagt je af hoe zijn hand zal voelen.

Je reikt naar je tas. Maar die heb je niet bij je. Je zoekt in je zakken naar je portemonnee, je rijbewijs en creditcard. Niets. De man kijkt toe hoe jij je in bochten wringt.

'Je had hier beter niet in slaap kunnen vallen,' zegt hij. 'Waarschijnlijk is iemand me al voor geweest. Iemand die het minder goed met je voorhad dan ik.'

Hij haalt een pakje sigaretten uit het borstzakje van zijn jas en biedt je er eentje aan. Als je weigert, steekt hij er zelf eentje op en gaat weer onderuitgezakt op het bankje zitten.

'Toen ik je zag, dacht ik: wat doet zo'n aardige dame nu midden in de nacht in Lincoln Park,' zegt hij. 'Het was een vreemde aanblik. Waar zijn je schoenen eigenlijk?'

Je kijkt naar je blote voeten. Ze zijn smerig en er zit opgedroogd bloed aan de zijkant van je enkel. Je reikt omlaag en trekt er een glasscherf uit. De zoom van je broek zit onder de modder.

'Je hebt pootjegebaad,' zegt de man. 'Ik kan je geen ongelijk geven. Het is zulk heerlijk weer.'

Het valt je op dat het niet meer zo stil is. Hoewel de krekels nog altijd zwijgen en het geraas van het verkeer ook is verstomd, klinken er nu andere geluiden. Je merkt dat jullie niet alleen zijn. Op het grasveld ontwaar je donkere gestaltes. Mensen met boodschappenwagentjes die dekens neerleggen. Een man en een vrouw worstelen met een vormeloze massa die een kleine tent blijkt te zijn. Er wordt een kamp opgeslagen.

De man rookt en praat verder.

'Je bent nieuw hier. Je geeft zeker de voorkeur aan de opvang. Dat geldt voor veel vrouwen. Je wordt er niet zo smerig. Maar ik heb een hekel aan al die regeltjes. Om negen uur moet je al in bed liggen. Geen sterke drank. Geen sigaretten. Niet voor zessen opstaan.'

'Je bent vast een nachtmens,' zeg je. 'Dat was ik vroeger ook. Ik ben een zwerver.'

Zwerver. Zwerven. Zwerftocht. Je spreekt de woorden uit en ze staan je wel aan.

'Je hebt helemaal gelijk. Ik ben 's nachts altijd graag in het park. Waar zijn je spullen? Dan help ik je even.'

'Geen idee,' zeg je. 'Thuis, denk ik.'

'Heb je dan een huis?'

'Natuurlijk, aan Sheffield Avenue.'

'Dat is geen verkeerde straat. Waar precies?'

'Nummer 2153. Vlak bij de St. Vincent's-kerk.'

'Ik ken die buurt wel. Goh, daar woon je. Wat doe je dan hier, midden in de nacht zonder schoenen?'

'Ik had frisse lucht nodig,' zeg je. Maar opeens twijfel je aan je antwoord. Je bent helemaal gefocust op het gezicht van de man, dat al het andere verdringt. Zijn neus en zijn mond. Het vuil in de diepe lachrimpels rond zijn ogen. Een blauwe plek op zijn jukbeen. De plukjes haar die onder zijn hoedje uitsteken. Geen onvriendelijk gezicht. Een gezicht dat een capabele indruk wekt, al weet je niet precies waarvoor.

‘Heb je geen familie?’

‘Ze zijn allemaal dood,’ zeg je. ‘Mijn moeder. Mijn vader. Ze zijn er niet meer.’

‘Dat is heftig. Ik heb ook geen familie meer. Alleen nog een zus, maar zij wil niet meer met me praten.’

Hij neemt nog een laatste trek van zijn sigaret, gooit hem op de grond en trapt hem uit.

‘Kunnen we niet naar jouw huis gaan? Ik zou graag eens in een bed slapen zonder dat ik me aan allemaal regels moet houden.’

‘We hebben een logeerkamer,’ zeg je.

‘Dat klinkt geweldig. Ik wil graag je logé zijn. Dolgraag.’ Hij staat op, klopt het vuil van zijn broek en wacht.

Jij staat ook op. Je voeten doen pijn. Je enkel prikt een beetje. Kun je nog lopen? Ja. Maar opeens ben je doodmoe.

‘Weet jij hoe we er moeten komen?’ vraag je.

‘Zeker weten. Ik hing daar vroeger veel rond. Antoine trouwens ook. Ik zal hem even halen. Hij wil vast ook wel bij je logeren.’

‘Ik heb maar één logeerkamer. Het is een tweepersoonsbed.’

‘Nou, ik wil mijn bed best met die oude Andy delen. Ik zal hem even halen. Blijf hier.’ Hij rent weg, maar kijkt steeds om, alsof hij zich ervan wil vergewissen dat je niet wegloopt.

Je doet wat hij zegt. Je bent blij dat iemand zich over jou ontfermt. Dat sta je bij James nooit toe. Je wordt ook ouder. Oud. Het verlangen om verantwoordelijkheid uit handen te geven. Om anderen het voortouw te laten nemen. Is dat nu de kern van het ouder worden?

De man staat weer voor je neus. Naast hem staat een andere man. Tengerder en schoner dan de eerste, maar met een onvriendelijker gezicht.

'Ben jij mijn echtgenoot?' vraag je uiteindelijk aan de forsere man.

'Hè?'

'Hoelang zijn wij al getrouwd?'

De kleine man begint te lachen. 'Als ze echt een huis aan Sheffield Avenue heeft, zit je gebakken.'

'Maar stel nu dat ze wel familie heeft?'

'Volgens haar zijn ze allemaal dood.'

'Ja, maar ze is knettergek. Geen idee of ze de waarheid spreekt.'

'James?' zeg je.

'Ja?' zegt de kleinere man.

'Nee,' zeg je. 'Jij niet. James.'

'Ja?' zegt de andere man weifelend.

'James, ik wil nu graag naar huis.'

'Goed schat.' De forse man kijkt de kleinere aan. 'Wat heb ik nou te verliezen?' zegt hij schouderophalend. 'Goed, laten we gaan. Op naar Sheffield Avenue.'

*

Voor je gevoel duurt het uren voordat je bij het huis aankomt. Je doet het poortje open. De mannen staan naast je en wachten af. Er staat een bordje in de voortuin. VERKOCHT. Binnen is het donker. De gordijnen zijn niet gesloten.

Je loopt naar de voordeur en draait aan de deurknop. Hij zit op slot. Je belt aan. Je belt nog een keer aan. Je bonst op de deur. 'James!' schreeuw je. Iemand grijpt je vanachter vast. 'Stil nou. Wil je de buren soms wakker maken?' Dat was je even vergeten. Inderdaad, de buren. Je gaat op je tenen staan en tast boven het deurkozijn. Niets.

'Heeft ze geen sleutel?'

'Blijkbaar niet.' De forsere man loopt de trap af en duwt tegen een raam op de begane grond. Het geeft niet mee. Hij probeert het bij een ander. Ondertussen ben jij weer naar de voortuin gegaan. Je keert stenen om. Je weet dat de reservesleutel hier ergens moet liggen. Je hebt hem er zelf neergelegd.

De grond voelt koud aan onder je blote voeten. Je stapt op iets wat kraakt. Een slak. Je vertrapt er nog een. Je hebt altijd de pest aan die dieren gehad. Struikrovers. Dieven. Plunderaars van mooie dingen. Maar Fiona was er gek op. Met Amanda's nagellak beschilderde ze ze in schitterende kleuren en liet ze dan weer vrij. Levende sieraden tussen je petunia's en springzaad.

Je gaat op een scherpe steen staan en gilt het uit.

'Sssst!' zegt een van de mannen.

'Wat is dat?' zegt de ander. Afgemeten klanken, keihard. Het klinkt als 'tu-ta-tu-ta'. Een rood met blauw zwaailicht.

'Verdomme,' zegt de kleine man, die er als een speer vandoor gaat. De forsere man rent achter hem aan. Jij loopt de andere kant op en schiet een steegje in. Je passeert drie huizen. Eén, twee, drie. Door de poort de achtertuin in. Naar de grote, witte kei onder de regenpijp. Daaronder ligt de sleutel, precies waar hij hoort te liggen.

Peter plaagde Amanda er altijd mee. 'Overal sleutels,' zei hij dan. 'Waarom deel je ze niet rond in de buurt? Aan elke vrouw en elk kind!' Amanda haalde slechts haar schouders op. 'Dat heb ik liever dan in de vrieskou buiten te moeten staan,' zei ze. 'Stel dat ik een been breek of een beroerte krijg zonder dat iemand me te hulp kan schieten.'

Je laat jezelf binnen. Het is stil in huis. Het ruikt er muf, naar schimmel en een laatste vleugje gas. Je drukt op de lichtschakelaar, maar er gebeurt niets. Toch is het echt Amanda's keuken. Er staan geen bloemen noch ligt er fruit, maar het zijn haar meubels en haar foto's. Ze is er niet. Dat weet je zeker.

Je dwaalt door de gang. Je kent dit huis even goed als je eigen huis. Je komt er al sinds je zwanger was van Mark. Amanda was de eerste buurvrouw die kwam kennismaken. Ze had geen koekjes of een stoofschotel bij zich, maar een cactus in een pot. Lelijk, met een stervormige, gele bloem op een van de stekelige takken.

'Ik ken jou van horen en zeggen, hoewel jij mij niet kent,' zei ze. 'Je hebt een leerling van mij behandeld die door een voetzoeker gewond was geraakt. Je heb drie van zijn vingers kunnen redden, waarvan hij er twee weer kan gebruiken. Iedereen zegt dat je een genie bent en ik heb bewondering voor genialiteit.'

'Ik ben geen genie,' zei je, 'maar gewoon goed in mijn vak.'

Je nam de cactus aan en zette hem bij het vuil zodra Amanda was vertrokken. Je hebt een hekel aan planten, en al helemaal aan cactussen. Je had liever koekjes gekregen. Maar toen je Amanda een paar dagen later op straat tegenkwam, bleef je toch staan om een praatje te maken.

Je kunt je dat gesprek nog levendig voor de geest halen.

'Wanneer ben je uitgerekend?' vroeg ze.

'15 mei. Nog maar negen weken.'

'Je zult er wel klaar voor zijn. Hoe voel je je? Je bent waarschijnlijk reuzenieuwsgierig.'

'Nee hoor, maar mijn man wel. Hij wil graag kinderen.'

Je was benieuwd welk effect je woorden op deze vrouw zouden hebben. Ze was lang en had een ferme uitstraling. Ze hield haar rug recht en haar goudblonde haar, dat tot op haar schouders viel, leek wel een glanzende helm. Je kon zien dat het haar echte kleur was. Bij de slapen was het een beetje wit – niet grijs. Haar op maat gemaakte kleding was netjes gestreken. Je was je al te zeer bewust van je versleten, katoenen broek, het grote T-shirt dat je dikke buik bedekte en je oude gympen.

Amanda begon te lachen. 'Hoe oud ben je? Vijfendertig?'

'Inderdaad. Het werd gewoon tijd.'

'Wij proberen nog steeds zwanger te worden,' zei ze met een wrang lachje.

Je deed niet eens je best om je verbazing te verbergen.

'Ik geef niet zo snel op.' Ze stak haar hand uit en streelde je buik – een gebaar dat veel te veel mensen meenden te mogen maken. Maar van haar kon je het hebben. Het was niet aanmatigend bedoeld, maar er sprak juist verlangen en bewondering uit. Dat maakte je invoelender dan je anders zou zijn geweest.

'Soms is het tijd om iets los te laten,' zei je.

'Nog niet,' zei ze. 'We geven de moed nog niet op.'

'Waarom adopteer je niet?' vroeg je, hoewel je die woorden eigenlijk meteen weer wilde inslikken. Daar had ze natuurlijk allang over nagedacht. Lekker makkelijk. Je moest ervan blozen, maar dat leek ze niet in de gaten te hebben.

'Nee, ik wil er meer controle over hebben,' zei ze.

'Dat is een merkwaardige manier om ertegenaan te kijken,' zei je geïntrigeerd.

'Dat kan wel zijn, maar toch wil ik de controle houden,' zei Amanda.

'Zou je ook geen pasgeboren baby willen adopteren?' vroeg je, oprecht nieuwsgierig naar het antwoord. Je wiebelde heen en weer, omdat de baby aan het schoppen was en je maag vervormde.

'Dan is het kind meteen van jou,' vervolgde je. 'Soms mag je er zelfs bij zijn als het wordt geboren, zodat de baby jou als eerste ziet.'

'Toch is dat niet goed genoeg,' zei Amanda.

'Waarom niet?'

'Dan zou ik controle hebben over de opvoeding, maar hoe zit het met de aanleg? Daar heb ik dan geen invloed op gehad.'

'Maar je bent leerkracht,' bracht je ertegen in. 'Kinderen die in hetzelfde huishouden opgroeien, dezelfde opvoeding en hetzelfde voedsel krijgen en hetzelfde meemaken, kunnen toch totaal verschillend zijn. Dat weet jij vast ook.'

'Jawel,' zei Amanda, 'maar toch is het van belang dat het kind uit jou komt. Anders voel je misschien andere emoties voor hem of gedraag je je anders.'

'Wat voor emoties?'

'Minachting of zelfs afkeer.'

'Even voor alle duidelijkheid: jij kunt dus houden van een kind met een moeilijk karakter zolang je maar weet dat jullie dezelfde genen delen. Maar als je dat niet weet...'

'Dan heb ik misschien totaal andere emoties,' vulde Amanda aan.

'Als een lichaam dat een nieuwe nier afstoot,' zeg je langzaam.

'Precies. Dat weet je pas na de transplantatie. Waarom zou ik dat risico nemen?'

'Omdat mensen soms een nieuwe nier nodig hebben. En jij dolgraag een kind wilt.'

'Dat klopt,' zei ze, op een toon waaruit haar vastbeslotenheid sprak.

Toch zat het je niet lekker. 'Je ziet de helft van de chromosomen over het hoofd,' protesteerde je. 'Je hebt immers geen invloed op het genetisch materiaal van de vader.'

'Met de eventuele eigenaardigheden van Peters genen weet ik wel raad,' zei ze. Je dacht daar even over na. Op dat moment verwachtte je niet dat je James ooit zou zien als iemand met wie je wel raad wist. Later veranderde dat natuurlijk.

Amanda nam het woord: 'Nu is het mijn beurt om een paar vragen te stellen. Waarom wilde je geen kinderen? Komt dat door je carrière?'

'Nee, eigenlijk heeft dat ook met controle te maken,' zei je. 'Ik heb altijd vrij willen zijn om te doen wat ik wil. Met een kind kan dat niet. Als het honger heeft, moet er eten in. Als het een vieze luier heeft, moet je het verschonen.'

'Maar als arts bekommer je je toch ook om je patiënten? Als er tijdens een operatie iets misgaat, heb je geen keus. Dan moet je de fout herstellen. Bij een spoedgeval moet je in actie komen.'

'Dat is anders,' zei je.

'Waarom dan?'

Je sprak bedachtzaam. 'Dat haalt het beste in je naar boven,' zei je. 'Het maakt je bijzonder. Niet iedereen kan een intercostale zenuw in de *nervus musculocutaneus* transplanteren om de functie van de biceps te herstellen. Of een carpaletunnelsyndroom met een operatie verhelpen. Daarvoor moet je een echte specialist zijn. Maar een kind houdt van iedereen. Kinderen houden soms van verdorven mensen. Ze hechten zich aan een warm lichaam. Aan een bekend gezicht. Aan voedselbronnen. Ik vind het niet echt een uitdaging om in zulke basale behoeften te voorzien en daarom gewaardeerd te worden.'

'Als de baby er eenmaal is, denk je daar vast anders over. Dat heb ik al zo vaak meegemaakt.'

'Het schijnt zo te zijn. Maar ik verwacht dat ik het kind aan James geef en het hem lekker laat uitzoeken.'

'Je intrigeert me. Maar weinig mensen denken zo, laat staan dat ze het ook hardop zeggen.'

'Ik zeg altijd wat ik denk.'

'Dat merk ik. Je hebt waarschijnlijk weinig geduld met mensen die dat niet doen.'

'Dat klopt.'

Plotseling spoelt je geheugen door naar de bevalling, die drie weken te vroeg begon. Mark had longproblemen. Toen hij werd geboren, was hij nog met een vacht van lanugo bedekt. Een rood, piepend schepsel. Hij was eerst je patiënt en werd daarna pas je kind. Dat maakte de omschakeling makkelijker.

Uiteraard gaf je borstvoeding, vanwege de antistoffen. In dat opzicht kweet je je van je plicht, ondanks het ongemak en de pijn. Je vond het niet leuk om meerdere keren per dag te worden leeggezogen. Eigenlijk viel het zwaar tegen.

Na drie maanden ging je over op flesvoeding en zodra je borsten niet meer bij het minste of geringste lekten, ging je weer aan de slag. Rond die tijd nam je Ana in dienst. Ana, die alles deed wat een goede moeder zou doen. Jij was geen goede moeder. En toch hing Mark enorm aan je. Fiona zou zes jaar later hetzelfde doen. Tegen die tijd had Amanda haar pogingen om zwanger te worden gestaakt. Zelfs zij had moeten erkennen dat het zinloos was.

Wanneer heb je Amanda eigenlijk voor het laatst gezien? Je weet het niet meer. Het is gewoon een feit dat ze is verdwenen. Ze zijn allemaal weggegaan, een voor een. James. Peter. Zelfs de kinderen. Een ware diaspora. Op de een of andere manier put je daar juist kracht uit. Elk verlies maakt je sterker en nog meer tot wie je echt bent. Als een rozenstruik waarvan de overbodige takken worden gesnoeid zodat hij het jaar erop nog grotere en mooiere rozen zal krijgen. Wie weet waartoe je in staat zult zijn als je je van al het overtollige hebt ontdaan.

Je hebt een visioen: Amanda hier op de grond, met een gewond hart, haar ogen geopend. Je vond het altijd maar vreemd dat de ogen van een overledene gesloten moesten worden. Dat gebeurt natuurlijk, omdat de levenden willen dat de dode zich een beetje gedraagt, dat hij doet alsof hij slaapt. Maar Amanda ziet er niet uit alsof ze rust heeft. Ze ligt op haar rug en heeft haar vuisten gebald, alsof ze op het punt staat om een gevecht aan te gaan. Ze heeft haar benen over elkaar geslagen. Verzin je dit nou? Je bent niet alleen in de kamer. Je ziet dansende schaduwen. Er klinken woorden. 'Moet je dit doen? Ja, dat moet. Snel dan maar.'

Er verschijnen fantastische beelden voor je geestesoog. Sommige in felle kleuren, andere in zwart-wit. Het lijkt alsof je kijkt naar een compilatie van filmpjes die door een geestelijk gestoorde zijn gemaakt. Een stapel geamputeerde handen op het witte strand van een turkooizen zee. Je ouderlijk huis in Phildelphia dat in vlammen opgaat. 'Ik ben echt ver heen.' Hier. Hier is het dus gebeurd. Je ziet nog een restje geel krijt, vermengd met stof. Wat Amanda nooit overleefd kan hebben.

Je smerige blote voeten laten afdrukken achter. Schoenen. Je hebt schoenen nodig. Amanda was langer en dikker dan jij, maar jullie hadden dezelfde schoenmaat. 43. Wie de schoen past, trekke hem aan.

Je gaat de trap op en loopt naar haar kamer. Daar vind je een eenvoudig blauw mantelpak met een riem en zwarte instappers. Als je de kraan opendraait om je gezicht te wassen, ontdek je dat het water is afgesloten. Je spuugt op een handdoek en probeert het ergste vuil weg te vegen. Dan ga je op Amanda's bed liggen.

Maar voordat je in slaap valt, komt Peter langs. Hij gaat staan voor het raam waardoor het maanlicht naar binnen schijnt. Het is meteen een stuk donkerder in de kamer. 'Wat heb je gedaan?' vraagt hij. 'Waarom heb je het gedaan?' Hij is in de tuin bezig geweest. Zijn knieën zijn zwart van de modder. In zijn hand ligt een van Fiona's felgekleurde slakken. 'Zweten zul je voor je brood, totdat je terugkeert tot de aarde, waaruit je bent genomen.' Je baadt in het zweet. 'Zo is het genoeg,' roep je, maar hij is al verdwenen. Amanda heeft zijn plaats ingenomen. Ze zit op de rand van het bed. Ze pakt je hand. De hare is intact, ongeschonden. Opluchting maakt zich van je meester. Het was allemaal maar een droom. Slechts een droom. Eindelijk val je in slaap.

*

Je schrikt wakker door een donderslag en gekletter tegen het raam en op het dak. Buiten is het grijs en nat, maar het is nog steeds warm. Je ziet dat je bent aangekleed en zelfs al schoenen draagt. Je hebt vast bereikbaarheidsdienst.

De periode als coassistent, waarin je leerde om meteen paraat te staan zodra je uit een diepe slaap werd gewekt. Het ene moment was je nog in dromenland en het volgende moest je op scherp staan. Je wordt je bewust van je lege maag en gaat naar beneden. De koelkast is echter donker en leeg. Het ruikt er zuur. In de kelderkast ligt oude muesli. Op de planken liggen rattenkeutels. De dieren hebben gaten in de zakken pasta en de doos met crackers gekauwd.

Je ziet dat de klok boven de gootsteen nog tikt. Kwart voor negen. De kliniek is om acht uur opengegaan. Je zult te laat komen. Je stopt wat muesli in je mond en rent naar de voordeur. Je hebt je autosleutels niet bij je, dus zul je een taxi moeten nemen. Snel wandel je in de richting van Fullerton Avenue, waar dag en nacht taxi's rijden.

In de warme regen ben je al snel helemaal doorweekt. De eerste twee taxi's zijn bezet, maar dan heb je geluk: de derde taxichauffeur stopt. 'De New Hope Kliniek, alstublieft,' zeg je. 'Wat is het adres?' vraagt hij, maar dat kun je je niet herinneren. Hij tikt de naam in op een apparaatje op zijn dashboard. 'Chicago Avenue,' zegt hij. 'Okido.'

Het is een knappe man met donker haar. Een Palestijnse vlag is over de bestuurdersstoel gedrapeerd. Zijn mobiele telefoon gaat en hij voert een kort gesprek in een taal met veel keelklanken. Je dept jezelf droog en probeert wat te ontspannen. Chicago, de grijze dame. Je vindt het niet erg.

In een poging om uit te leggen waarom je van onweer houdt heb je ooit tegen James gezegd dat je soms zou willen dat de buitenwereld je innerlijk beter verbeeldt. Er klinkt nog een donderslag en aan de rechterkant is een bliksemflits te zien. 'Schitterend, hè?' zegt de taxichauffeur, terwijl hij in het achteruitkijkspiegeltje naar je lacht.

De taxi stopt voor een laag, grijs gebouw. 'Dat is dan zeven dollar vijfenzeventig,' zegt de man. Je speurt de achterbank af naar je tas en doorzoekt koortsachtig je zakken. De man kijkt eerder bezorgd dan gealarmeerd. 'Werkt u hier of bent u een patiënt?' vraagt hij. Je legt uit dat je een dokter bent en de man knikt alsof hij dat al had verwacht. 'Misschien kunt u het geld even lenen?' stelt hij voor. 'Ik wacht hier wel.'

Je rent door de regen naar de ingang. In de wachtruimte is het zo druk dat er niet genoeg zitplaatsen zijn. Jean zit achter de balie en spreekt met een vrouw die een huilende baby bij zich heeft. Als ze je in het oog krijgt, is ze compleet verrast. 'Dokter White! Wat een verrassing!' roept ze uit. 'Sta ik niet op het rooster?' vraag je verbaasd. Je wacht het antwoord niet eens af. 'Het maakt ook niet uit. Jullie hebben me vast nodig. Geef me tien minuten.'

Je loopt naar de kleedruimte en staat versteld van alle vreemde gezichten. Een man met een normaal postuur en een donkere huid houdt je tegen. 'Het spijt me,' zegt hij. 'Hier mag alleen personeel komen.' Op zijn naamplaatje staat DR. AZIZ. 'Het is in orde,' zeg je. 'Ik ben dokter Jennifer White. Er is blijkbaar iets misgegaan met het rooster, maar zo te zien kunt u wel wat hulp gebruiken.'

'Dokter White?' vraagt hij, maar je staat al bij de wasbak achter in de ruimte om je handen met desinfecterende zeep te wassen. Je loopt naar het kledingrek, pakt een witte jas en knoopt hem dicht. 'Wat kan ik voor je doen?' zeg je. De arts aarzelt even maar haalt dan zijn schouders op. 'Kamer drie. Huiduitslag. Misschien is het gordelroos. Of gifsumak,' zegt hij. 'Het dossier hangt aan de deur.'

Uit beleefdheid klop je eerst even aan voordat je de kamer binnengaat. Er zit een donkere vrouw van een jaar of dertig met een gespierd lichaam. Haar hand ligt op haar linkerzij en haar gezicht is vertrokken van pijn. 'Laat mij eens kijken,' zeg je. Met tegenzin haalt ze haar hand weg. Je trekt het blauwe ziekenhuisschort weg en ziet een akelige uitslag met rode zwellingen en blaren die van haar buik naar haar rug loopt.

'Doet het pijn?' vraag je.

'Ja, eerst tintelde het alleen maar een beetje, maar nu doet het hartstikke pijn.'

Je bekijkt de uitslag nog eens goed. Sommige blaasjes zijn al met etter gevuld, andere zijn nog in het beginstadium. Je gebaart dat de vrouw zich moet omdraaien. Haar andere zij is niet aangetast. Alleen een brede strook over haar rechterzij, -heup, -dijbeen en -bil.

'Wat is het?'

'*Herpes zoster*. In de volksmond wordt het gordelroos genoemd,' zeg je. 'Ik zal aciclovir voorschrijven. Daarmee verdwijnt de uitslag eerder en heb je minder pijn. Hopelijk zijn we er op tijd bij. Je moet er ook drie keer per dag koude kompressen op leggen. Het is heel belangrijk dat je niet krabt, anders kan het gaan ontsteken.'

'Hoe kom ik hieraan? U had het over herpes. Heb ik het van mijn vriendje?'

'Nee hoor. Gordelroos wordt door hetzelfde virus als waterpokken verspreid. Dat heb je als kind waarschijnlijk wel gehad.'

Je zoekt je receptenblok. Het zit niet in je zak. Je verontschuldigt jezelf en loopt naar de gang.

'Neem me niet kwalijk?'

'Ja, dokter?'

'Ik ben mijn receptenblok kwijt. Wil je er even eentje voor me halen?' Je draait je om en botst bijna op een andere vrouw in een witte jas. Ze draagt geen naamplaatje en oogt vermoeid. Ze kijkt je met onverholen nieuwsgierigheid aan. 'Bent u dokter White?' vraagt ze.

Je knikt. 'Ja.'

'Ik herken u van foto's. Ik wist niet dat u nog bij de kliniek betrokken bent. Ik dacht dat u met pensioen was gegaan. Volgens dokter Tsien is uw vertrek een groot gemis voor het ziekenhuis.' Ze fronst haar voorhoofd, opent haar mond en sluit hem weer.

Je snapt er niets van. 'Maar ik ben hier elke woensdag,' zeg je.

'Het is donderdag.'

Je denkt even na. 'Dan zal ik deze week wel niet op woensdag hebben gekund.'

'Iedereen is erg blij met uw hulp. Dat een arts met uw reputatie hier pro bono wil werken hebben we altijd erg op prijs gesteld. En dan heb ik het nog niet eens over de andere bijdragen die u hebt geleverd.' Ze kijkt nog altijd verdwaasd, alsof ze zich iets probeert te herinneren.

Je draait je om om terug te gaan naar je patiënt. Maar er zijn zoveel deuren. Welke moet je hebben? Op de gok open je er een. In de kamer zit een oudere man in zijn ondergoed. Hij kijkt verbaasd op. 'Is er iets mis, dokter?' vraagt hij. 'Dat mag u mij vertellen,' zeg je. 'Wat brengt u hier?'

De man kijkt een beetje ongemakkelijk. 'Zoals ik de andere arts al vertelde, heb ik problemen met plassen.'

'Doet het pijn? Of voelt u aandrang, maar komt er niets?'

'Het tweede, volgens mij. Ik probeer wel te plassen, maar er komt niets uit. Het doet pijn.'

'Hebt u ook erectieproblemen?'

'Wat?'

'Lukt het om een erectie te krijgen en te houden?'

'Natuurlijk,' zegt de man, zonder je aan te kijken.

Leugenaar, denk je bij jezelf.

'Hoelang hebt u al last van dysurie?' vraag je.

'Van wat?'

'Wel aandrang, maar niet kunnen plassen.'

'Ongeveer een maand. Het komt en gaat.'

'Zit er ook bloed in de urine?'

'Nee,' zegt hij na enige aarzeling.

'Hebt u pijn of last van stijfheid in uw onderrug, heupen of bovenbenen?'

'Zou kunnen.'

'Ik denk dat u prostatitis hebt,' zeg je. Als je zijn reactie ziet, voeg je eraan toe: 'Rustig maar, het is geen kanker en het veroorzaakt ook geen kanker.'

'Is het te genezen?' vraagt hij.

'Soms wel, soms niet. Maar we kunnen wel iets aan de symptomen doen,' zeg je. 'Eerst gaan we uw urine onderzoeken, zodat we bacteriële prostatitis kunnen uitsluiten.'

Er wordt zachtjes aan de deur geklopt. Een vrouw komt binnen. 'Dokter White?' vraagt ze. 'Er staat hier een taxichauffeur die beweert dat hij nog geld van u krijgt. Hij heeft de meter laten lopen, dus het gaat om vijfenzestig dollar. Wat moet ik doen?'

'Maar ik heb helemaal geen taxi genomen,' zeg je.

'Hij zegt dat hij een vrouwelijke arts naar het ziekenhuis heeft gebracht. Zijn beschrijving van u klopt precies. Wat moet ik doen? Hij weigert te vertrekken.'

'Ik heb het druk. Er wachten nog veel patiënten. Kun jij dit niet afhandelen?'

'Ik kom niet van hem af.'

'Goed dan.' Je richt je tot de man. 'Ik ben zo weer terug.'

Je volgt de vrouw, maar in de deuropening bots je bijna op de man met de donkere huid.

'Dokter?'

'Ja?'

'Waarom was u bij mijn patiënt?'

'Om hem te onderzoeken natuurlijk. We moeten zijn urine en bloed onderzoeken.'

'Ja, dat weet ik. Ik vind het een beetje vreemd dat u zich ermee bemoeit. Ik heb niet om uw hulp gevraagd.'

Bij de balie staat een donkere jongeman in een T-shirt en een spijkerbroek. Er staan allemaal mensen om hem heen.

'Daar is ze,' roept hij, waarna hij zich tot mij richt. 'U zei dat u het geld ging lenen. Nu bent u me nog meer verschuldigd. Het is dat ik de meter heb uitgezet, anders zou het bedrag nog verder oplopen. Wilt u me alstublieft betalen? Het gaat om vijfenzestig dollar.'

'Ik heb geen idee waarover je het hebt,' zeg je.

'Ik heb u opgepikt op de hoek van Fullerton Avenue en Sheffield Avenue. In de regen. U hebt uw tas thuis laten liggen en zei dat u het geld even ging lenen.'

De arts met de donkere huid is achter je gaan staan. 'Zijn er problemen?' vraagt hij.

'Ik krijg nog vijfenzestig dollar van deze mevrouw. Ik weet niet waarom ze erover liegt. Als ze echt arts is, kan ze het makkelijk betalen. Als ik geen geld krijg, zal mijn baas woest zijn.'

De arts doorzoekt zijn zakken. 'Ik heb vijftig dollar. Is dat genoeg?'

De taxichauffeur denkt na. Er rinkelt een telefoon. Hij pakt zijn mobieltje, klapt het open en spreekt in een onbegrijpelijke taal.

'Vooruit dan maar. Maar ik ben behoorlijk kwaad. Wees blij dat ik de politie niet bel.'

'Fijn dat het geregeld is,' zeg je, waarna je terugloopt naar de gang met de spreekkamers.

*

Je onderzoekt een vijfjarige met buikpijn als er wordt aangeklopt. 'Kom binnen,' roep je. In de deuropening staat een dikke vrouw met kort, donker haar. Een blazer. Ze houdt iets vast.

'Dokter White.'

'Ja?'

Je schrijft net instructies op voor het lab en probeert je te concentreren. De moeder van het kind stelt vragen in een taal die je niet verstaat, het kind jammert en je maag rammelt van de honger.

'Wilt u er even een verpleegkundige bij halen? Ik heb een tolk nodig.'

'Je moet met mij meekomen.'

'Maar ik ben nog niet klaar.'

Je kijkt op de klok.

'Ik werk tot vier uur. Daarna kom ik wel bij u langs.'

'Dokter White, ik ben rechercheur Luton van de politie van Chicago.'

'Ja?' zeg je, zonder op te kijken.

'We hebben elkaar al eens ontmoet.'

'Dat kan ik me niet herinneren,' zeg je. Als je klaar bent met schrijven, geef je het vel papier aan de moeder en opent de deur om haar en het kind uit te laten. Dan draai je je om en kijk je de vrouw recht aan. 'Nee, we hebben elkaar nog nooit ontmoet,' zeg je.

'Ik begrijp dat je dat denkt. Maar we kennen elkaar wel degelijk.' Ze heeft zulke donkerbruine ogen dat haar pupillen niet van de irissen te onderscheiden zijn. Ze lijkt gespannen, maar spreekt op kalme toon.

'Waar gaat dit over?'

'Een aantal zaken. Op dit moment gaat het me er vooral om dat je zonder vergunning aan het werk bent. Die is namelijk ingetrokken. En dan zijn er nog wat dingetjes.'

'Zoals?' Je leunt tegen de onderzoekstafel, slaat je armen over elkaar en kruist je enkels. Een houding die je coassistenten altijd gezag inboezemde. Maar deze vrouw lijkt helemaal niet onder de indruk.

'Je bent gisteren weggelopen uit de instelling waar je woont. Je kinderen waren gek van angst. De politie is al ruim dertig uur naar je op zoek. Stom genoeg hebben we er niet eerder aan gedacht om hier eens te gaan kijken.'

'Waarom is de politie ingeschakeld?' vraag je. 'Ik ben volwassen. Ik bepaal zelf wel waar ik ga en sta.'

'Helaas niet,' zegt de vrouw. 'Ik leid het onderzoek naar de moord op Amanda O'Toole.'

'Dat slaat nergens op. Ik heb Amanda vanochtend nog gezien,' zeg je. 'We hebben samen ontbeten. Bij Ann Sather's aan Belmont Avenue. Dat doen we elke vrijdag.'

'Amanda O'Toole is al bijna zeven maanden dood.'

'Dat is onmogelijk. Vanochtend hebben we nog samen Zweedse pannenkoekjes gegeten. Zoals gewoonlijk deed ze bij de serveerster haar beklag over de koffie, maar toch gaf ze een flinke fooi. Het was een doodgewoon ontbijt op een doodgewone dag aan het eind van een doodgewone week.'

'Je moet met me meekomen.'

Achter de vrouw staan mensen op de gang je aan te staren. Ze kijken nieuwsgierig en niet echt vriendelijk. Je gaat rechtop staan en laat je armen weer naast je lichaam hangen. 'Goed dan, maar door jouw toedoen moet mijn werk nu wachten. Er zitten nog veel mensen in de wachtkamer die ik nu niet meer kan onderzoeken.'

De vrouw zwijgt en gebaart naar de deur. Je aarzelt, maar verlaat dan de kamer met haar in je kielzog. Ze legt haar hand op je schouder om je te sturen. De mensen wijken uiteen terwijl je zonder iets te zeggen de kliniek verlaat.

*

Je zit in de bijrijdersstoel van een kleine, bruine auto. De stoelen zijn met een vale, groen en roomwit geruite stof bekleed. De gordel zit klem, dus je legt hem maar over je schoot. De vrouw kijkt toe en glimlacht. 'Hopelijk worden we niet aangehouden,' zegt ze. 'Dat zou nog eens wat zijn.' Ze zet de auto in zijn achteruit, geeft gas, schampt de auto erachter, schakelt naar de eerste versnelling en rijdt weg.

'Je dochter maakt zich grote zorgen om je,' zegt ze, terwijl ze invoegt. Het is al laat in de middag en de spits is begonnen. Op Chicago Avenue staat het verkeer in beide richtingen vast.

'Fiona?' vraag je. 'Waarom? Ze weet waar ze me kan vinden. Ik ben hier elke week.'

'Maar toch,' zegt de vrouw. Ze trommelt met haar vingers op het stuur. Ze rijdt op de rechterrijstrook achter een rode Honda-bestelbus. Opeens zet ze het zwaailicht aan, geeft een ruk aan het stuur en zwenkt naar de linkerrijstrook. Gillende sirenes.

'Gaan we naar het ziekenhuis?' vraag je. 'Ben ik opgepiept?'

'Nee,' zegt de vrouw hoofdschuddend. Ze pakt haar mobiele telefoon die naast de versnellingspook ligt. Ze drukt een toets in, houdt de telefoon tegen haar oor, wacht en zegt dan op luide toon: 'Hallo? Fiona? Je spreekt met rechercheur Luton. Ik heb je moeder gevonden. In de New Hope Kliniek... Ze behandelde patiënten. Je moet naar het bureau komen. Bel me als je dit hoort.'

Ze verbreekt de verbinding.

'Fiona zit in Californië,' zeg je.

'Niet meer,' zegt de vrouw. 'Ze woont in Hyde Park.'

'Dit is niet de weg naar huis,' zeg je.

De vrouw slaakt een zucht. 'We gaan naar het politiebureau. Je bent er al eens geweest.'

Je snapt niets van wat ze zegt. Ze is vast je reeds lang verloren gewaande zus. Of je moeder. Iemand die verschillende gedaantes kan aannemen. Alles is mogelijk.

De vrouw praat verder. 'Je kunt niet terug naar de instelling.' Ze kijkt even opzij. 'Je bent behoorlijk achteruitgegaan sinds ik je voor het laatst zag.'

In haar stem klinkt zoveel medelijden door dat je meteen weer bij de les bent. Je kijkt om je heen. Je rijdt in zuidelijke richting over Kennedy Avenue. De vrouw rijdt te snel, maar voegt vakkundig uit naar een lange afrit die na een bocht naar links verdwijnt onder een groot, stenen gebouw dat de snelweg overspant. Linksaf, dan rechtsaf, nog een laatste glimp van het meer, en dan een scherpe bocht naar rechts, naar een ondergrondse parkeergarage, waar de auto met gierende banden op een parkeerplaats tot stilstand komt. Plotseling heerst er doodse stilte. Een benauwde lucht.

Jullie zitten een poos zonder iets te zeggen in het schemerduister. Het bevalt je hier wel. Het voelt veilig. Je mag deze vrouw wel. Aan wie doet ze je toch denken? Iemand van wie je op aan kunt. Ten slotte zegt ze: 'Dit is hoogst ongebruikelijk. Maar ik ben nooit iemand geweest die keurig alle regeltjes volgt. Het klopte gewoon niet.'

Als we bij de lift komen, drukt ze op het knopje waarop een pijltje omhoog staat afgebeeld. 'Er klopte van het begin af aan helemaal niets van,' zegt ze.

Als de lift arriveert, duwt ze me naar binnen en drukt op een knop met het cijfer 2. De deuren zitten vol deuken en butsen. Het ruikt er naar verschaalde rook. Het hokje schudt en trilt voordat het langzaam opstijgt.

Als de liftdeuren weer opengaan, knipper je met je ogen vanwege het felle licht. Je staat in een lange, roomkleurige gang waar het een drukte van belang is. Pijpleidingen lopen langs het plafond en leiden omlaag naar de vloer. Aan de muren zijn posters en aanplakbiljetten opgehangen, maar de talloze voorbijgangers hebben daar geen oog voor. De vrouw neemt je mee. Onder het lopen rinkelt haar sleutelbos. Het is een heel eind en ondertussen bots je voortdurend tegen andere mannen en vrouwen aan. Sommige dragen een uniform, andere dragen nette kleding, maar de meeste gaan informeel, zelfs slonzig gekleed. Je vraagt je af hoe je zelf overkomt in je witte doktersjas, maar niemand keurt je een blik waardig. Uiteindelijk blijft de vrouw staan voor een deur waarop het getal 218 staat. Ze steekt een sleutel in het slot, opent de deur en wenkt je naar binnen.

Kille, grijze muren. Geen ramen. Een grijs, stalen bureau waarop alleen een rond pennenbakje en enkele foto's staan. Daguerreotypen van ernstig kijkende mannen en vrouwen in ouderwetse kleding, maar ook kleurenfoto's van mannen en vrouwen, vaak met een kind op de arm en veelal in uniform. In het midden van de verzameling prijkt één foto waarop de vrouw zelf staat, samen met een slanke vrouw met lang, asblond haar. Ze staan dicht bij elkaar. Hun schouders raken elkaar net.

'Ga zitten,' zegt de vrouw. Ze trekt een harde, houten stoel onder het bureau vandaan. Dan loopt ze naar een kastje in de hoek en haalt er twee flesjes met water uit. Ze geeft er een aan jou. 'Hier, drink maar op.'

Je klokt het in één keer weg. Nu pas besef je dat je vreselijke dorst had. De vrouw ziet dat het flesje leeg is, pakt het en biedt je een nieuw aan. Je bent haar dankbaar. Je benen en voeten doen pijn, dus je trekt je schoenen uit en wiebelt met je tenen. Een lange dag in de ok, waar je hand niet mocht trillen en je je hoofd erbij moest houden.

De vrouw neemt aan de overzijde van het bureau plaats. 'Kun je je iets herinneren van de afgelopen zesendertig uur?'

'Ik heb gewerkt. Eerst in de ok, daarna had ik bereikbaarheidsdienst. Het is een drukke week geweest. Ik was steeds veertien uur per dag op de been.'

Je buigt je knieën en tilt je voeten op, alsof je haar het bewijs ervan wilt leveren. Ze heeft er geen oog voor, maar concentreert zich op wat ze wil zeggen.

'Volgens mij ben je vanochtend pas naar de New Hope Kliniek gegaan. Maar daarvoor heb je een heel avontuur beleefd.'

'Ik begrijp niet goed wat je bedoelt,' zeg je, maar dan pas dringt het idiote van de hele situatie tot je door. Waarom zit je hier bij een onbekende en draag je kleding die niet van jou is?

Je kijkt naar je voeten en ziet dat zelfs de schoenen niet van jou zijn. Ze zijn te groot en rood. Je droeg nooit iets anders dan gympen of simpele, zwarte pumps. Toch trek je ze weer aan en kom je met moeite overeind, hoewel het prettig voelde om op dat harde, stevige hout te zitten.

Het is tijd om te gaan. Naar bed naar bed, zei Duimelot. Opeens zie je een perceel met dor gras voor je. Een trein raast erlangs. Aan een waslijn, gespannen tussen twee houten palen, hangen een pantalon, een eenvoudige jurk en enkele meisjesjurken.

Een lange man met donker haar en een lief, weemoedig gezicht knielt naast je neer, terwijl jij een gat in het zand graaft. Hij stopt zijn hand in zijn zak, haalt er een handvol munten uit en laat ze in het gat vallen. Jullie begraven de munten met aarde die hij stevig aandrukt, zodat er niets meer van te zien is.

'Een verborgen schat!' roept hij, en om zijn ogen verschijnen lachrimpeltjes. 'Weet je wat je nodig hebt?' zegt hij. 'Een schatkaart, zodat je hem altijd weer kunt opgraven.' 'Maar ik vergeet het niet, hoor,' zeg jij. 'Ik vergeet nooit iets.' Hij lacht. 'Weet je wat, volgend jaar gaan we kijken of je nog weet waar hij ligt.' Maar zover is het nooit gekomen.

'Ik moet gaan,' zeg je, en je probeert overeind te komen. De vrouw leunt naar voren, legt een hand op je arm en duwt je zachtjes terug in de stoel. 'Je was er even niet bij met je gedachten,' zegt ze.

'Ik zat aan mijn vader te denken,' zeg je.

'Mooie herinneringen?'

'Aan hem altijd.'

'Daar mag je blij om zijn.' Even verroert ze zich niet, maar dan schudt ze haar hoofd.

'Gisteravond was het onrustig bij je vroegere woning. Een buurman meldde een poging tot inbraak. Was jij dat?'

Je haalt je schouders op.

'Als jij het was, was je niet alleen. De buurman zag nog minstens twee anderen bij het huis. We stuurden een auto, maar toen die aankwam, was iedereen al verdwenen.'

Opeens klinkt er muziek. Een soort chachacha. De vrouw staat op, pakt een klein, metalen voorwerp van het bureaublad, houdt het tegen haar oor, luistert en zegt iets. Ze kijkt je aan en zegt nog iets. Dan legt ze het voorwerp weer neer.

'Dat was Fiona,' zegt ze. 'Ze is onderweg.'

'Wie is Fiona?' vraag je. De beelden komen en gaan. Je had liever gehad dat je er wat langer van kon genieten. Deze visioenen staan je wel aan. Zonder was het leven lang niet zo kleurrijk. Maar de vrouw luistert niet. Plotseling leunt ze weer naar voren. Ze concentreert zich volledig op jou. Met haar intense blik verjaagt ze de laatste restjes van je visioen.

'Dit is het moment van de waarheid,' zegt ze. 'Waarom heb je het gedaan?'

'Wat heb ik gedaan?' vraag je.

'Haar vingers afgesneden. Als ik dat weet, snap ik de rest ook. Als jij Amanda hebt vermoord, moet je daarvoor een reden hebben gehad. Ik geloof niet dat jij zomaar iemand zou vermoorden en verminken.'

'Verminken. Wat een akelig woord,' zeg je.

'Het is ook een akelige toestand.'

'Sommige dingen moeten nu eenmaal gebeuren.'

‘Maar waarom? Waarom moest het gebeuren? Zeg het me. Doe het voor mij. Na je arrestatie word je naar een inrichting gebracht en daarmee uit. Dan wordt de zaak gesloten. Maar als ik niet weet wat er werkelijk is gebeurd, zal ik het nooit kunnen afsluiten.’

‘Het was niet haar bedoeling dat het zo uit de hand liep.’

‘Hoe bedoel je?’

‘Maar het zat er al een hele tijd aan te komen.’

‘Soms krop je dingen op. Dat begrijp ik heus wel.’

Er wordt op de deur geklopt. De vrouw staat op en laat een jonge vrouw met kort haar binnen.

‘Mama!’ Ze rent op je af, omhelst je en laat niet meer los. ‘Gelukkig ben je ongedeerd. We maakten ons grote zorgen. Godzijdank heeft rechercheur Luton ons geholpen.’

‘We zaten net te praten,’ zegt de oudere vrouw.

Het gezicht van de jongere vrouw verstrakt. ‘O ja? Herinnert ze zich iets? Wat heeft ze gezegd?’

‘Nog niets. Maar ik heb het gevoel dat we nu eindelijk ergens komen.’

‘Dat is mooi,’ zegt de jonge vrouw somber. Ze houdt nog altijd je hand vast. Ze lijkt hem zelfs vast te klampen. ‘Stil maar, mam. Je hoeft niets te zeggen. Het doet er allemaal niet meer toe. Ze kunnen je nu niets meer maken. Je zult toch niet voor een rechter hoeven verschijnen. Snap je wat ik zeg?’

‘Een smerig klusje.’

De oudere vrouw haakt erop in. ‘Ja, het was een smerig klusje. Wat heb je met je bebloede kleding gedaan?’

‘Mam, je hoeft niets te zeggen.’

‘Die is meegenomen.’

Je haalt je schouders op. Je wijst.

‘Mam...’ De jonge vrouw slaat haar handen voor haar gezicht en zijgt neer in een stoel.

‘Jennifer, wat wil je daarmee zeggen?’

‘Zij heeft de bebloede kleding en de handschoenen meegenomen. En alles schoongemaakt.’

‘Rechercheur Luton... Megan... Ik heb geen idee waarom ze dit zegt.’

Maar het is al te laat. De oudere vrouw kijkt op. Aan haar blik te zien, begrijpt ze alles.

*

Drie vrouwen in één kamer. De jongste is helemaal van streek. Ze wringt zich aldoor in haar handen, die ze inmiddels op haar schoot heeft gelegd. Het is een ruwe beweging, dit knijpen en trekken aan de MCP-gewrichten. Het lijkt wel alsof ze de banden en pezen onder de huid vandaan wil trekken.

De oudere vrouw denkt na. Ze kijkt naar de jongere vrouw, maar ziet haar niet echt. Er gaan allemaal beelden door haar hoofd. Beelden die een verhaal vertellen.

De derde vrouw, de oudste van het stel, zit te dagdromen. Ze is mijlenver weg. Hoewel ze weet dat ze op een harde stoel zit en dat haar huid door stoffen en leren kleding wordt bedekt, voelt ze er niets van. Haar lichaam is gewichtloos. De lucht is zwaar en ze heeft het benauwd. Alles lijkt vertraagd. Een heel leven zou zich tussen twee hartslagen kunnen afspelen. Ze zuigt de lucht op. Het zal niet lang meer duren voordat ze alles weer voor zich zal zien.

De vrouw die niet oud en niet jong is, opent haar mond. Haar woorden blijven roerloos in de stroperige lucht hangen.

'Eindelijk begin ik het te snappen,' zegt ze. Een ogenblik blijft het stil. 'Echt te snappen,' vervolgt ze, terwijl ze opstaat. Ze probeert iets te doorgronden. 'Als je moeder al in staat was om iemand te vermoorden, dan had ze haar sporen nooit zo goed kunnen verhullen. Niet zonder hulp.'

De jongere vrouw wringt zich niet meer in haar handen, maar houdt ze zo krampachtig gevouwen dat al het bloed uit de knokkels is weggetrokken. Ze sluit haar ogen en zwijgt.

De vrouw van middelbare leeftijd verheft haar stem. Zij komt tot leven, maar de jonge en de oude vrouw klappen juist dicht. 'Dat is een van de dingen waarom we je moeder aanvankelijk niet wilden aanhouden. Het was zonneklaar dat ze daar niet meer toe in staat was. Maar als ze hulp heeft gehad... Van jou...'

*

Als de jonge vrouw eindelijk het woord neemt, spreekt ze zo zacht dat je haar amper kunt verstaan. 'Wat ga je nu doen?' vraagt ze.

'Ik heb geen idee,' zegt de vrouw van middelbare leeftijd. 'Dat weet ik pas als ik begrijp waarom.'

'Begrijpen? Wat valt er dan te begrijpen?' De jonge vrouw spreekt nu snel en geïrriteerd. Haar stem is hoger en heeft een smekende ondertoon. Ze trekt aan haar korte haar en jammert bijna. Niet echt aantrekkelijk. Waar doet het je aan denken? Hou op. Hou daar onmiddellijk mee op. 'Zij heeft het gedaan,' schreeuwt de jonge vrouw. 'Ik kwam erachter en hielp het te verbloemen.'

'Niet zo snel,' zegt de vrouw van middelbare leeftijd. 'Ik wil het begrijpen.' Ze pakt iets van de tafel, streelt erover en zet het weer neer. 'Had je reden om aan te nemen dat ze kwaad was op Amanda? Dat ze met de gedachte speelde om zoiets te doen?'

'Helemaal niet.' De jonge vrouw wil zo graag antwoorden dat ze de andere vrouw bijna in de rede valt. Ze legt haar handen weer op haar schoot. De een boven op de ander, als een bosje sprokkelhout. Ze weet ze maar met moeite stil te houden.

'Hoe wist je dat ze daar was?' De oudere vrouw spreekt nu op luidere toon. Ze begint haar zelfbeheersing te verliezen, net nu de jongere vrouw weer tot bedaren komt. Ze hebben alleen maar oog voor elkaar. De een probeert zijn emoties de baas te blijven, terwijl de ander juist een reactie probeert uit te lokken.

'Ik was naar haar toe gegaan om te zien hoe het ging. Ik maakte me zorgen en kon niet slapen. Daarom leek het me een goed idee om de nacht bij haar door te brengen, zodat Magdalena rust zou hebben.'

'Waarom heb je dit niet meteen verteld?'

'Omdat er alleen maar ellende van zou komen en jullie allemaal vragen zouden stellen.'

'Hoe ging het dan precies?'

'Ik parkeerde naast de garage achter het huis en zag mijn moeder uit de steeg komen. Ze zat onder de bloedspetters. "Amanda," was het enige wat ze zei. Toen ben ik met haar naar Amanda's huis gegaan. Daar vond ik Amanda.'

'Zei je moeder ook waarom ze het heeft gedaan?'

'Volgens haar was het chantage.'

'Chantage?'

'Ja.'

'Waarmee?'

'Met mij. De omstandigheden rond mijn geboorte. Dat mijn moeder niet wist wie mijn vader was. Niet zeker. Dat wilde Amanda gaan vertellen.'

'Aan wie dan? Je vader was dood. Wie kon het verder nog iets schelen?'

'Mij. Ironisch, hè? Mijn moeder heeft haar vermoord om mij te beschermen. Waarschijnlijk dacht ze dat ik de waarheid niet aankon. Of misschien ging Amanda deze keer echt te ver.'

'Heb je alles schoongemaakt?' vraagt de oudere vrouw.

'Ja,' zegt de jongere vrouw, die nu kalmer lijkt. Bijna opgelucht.

'Wat heb je met de vingers gedaan?'

'Ik heb ze verpakt en van de Kinzie Street Brug in de Chicago gegooid.'

'Dat was een slimme zet. En het scalpel?'

'Bedoel je de mesjes? Die heb ik samen met de vingers weggegooid. Ik wilde ook het heft weggooien, maar dat wilde mijn moeder niet hebben. Ze heeft het met de schone mesjes weer mee naar huis genomen. Je weet hoe het daarmee is afgelopen.'

De oudere vrouw ijsbeert door het vertrek. Heen en weer, van de muur naar het bureau. 'Ja,' beaamt ze, 'de rest weten we.' Ze kijkt weer naar jou. Allebei hebben ze hun blik nu op jou gevestigd. Je bent weer zichtbaar, al weet je niet zeker of je daar wel blij mee bent. Het voelde veiliger om in het luchtledige te zweven.

'Maar de vingers,' zegt de oudere vrouw plotseling. 'Hoe zit het met die vingers?'

De jongere vrouw huivert. Ze keert zich van je af, alsof ze je aanblik niet kan verdragen. Maar als ze antwoord geeft, kijkt ze de oudere vrouw ook niet aan.

'Ik heb geen idee,' zegt ze. 'Zo lag Amanda erbij toen ik haar vond.'

De oudere vrouw zwijgt een ogenblik. Dan loopt ze naar je toe, gaat naast je zitten en pakt je hand.

'Kon je het een beetje volgen?'

'Ik zie allemaal beelden voor me,' zeg je. 'Het is geen aangename voorstelling. Integendeel.'

'Is het zo gegaan?'

'Een vreselijk tafereel.'

'Dat was het inderdaad. Maar waarom heb je haar vingers afgesneden?'

'Ze had iets wat ik wilde hebben. Ze wilde het niet loslaten.'

De vrouw is opeens alert. Ze pakt je arm vast. 'Wat zei je daar?' vraagt ze met een zachte stem die niet in overeenstemming is met haar stevige greep. 'Wat hield ze vast?'

'Het medaillon.'

'Het medaillon?' De oudere vrouw klinkt verbaasd. 'Het medaillon van Sint-Christoffel?'

De jonge vrouw gaat rechtop zitten. Ze kijkt een beetje vreemd.

'Mam.'

Je wuift haar weg.

'Amanda had het medaillon. Ze wilde het niet loslaten.'

'Ik begrijp het niet. Waarom had ze jouw medaillon?'

'Mam...'

Er klinken stemmen op de gang en door het matte glas in de deur tekent zich een schaduw af. Er wordt aangeklopt. Tik-tik-tik. De vrouw staat op en bereikt de deur vlak voordat hij wordt geopend. Ze zet haar voet ertegen en belet degene die daar staat om binnen te komen. Ze praat zachtjes, sluit de deur, doet hem op slot en gaat weer zitten.

'Je had het over het medaillon,' zegt ze.

Je hebt geen idee waarover ze het heeft. 'Het medaillon,' herhaal je.

'Ja, het medaillon,' zegt ze, enigszins wanhopig. 'Je stond op het punt om over het medaillon te vertellen. Over Amanda en het medaillon. Wat had dat met de vingers te maken?' Ze komt weer overeind, loopt om het bureau heen en lijkt je bij de schouders te willen vastgrijpen. Om het uit je te schudden. Maar wat precies? Ze heeft niets aan jou. Je schudt je hoofd.

De jongere vrouw doet haar mond open, aarzelt even, maar neemt dan het woord.

'Amanda hield het medaillon in haar hand. Ze moet het van mijn moeders nek hebben getrokken toen ze elkaar te lijf gingen. Maar haar lichaam was al helemaal stijf.'

De oudere vrouw loopt bij je weg en kijkt de jongere vrouw aan. Ze heeft een ondoorgrondelijke blik op haar gezicht.

'Om het terug te krijgen heeft ze haar hand opengesneden?'

'Fiona,' zeg je.

'Ja mam, ik ben hier.'

'Fiona, meisje van me.'

De oudere vrouw klinkt opeens koeltjes. 'Je bent een uitstekende actrice.' Ze zwijgt en richt zich weer tot de jonge vrouw. 'Besef je wel dat we je als medeplichtige kunnen arresteren?'

De jongere vrouw trilt. Ze staat op en begint op haar beurt door het vertrek te ijsberen.

'Vertel nog eens wat meer over de vingers. Alsjeblieft Jennifer, probeer het je te herinneren.'

Je doet er het zwijgen toe. Je hebt je zegje al gedaan en er valt niets meer aan toe te voegen. Je zit in een vreemde ruimte bij twee onbekende vrouwen. Je voeten doen pijn. Je maag rommelt van de honger. Je wilt naar huis.

'Ik moet gaan,' zeg je. 'Anders zal mijn vader zich nog zorgen maken.'

De jonge vrouw begint weer te praten. 'Ik probeerde het medaillon uit Amanda's hand te trekken, maar dat lukte niet. Ze hield het zo stevig vast. De rigor mortis was al ingetreden. Ik raakte in paniek. Ik was doodsbang dat er iemand zou binnenkomen. Maar toen ging mijn moeder gewoon aan de slag.'

'Ze heeft de vingers geamputeerd.'

'Ja.'

'Ze liep terug naar huis om haar scalpelheft en de mesjes op te halen. Ze waste haar handen, alsof ze op het punt stond om in de ok een ingreep te doen. In de keuken vond ze een plastic tafelkleed en rubberen handschoenen. Ze legde het kleed onder Amanda's hand. Toen stak ze het eerste mesje in het heft en sneed de vingers af. Een voor een. Na elke amputatie verwisselde ze het mesje. Ze moest vier vingers afsnijden, voordat ze het medaillon kon pakken.'

'Wat hebben jullie toen gedaan?'

'Ik heb haar naar huis gebracht. Nadat ik haar had gewassen, heb ik haar in bed gelegd. Toen ben ik teruggegaan en heb ik alles schoongemaakt. Dat was makkelijk zat. Ik heb gewoon alles op het tafelkleed gelegd en het opgerold. Vervolgens ben ik naar de Kinzie Street Brug gereden. Daarna ben ik naar Hyde Park teruggekeerd, waar ik de komst van de politie afwachtte. Ik dacht dat ze meteen zouden begrijpen hoe het zat.'

De vrouw van middelbare leeftijd verroert zich niet.

'Jennifer?'

Je wacht tot ze een vraagt stelt, maar ze lijkt sprakeloos te zijn.

'Sommige dingen blijven me wel bij,' zeg je.

'Ja, dat klopt.' Ze ziet er belabberd en verslagen uit.

'Wat er met mij gebeurt, maakt me niet uit,' zeg je. 'Maar Fiona...'

De vrouw laat je los en kijkt naar Fiona, die nog altijd ijsbeert. Tien, twintig, dertig seconden gaan voorbij. Een pijnlijke halve minuut. Dan neemt ze een besluit.

'Nee, het is niet nodig om dit aan iemand te vertellen. Het ergste is toch al gebeurd. Voor Amanda maakt het niets meer uit. En wat er met je moeder gaat gebeuren, ligt ook vast.'

'Mam.' De jonge vrouw is in tranen uitgebarsten. Ze loopt naar je toe, knielt neer en legt haar hoofd op je schoot.

'Dank je wel,' zegt ze tegen de vrouw van middelbare leeftijd.

'Ik doe het niet voor jou. Ik ben jou niets verplicht.'

We kijken elkaar niet meer aan. Je steekt je hand uit en legt hem op het felgekleurde haar. Je kroelt door het haar. Tot je verbazing voel je iets. Zachtheid. Zijdezachte weelde. Je geniet ervan dat je je tastzin weer terug hebt. Je streelt het hoofd en bent je bewust van de warmte die het afgeeft. Het is fijn. Soms zit geluk in kleine dingen.

VIER

Ze heeft geen honger. Waarom blijven ze toch voedsel voor haar neerzetten? Taai vlees, appelmoes. Een bekertje appelsap, alsof ze een klein kind is. Ze heeft een hekel aan de weeë, zoete geur, maar ze heeft dorst en drinkt het toch op. Daarna wil ze haar tanden poetsen. 'Niet nu. Dat doen we later,' krijgt ze te horen. Dan, veel later, het ruwe schrobben, de borstel die over haar tong schuurt, de beker water die aan haar mond wordt gezet en te snel weer wordt weggehaald. 'Spoelen. Spugen.'

De dikke luier. De schaamte. 'Ik wil naar het toilet.'

'Dat kan nu niet. Er is vandaag niet genoeg personeel. Iedereen draait diensten van zestien uur. Straks zal iemand je verschonen, Janice. Als haar pauze voorbij is, stuur ik haar meteen naar je toe.'

'Jennifer, je eet niet. Jennifer, je moet iets eten.'

Ze deelt haar kamer met vijf anderen. Vier vrouwen en een man. De man zuigt aan zijn tenen, net als een baby. Alle verzorgers noemen hem 'de lebberaar'.

Hier zijn geen fijne dingen. Geen verzachtende omstandigheden. Geen verlossing.

Eens per dag mogen ze naar buiten. Dan wandelen ze over een betonnen binnenplaats. Het is kil. De zomer moet bijna afgelopen zijn. Maar het is beter dan de verzengende hitte. Ze blijft bij de anderen uit de buurt en vermijdt vooral de ruziezoeker die expres tegen anderen opbotst en ze dan probeert te provoceren.

Ze loopt met gebogen hoofd over de binnenplaats heen en weer. Ze ziet noch zegt iets. Dat is veiliger. Soms loopt haar moeder met haar mee, maar ook Imogene, haar beste vriendinnetje van de basisschool, is er weleens bij. Dan kletsen ze over klimrekken en ijsjes. Maar meestal is ze alleen. Ze heeft visioenen. Engelen met vuurrood haar zingen een oneindige lofzang.

'Ze doet het weer,' zegt iemand vlakbij.

'Hou op! Laat haar ophouden!' zegt een doorrookte stem, met een typisch rokershoestje.

De engelen blijven zingen. 'Gloria in excelsis Deo.' Ze sturen een Heiland. Een jonge, kundige man. Hij zal drie geschenken meebrengen: het eerste mag ze niet aannemen. Het tweede geschenk moet ze geven aan de eerste die haar vriendelijk bejegent. Het derde is alleen voor haar. 'Zo spreekt de Heer.'

Haar moeder, die in vijf koninkrijken om haar schoonheid werd geroemd, had drie koninklijke vrijers. Op Goede Vrijdag gaf een van hen haar een konijn, het symbool van vruchtbaarheid en vernieuwing. De tweede vrijer wilde daar niet voor onderdoen en bracht op Allerzielen een zwarte kat voor haar mee, die de heksensabbat symboliseerde. Op kerstavond werd er in de voortuin, vastgebonden aan een boom, een ezel gevonden. Een ezel in Germantown! 'Laat dat een les voor je zijn,' zeiden haar ouders. Toch wees ze de vrijers allemaal af, omdat ze wachtte. En toen kwam Hij.

Ze wordt ruw betast. 'Jennifer, maak niet zo'n hels kabaal. Anders moeten we je in de isoleercel zetten. Zeker weten. Waar jammer je nu weer over? Kun je dat misschien vertellen? Goed, maar dan moet je nu wel stil zijn. Goed zo. Stil maar.'

Wat rest er al met al als het einde nabij is? Wat is er dan nog over? Fysieke gewaarwordingen. Het genot om onder hygiënische omstandigheden te kunnen poepen. Om het hoofd op een zacht kussen te kunnen leggen. Om te worden bevrijd uit de banden na een lange, zware nacht waarin je hebt liggen wringen en draaien. Om wakker te schrikken uit nachtmerries die bij nader inzien mooie dromen bleken te zijn. Nu dat allemaal voorbij is en het einde nadert, kan ze pas goed nadenken. Haar geest dwaalt af naar plekken waar ze zich eerder niet waagde.

De visioenen maken het lange wachten draaglijk. Prachtige visioenen! In schitterende kleuren. Alle zintuigen prikkelend. Velden vol bloeiende, heerlijk geurende bloemen, glimmende, steriele operatiekamers waar het snijden meteen kan beginnen, geliefde gezichten die ze kan aanraken en strelen, zachte handen die haar koesteren. Hemelse muziek.

'Jennifer, je hebt bezoek. Het is tijd om op te staan. Laat me je even toonbaar maken. Je kent de regels. Stil zijn, niet schreeuwen, je kleren aan houden, niets grijpen en niet slaan. Goed zo. We zijn er al. Ik zet je hier even neer. Kijk, hier is je bezoek. Je hebt een uurtje. Dan kom ik je weer halen.'

Ze kent deze figuur niet. Is het een man of een vrouw? Ze weet het niet meer. De onbekende begint te praten.

'Mam?'

Ze geeft geen antwoord. Ze meent dat er iets belangrijks is gebeurd, maar ze weet niet meer wat.

'Mam? Weet je wie ik ben?'

'Nee, niet echt,' zegt ze. 'Maar je stem klinkt vertrouwd. Volgens mij ben je iemand om wie ik veel geef.'

'Wat fijn om te horen.' De figuur pakt haar hand stevig vast. Het is iets tastbaars in deze schimmige wereld.

Ze weet niet precies wie dit jongmens is en kan ook niet lang blijven. Ze moet nog een konijn en een kat te eten geven en nog op de ezel rijden.

'Hoe gaat het nu? Sorry dat ik zo laat ben. Ik heb het razend druk op mijn werk.'

Hoge werkdruk, ze weet er alles van. De ene patiënt na de andere, botten die uit de huid steken, de kwetsbaarheid van het menselijk lichaam, botbreuken die in een mum van tijd ontstaan en moeilijk te repareren zijn. Maar dan nog hoort men zich er niet van af te maken. Wie heeft er zo'n troep van gemaakt? Ze kan het niet geloven. Ze kan haar ogen niet geloven. Wie gaat er nu zo achteloos te werk?

'Je hebt de ok niet schoongemaakt,' zegt ze.

'Ik ben het, mam. Fiona, je dochter. Ik kom zomaar even langs. Mark wilde ook komen, maar hij heeft het ook hartstikke druk. Hij werkt aan een grote zaak. Goed van hem, hè? Eindelijk vonden ze dat hij eraan toe was. Maar hij heeft beloofd dat hij binnenkort langskomt.'

'Mark is dood.'

'Nee hoor, mam. Mark is je zoon. Hij is springlevend. Het gaat goed met hem. Veel beter dan eerst. Je kunt trots op hem zijn.'

Ze kan die ok maar niet vergeten. Dat is haar visioen vandaag. Het staat op haar netvlies gebrand.

'Je hebt de ingreep niet goed voorbereid. Je hebt er echt een potje van gemaakt. Waar ben jij eigenlijk opgeleid?'

'Ik heb zowel mijn bachelor als mijn master aan Stanford gedaan. Dat weet je toch, mam? En nu promoveer ik aan de universiteit van Chicago.'

'Het was broddelwerk. Heb ik je dan niets geleerd? Operaties aan de schedelbasis zijn altijd precair. Je moet onder alle omstandigheden voorzichtig te werk gaan. Maar dit is op onhygiënische en grove wijze gedaan.'

'Mam.'

'Vandaar ook al dat bloed natuurlijk.'

'Mam, schreeuw niet zo.'

Dan richt de man of vrouw zich tot een dame in een blauw uniform die in een hoek van de kamer zit. 'Mogen we misschien wat privacy? Dit gesprek is al lastig genoeg zonder een vreemde erbij.'

'Dat is tegen de regels.'

'Dat weet ik, maar mag het voor één keertje? Hier heb je vijftig dollar. Ga even roken of een kop koffie halen. Niemand hoeft het te weten. Er zal heus niets gebeuren. Voor mijn part sluit je ons op, zolang we maar wat privacy krijgen.'

'Goed, maar ik blijf buiten wachten.'

De vrouw vertrekt. Er klinkt gerammel en dan een klik als de deur van buitenaf wordt vergrendeld.

'Mam, we zijn alleen. Nu kunnen we praten.'

Ze weet niet precies wat deze figuur wil. Hij of zij grijpt haar bovenarmen zo stevig vast dat het pijn doet.

'Mam, herinner je je het weer? Vertel. Wat herinner je je precies?'

'Broddelwerk. Wreedheid. Je mag nooit wreed zijn, hoe groot de verleiding ook is. En velen komen wel degelijk in de verleiding.'

'Wat herinner je je weer?'

'Veel chirurgen zijn ziek in hun hoofd. Als patiënten dat wisten, zouden ze nog banger zijn om onder het mes te moeten dan ze toch al zijn.'

'Kun je je die avond weer herinneren?'

'Ik weet sommige dingen.'

'Wat dan?'

‘Ik heb visioenen.’

‘O ja?’ De figuur raakt geagiteerd. Groene ogen houden haar blik vast.

‘Het is soms ook lastig,’ zegt ze. Ze spant zich tot het uiterste in, probeert het kabaal uit te bannen en het bloedbad te negeren. Het broddelwerk. De roerloze patiënt.

‘Heb je nu zo’n visioen? Mam? Zeg op.’

‘*Quia peccavimus tibi.*’

‘Welke taal is dat? Italiaans? Spaans?’

‘*Miserere nostri.*’

‘Mam.’

‘Mijn lieve meisje. Natuurlijk moest ik haar helpen.’

De figuur begint te huilen. ‘Mam, toe nou. Die vrouw komt zo terug. Je moet een beetje op je woorden letten.’

‘Mijn lieve meisje. En dan te bedenken dat ik haar eerst niet wilde. Ik wierp één blik op haar en zei: “Nee, neem maar weer mee. Zorg dat ik snel weer aan de slag kan. Geef me mijn lichaam terug, nu het van deze parasiet is bevrijd.” Maar ze zou het allerbelangrijkste in mijn leven worden. Degene voor wie ik alles zou doen.’

‘Mam, hou op. Je maakt me zo verdrietig.’ De figuur drentelt door het vertrek en slaat met de armen tegen het lichaam, alsof het zichzelf wil kastijden. ‘Als jij het je had herinnerd, had ik alles verteld. Ik heb je dit nooit willen aandoen. Elke dag overweeg ik om mezelf aan te geven. Nee, elk uur. Ik zal er nooit vrede mee hebben.’

De figuur blijft even staan, haalt diep adem en praat verder.

'Weet je nog waarom? Ik wil dat je de reden kent. Ik heb het je die nacht verteld, maar we hebben het er nooit meer over gehad. Ik durfde er niet meer over te beginnen, omdat je het misschien alweer vergeten was. Moet ik het je nog een keer vertellen? Ik deed het voor ons gezin. Amanda wist het. Ze confronteerde me ermee. Ze zou het hebben doorverteld.'

'Ik wist wel dat ze het wist. Dat ze het had ontdekt. Mijn meisje is veel te slim voor deze wereld.'

'Mam, eerst had ik alleen in de gaten dat de cijfers niet klopten. Maar ik wist niet precies wat pap had gedaan. Toen werd alles duidelijk. Ook de omvang ervan. Ik was compleet verbijsterd. Dat pap dat heeft gedaan!'

'Het is ons geld. James heeft het verdiend.'

'Hij heeft het gestolen, mam.'

'Dat klopt.'

'En hij bleef stelen. Totdat Amanda het een halt toeriep.'

'Dat klopt.'

'Jij hebt haar gezegd dat jullie alles hadden teruggegeven. Dat je je schuld ten aanzien van de maatschappij vereffende door in de kliniek te werken. Het was een leugen, maar dat heeft zij nooit in de gaten gehad.'

'Het was ons geheim, van James en mij.'

'Toen ging pap dood. En jij ging rap achteruit. Ik ontdekte het toen ik je administratie naliep. Eerst dacht ik dat jij er niets van wist en dat alleen pap erachter zat. Maar daarna realiseerde ik me dat je het geweten moest hebben. Vanaf het moment dat ik bewindvoerder werd, wilde Amanda van alles weten. Ze was echt aan het wroeten.

Op de een of andere manier ontdekte ze dat er te veel geld was. Dat jij haar voor de gek had gehouden. Dat ik er nu ook bij betrokken was, net als jij. Dat kon ze niet uitstaan.'

James had zich terecht zorgen gemaakt om Fiona. Dit kon ze allemaal niet aan.

'Ze bleef je maar lastigvallen. Ze ging maar door, ondanks jouw toestand. Die middag kregen jullie ruzie. Dat heeft Magdalena me verteld. Je was helemaal overstuur. Ze heeft je zelfs naar de eerste hulp moeten brengen, waar je een injectie met een kalmerend middel hebt gekregen. Magdalena belde me. Ze was woedend. "Dat mens is deze keer echt te ver gegaan," zei ze. Ik kon pas laat komen, omdat er een faculteitsbijeenkomst was waar ik niet onderuit kon. Ik ben rond tien uur 's avonds naar je toe gereden. Ik heb de auto voor je huis geparkeerd en ben naar Amanda gegaan. Ik zie nog voor me hoe ze keek toen ze de deur opendeed. Triomfantelijk. Zeker niet berouwvol. Ze had uit je weten te krijgen wat ze wilde weten. Nu was ik aan de beurt. Ze zei de naarste dingen. Over jou, pap en vooral over mij.

Amanda zei: "Destijds heb ik er een stokje voor gestoken en ik wil niet hebben dat jij er nu toch mee doorgaat. Je vader is dood en je moeder is er slecht aan toe. Jij moet uitzoeken welke misdaden je ouders hebben begaan en boetedoen. Herschep jezelf als een verantwoordelijk lid van de samenleving."'

De figuur gaat zo op in het verhaal dat die opschrikt als ik begin te praten.

'"Hou Fiona in de gaten," zei James toen ze nog piepjong was. Nog geen tien jaar oud. Weet je wat hem het meest beangstigde?'

'Nee.'

'Al dat zorgen. Voor haar broer. Ze gaf alles weg en hield niets voor zichzelf. "Ze is kwetsbaar," zei hij. 'Hou haar goed in de gaten."'

'Amanda wilde me aangeven, mam. Dat had het eind betekend van ons gezin, van wat daar nog van over was. Ze zei de gekste dingen. Over pap en over jou. Akelige dingen. Ze liet zich van haar slechtste kant zien, met die hooghartige moraal van haar. Ze zei nota bene dat ze me naar haar beeld zou herscheppen. Een rechtschapen beeld. Ik was compleet overstuur en zo ontzettend kwaad. Ik duwde haar opzij en liep het huis binnen. Het was geen vooropgezet plan, maar opeens pakte ik haar stevig bij haar schouders. Lang als ze is moest ik ervoor op mijn tenen gaan staan. Ze lachte me ronduit uit, omdat het niets uithaalde. Ze vond me een zwakkeling. Toen gaf ik haar een harde duw. Ze viel achterover en klapte met haar hoofd tegen de hoek van die eikenhouten tafel in de gang. Zoveel bloed. De wereld stond gewoon stil. Ik knielde neer en voelde of ze nog een hartslag had. Dat was niet zo. Ik was wanhopig. Ik zat onder het bloed en trilde helemaal. Ik kon niet meer helder nadenken, ik ben weggerend, in de auto gestapt en in een moordend tempo naar huis gereden. Het is een wonder dat ze me niet hebben aangehouden. Ik was al voorbij Armitage Avenue toen ik besefte dat ik het medaillon van Sint-Christoffel was kwijtgeraakt. Jouw medaillon. Ik reed terug en zag dat Amanda het nog vasthield. Maar de rigor mortis was al ingetreden. Ik heb daar nog een hele tijd gezeten voordat je ons vond. Ik was helemaal de kluts kwijt.'

Iedereen van wie ik hou, is er niet meer. Met uitzondering van het meisje.

'Ik had pas door dat je er was toen je me vanachter naderde en naast me neerknielde. Je omhelsde me even. Toen pakte je mijn arm, trok me overeind en leidde me weg van het lichaam.'

'Broddelwerk. Het was wreed.'

'Ik was buiten zinnen.'

'Maar dat afschuwelijke tafereel. Daar op de vloer. Al dat bloed. En dan die blik op haar gezicht. De afschuw, en nog iets anders. Voldoening.'

'De rest weet je, ook hoe ik heb geprobeerd om al het bewijs te verwijderen.'

'Het is een ongewenst visioen. Maar ik krijg het telkens weer. Is het echt gebeurd?'

De figuur slaat zijn of haar handen voor het gezicht.

De twee mensen van wie je het meeste hield. Het is niet de dood die het verschil maakt, maar de blik op het gezicht van je allerliefste. Die duistere vreugde. Onverdraaglijk.

'Je aarzelde geen moment. Je ging meteen aan de slag. Je uitte geen beschuldigingen en stelde geen vragen. Je nam me in bescherming. Je hebt me gered.' De figuur zwijgt even. 'Eigenlijk zou je kunnen zeggen dat te midden van alle ellende dit een moment van genade was.' De figuur steekt een hand uit.

'Mam? Wat scheelt eraan?'

'Nee, zover wil ik niet gaan. Zo gestoord ben ik nu ook weer niet.'

De figuur begint weer te huilen. 'Mam? Wat wil je daarmee zeggen?'

Ze denkt na. Soms lukt dat nog. Ze kent deze figuur. Ze weet waartoe die in staat is. Ze weet het nu. Zo zal het eindigen. Zo voelt het dus om de pijn voorbij te zijn. Dat is dus mogelijk.

'Mam, toe nou.'

'Zo moet het dus eindigen.'

'Mam, ik had het me allemaal heel anders voorgesteld.'

Elke dag verstrijkt trager dan de vorige. Elke dag verdwijnen er meer woorden. Alleen de visioenen blijven. De speeltuin. Het witte communiejurkje. Trefbal spelen op straat. James die brood zo lang roostert dat het aanbrandt. De baby's. Het kindje van wie ze moest leren houden. Het kindje dat ze tegen alle verwachtingen in in haar hart sloot.

Dat tweede kind is nu de enige die er nog toe doet.

De grote vrouw in het blauw komt terug. 'Het bezoekuur is voorbij.'

'Ja, ik moest maar eens gaan.' De persoon veegt met de hand langs de ogen. Staat op. 'Mam, morgen kan ik niet komen. Dan moet ik lesgeven. Maar ik kom in elk geval donderdag terug.'

Het enige wat er uiteindelijk nog toe doet zijn de visioenen. De fotoalbums worden niet meer opengeslagen en er wordt niet meer gevraagd of ze zich iets herinnert. Maar dat maakt niet uit. Ze heeft geen foto's meer nodig. Ze komen nu rechtstreeks naar haar toe. Haar moeder en haar vader. Ze brengen nieuws en maken grapjes. James blijft aanvankelijk op een afstandje, maar waagt zich vervolgens ook in haar buurt. En Amanda. Amanda is er ook. Gezond en sterk. Ze is kwaad. Maar dat is ook logisch. Maar als haar woede ten slotte vervliegt, zal er iets anders overblijven.

'Ze doet het weer.'

Er is hier ook een fijne plek. Het lukt haar die te vinden. Daar zijn dierbare vrienden. Ook als ze zwijgen. Sommige zijn uit de dood verrezen. Door God gestuurd.

'Laat haar haar kop houden.'

Accepteren wat je hebt gedaan. De visioenen accepteren. Het eind afwachten in hun gezelschap. Als het erop aankomt, is dat voldoende.

DANKWOORD

Mijn hartelijke dank aan de vrienden die eerdere versies lazen en van commentaar voorzagen, met name Marilyn Lewis, Jill Simonsen, Mary Petrovsky, Carol Czyzewski, Christie Cochrell, Diane Cassidy, Marilyn Waite, Judy Weiler, Connie Guidotti en Florence Schorow. Ik vond het geweldig om met Elisabeth Schmitz, de fenomenale redacteur van Grove/Atlantic te werken. Dankzij haar inzicht en morele steun is dit boek veel beter geworden dan het anders was geweest. Dank aan Morgan Entrekin voor zijn aanmoediging en steun. Aan Jessica Monahan die tijdens het redactieproces het overzicht behield. Mijn goede, oude vriend, dr. Mitch Rotman, wil ik in het bijzonder bedanken voor zijn adviezen op medisch gebied. Als het boek in dat opzicht fouten bevat, heb ik die gemaakt. Heel veel dank aan mijn agent, Victoria Skurnick, van Levine-Greenberg Literary Agency, wier professionele houding alleen werd overtroffen door haar warme persoonlijkheid. Nu begrijp ik waarom zij zo geliefd is in het boekenvak. En natuurlijk was me dit nooit gelukt zonder mijn gezin: David en Sarah. Na veel discussie stonden zij de makkelijke stoel aan mij af, zodat ik erin kon schrijven. Heel veel liefs voor jullie.

ALICE LAPLANTE

Hersenspinsels

OVER DE AUTEUR

LEESCLUB

Zie ook:
www.orlandouitgevers.nl

OVER DE AUTEUR

© Anne Knudsen

Alice LaPlante doceert Creatief Schrijven aan de universiteiten van San Francisco en Stanford. Ze heeft vier non-fictieboeken gepubliceerd voordat ze debuteerde met de roman *Hersenspinsels*. LaPlante zorgt een week per maand voor haar dementerende moeder.

ENKELE VRAGEN AAN ALICE LAPLANTE

Hoe ben je op het idee gekomen om een boek te schrijven over dementie?

Mijn moeder heeft de ziekte van alzheimer, dus het is een onderwerp dat mijn leven de afgelopen jaren heeft beheerst. Het is hartverscheurend om iemand van wie je zoveel houdt te zien wegglijden en aftakelen. Dat vind ik het allermoeilijkst aan de ziekte. Laatst gaf ik een lezing in de Verenigde Staten en toen zat er een verpleegster in het publiek die met oudere mensen werkt. Zij deed een rake uitspraak. Ze zei: 'Alzheimer is de enige ziekte waarbij je twee keer sterft.' Dat vond ik erg verhelderend, want je verliest de persoon die je liefhebt inderdaad twee keer: eerst als zijn geest verslechtert en daarna nogmaals als hij fysiek sterft.

Hoe ben je erin geslaagd om onder de huid te kruipen van een dementerende vrouw?

Ik probeerde me voor te stellen wat mijn moeder voelde en dacht tijdens haar jarenlange gevecht met de ziekte. Als ik naar haar keek probeerde ik me in haar te verplaatsen. Ik was getuige van haar angst, paniek en haar groeiende woede. Het schrijven van *Hersenspinsels* was voor mij een manier om haar wereld beter te leren begrijpen. Ik deed alsof ik haar was en liet de rest over aan mijn fantasie. Het verbaasde me wat er toen gebeurde. Ik was helemaal niet van plan om heel veel te schrijven, maar het bleef maar stromen. Het boek is echt van binnenuit ontstaan en zeer intuïtief geschreven.

Ben je zelf bang voor dementie op latere leeftijd? Heeft het schrijven van dit boek dat versterkt?

Als de ziekte van alzheimer in je familie voorkomt dan zijn de statistieken zeer ongunstig. Als bijvoorbeeld een van beide ouders de ziekte heeft, dan verdubbelt de kans dat hun kinderen het ook krijgen. Helaas voor mij en mijn broers en zussen, is de ziekte van alzheimer ruim vertegenwoordigd in mijn moeders kant van de familie: haar moeder had het, haar grootmoeder waarschijnlijk ook, en haar zus is eraan gestorven. We grappen nogal morbide dat we op 'ground zero' voor de ziekte van alzheimer staan. De dreiging is continu aanwezig. Als ik voor mezelf spreek: ik leef mijn hele leven al in de veronderstelling dat ik misschien nog twintig goede jaren heb en dat het dan toeslaat.

Wat lijkt je het ergste aan dementie?
Een veel voorkomende misvatting over de ziekte van alzheimer is dat het alleen maar leidt tot geheugenverlies. Maar het verlies van het geheugen is niet het ergste, in mijn opinie. Het is de woede, agressie en het geweld dat steeds meer toeneemt als de ziekte vordert. Het is heel typisch, zelfs heel zachtaardige, vriendelijke en liefdevolle mensen worden uiterst opvliegend, boos en paranoïde. Het is een afschuwelijke ziekte die de waardigheid en menselijkheid van zijn patiënten volledig wegneemt.

Hoe zou jij zelf de vriendschap tussen hoofdpersonen Jennifer en Amanda beschrijven? Is het een soort vriendschap die je zelf zou willen hebben? Waarom wel/niet?

Jennifer en Amanda hebben een echte band. Ze zien en accepteren elkaar zoals ze werkelijk zijn, met hun mooie en minder mooie kanten. Ze hebben geen illusies en toch voelen ze nog steeds grote genegenheid voor elkaar. Op die manier is het een ideale en eerlijke vriendschap. Dat streef ik ook na in mijn eigen leven. Ik wil bij mijn vrienden compleet mezelf kunnen zijn zonder dat ik moet voldoen aan een ideaalplaatje dat niet bij me past.

Op een gegeven moment zegt Amanda tegen Jennifer: 'Verraad is het allerergste. Als je iemand niet meer kunt vertrouwen, is ook het respect weg.' Ben je het daarmee eens?

Ik heb een andere mening over relaties dan Jennifer. Ik deel haar ideeën over vertrouwen en respect niet. Ik ben een stuk vergevingsgezinder. In veel opzichten kun je bij Jennifer ver gaan. Ze tolereert dingen waar andere mensen meer moeite mee zouden hebben. De ontrouw van haar man bijvoorbeeld. Maar op andere manieren, is ze nogal meedogenloos en veroordelend. Ze kan niet goed tegen domme mensen. Ook haar ideeën over verraad zijn heel anders dan de mijne. Vertrouwen is een relatieve staat. Ik ben van mening dat er maar weinig mensen zijn die je volledig kunt vertrouwen. Ieder mens heeft zijn of haar geheimen, blinde vlekken en kwetsbaarheden en dat kan hun handelen beïnvloeden. Als mensen een dubbele agenda hebben kan dat tot onbetrouwbaar gedrag leiden. Meestal nemen we dat op de koop toe en accepteren we degenen die we liefhebben, zelfs als we ze niet helemaal vertrouwen. Jennifer ziet de wereld veel meer zwart-wit... Als iemand haar heeft teleurgesteld, dan is het klaar. De dingen die haar teleurstellen verschillen echter nogal van de dingen waar de meeste mensen ontdaan van zouden zijn.

Ben je door het schrijven van dit boek anders gaan denken over sterfelijkheid en de kwetsbaarheid van het menselijk lichaam? Hoe kijk je hier tegenaan?

Nee, ik denk het niet. Het schrijven van het boek heeft juist sommige van mijn eigen angsten verkleind. Ik maak me minder zorgen over wat me (waarschijnlijk, mogelijk) te wachten staat. Ik weet niet precies waarom. Daarnaast ga ik waarschijnlijk gebruikmaken van de nieuwe diagnostische tests voor de ziekte van alzheimer die op de markt beginnen te komen, ondanks dat er nog geen genezing voor de ziekte is. Sommige van die tests schijnen de aanwezigheid van de ziekte zelfs tientallen jaren op voorhand al te kunnen aantonen. Vroeger begreep ik niet waarom mensen van tevoren wilden weten of ze de ziekte zouden krijgen, maar nu ben ik zelf ook zo ver dat ik het wil weten. Als het zo is dan wil ik me ruim op tijd kunnen voorbereiden om mijn familie zo veel mogelijk ellende te besparen. Ik kan de beslissingen over de financiën, de langdurige zorg en de behandeling vast nemen en dat op die manier vast uit handen nemen van mijn gezin. Voor ik *Hersenspinsels* schreef, vond ik dit een gruwelijk en morbide scenario, maar nu niet meer.

Hersenspinsels *is je fictiedebuut. Hoe lang heb je erover gedaan om het boek te schrijven en was het moeilijk om een uitgever te vinden?*

Ik heb eigenlijk al heel veel fictie geschreven, maar dat waren korte verhalen die allemaal gepubliceerd zijn in literaire tijdschriften met een kleine oplage die maar weinigen buiten de academische wereld bereikten. Ik ben enkele jaren bezig geweest met een roman, maar dat schoot maar niet op. Twee maanden voor ik begon met het schrijven van *Hersenspinsels* heb ik daar een streep onder gezet. Toen het idee voor *Hersenspinsels* eenmaal vorm kreeg, ging het daadwerkelijke schrijven ervan heel snel. Dit verhaal was er duidelijk klaar voor om naar buiten te komen.

Nadat ik de laatste punt had gezet, stuurde ik het boek naar mijn agent, Victoria Skurnick van het Levine-Greenberg Literary Agency in New York. Twee weken lang was ik op van de zenuwen tot het verlossende telefoontje kwam. Toen ze me vertelde dat *Hersenspinsels* het beste was dat ze in lange tijd had gelezen, was ik euforisch.

De reacties op Hersenspinsels *zijn zeer goed. Maakt dat je naast blij ook een beetje nerveus?*

Grappig, ik had het daar vanochtend nog over met mijn partner. Hij bekende dat hij van overweldigende reacties zenuwachtiger wordt dan van slechte kritieken. Ik heb dat ook. Gek hè? Ik ben van nature een gereserveerd persoon, verlegen zelfs, en al die publieke belangstelling voelt ongemakkelijk voor me. Omdat het zo goed gaat met *Hersenspinsels* zijn we ook voorzichtig onze toekomstplannen aan het heroverwegen. Mijn partner is ouder en gaat bijna met pensioen. Hij is een Brits burger die al vijfentwintig jaar in Amerika woont, maar nooit zijn Engelse staatsburgerschap heeft opgegeven. Hij heeft steeds meer heimwee naar Europa. Waarschijnlijk zullen we dus veel meer tijd gaan doorbrengen aan de andere kant van de Atlantische Oceaan. We hebben een dochter van zestien die we niet uit haar vertrouwde omgeving weg willen halen, dus dat beïnvloedt onze plannen wel. Maar tijdens schoolvakanties en in de zomer hopen we veel meer te gaan reizen. Als het lukt om de overstap naar fictie te maken en ik boeken kan gaan schrijven, ben ik niet meer gebonden aan San Fransisco voor mijn schrijfwerk en kan ik gemakkelijker op pad. Dat zou geweldig zijn.

Tekst Kim Moelands